JULIE CAPLIN lebt im Südosten Englands, liebt Reisen und gutes Essen. Die Arbeit als PR-Agentin führte sie in die unterschiedlichsten Städte und eröffnete ihr so farbenfrohe Kulissen für ihre Romane. Mittlerweile widmet sie sich ganz dem Schreiben. In der Romantic-Escapes-Reihe sind zuletzt die Spiegel-Bestseller «Das kleine Cottage in Irland» und «Die kleine Bucht in Kroatien» erschienen. Die Romane sind auch unabhängig voneinander ein großes Lesevergnügen.

CHRISTIANE STEEN ist Programmleiterin und Übersetzerin. Sie lebt in Hamburg.

JULIE CAPLIN

Das kleine Schloss in Schottland

ROMAN

Aus dem Englischen von
Christiane Steen

Rowohlt Taschenbuch Verlag

Die Originalausgabe erschien 2022
unter dem Titel «The Christmas Castle in Scotland»
bei HarperCollins Publishers, London.

3. Auflage Dezember 2023
Deutsche Erstausgabe
Veröffentlicht im Rowohlt Taschenbuch Verlag,
Hamburg, November 2023
Copyright © 2023 by Rowohlt Verlag GmbH, Hamburg
«The Christmas Castle in Scotland»
Copyright © 2022 by Julie Caplin
Redaktion Nadia Al Kureischi
Die Übersetzung des Gedichts von Robert Burns auf S. 405
stammt von Wilhelm Gerhard.
Covergestaltung FAVORITBUERO, München
Coverabbildung Shutterstock
Satz aus der Kepler Std
bei Pinkuin Satz und Datentechnik, Berlin
Druck und Bindung CPI books GmbH, Leck
ISBN 978-3-499-00977-8

Für Donna – aus unendlich
vielen Gründen

KAPITEL 1

Oktober

Als Izzy ihr Gepäck aus dem Kofferraum holte, hörte sie eine Fahne flattern, begleitet vom Chor der klirrenden Metallhaken, die gegen die Stange stießen, und dem Schrei eines Bussards, der hoch über ihrem Kopf am Himmel schwebte. Sie schaute am Fahnenmast empor und stutzte irritiert, denn aus irgendeinem Grund prangte dort eine Piratenflagge – auf halbmast. Und das hier auf einem Schloss. Alles klar. Ihre Mutter folgte eigenen Gesetzen.

Stöhnend schleppte sie ihren Koffer die Steinstufen hinauf, die in der Mitte ganz glatt getreten waren, drückte die schwere, eisenbeschlagene Holztür auf und trat in die uneben geflieste Eingangshalle, die vom Echo Hunderter alter Geschichten widerhallte. Seit sechs Wochen war sie nicht mehr hier gewesen.

Ein Lächeln breitete sich auf ihrem Gesicht aus. Sie, Izzy McBride, war nun die offizielle Eigentümerin von Kinlochleven Castle. Ausgerechnet sie! Was um alles in der Welt hatte sich Großonkel Bill bloß dabei gedacht? Es war auf jeden Fall ein ganz schöner Schreck gewesen. Alle hatten erwartet, dass er das Schloss an seinen Cousin von der Ostküste vererben würde. Zum Glück hatte der aber keinerlei Groll gezeigt, als Izzy ihn auf Bills Beerdigung traf.

Jetzt brauchte sie erst mal einen Tee. Ihre Rückreise von Irland, wo sie die letzten sechs Wochen an der berühmten Kochschule Killorgally verbringen durfte, hatte vierundzwanzig Stunden gedauert. Daher sehnte sie sich nach einem großen Becher Tee und einem dieser unfassbar überteuerten Shortbreads, die sie am Flughafen von Edinburgh gekauft hatte. Denn wie sie ihre Mutter kannte, waren die Küchenschränke sicher leer. Xanthe war keine Köchin und interessierte sich auch nicht für Essen. Sie lebte meist von Zigaretten, Gin und Salat.

Zu Izzys Überraschung nahm sie bei ihrem Eintreten ins Schloss Essensgerüche wahr. Vielleicht hatte sie ihrer Mutter doch unrecht getan? Sie folgte dem Duft bis zum Ende eines langen, getäfelten Flurs und öffnete die Küchentür.

«Hi, Mum! Hast du etwa –» Beim Anblick eines breiten Rückens, der am großen schwarzen Rayburn-Herd stand, blieben ihr die Worte im Hals stecken. Die Gestalt drehte sich um, und Izzy erblickte einen großen und ziemlich derangiert aussehenden Mann in verblichenen Jeans und dickem Pullover. Ein Wollschal war mehrmals um seinen Hals geschlungen. Und er hatte die blauesten Augen, die sie je außerhalb eines TV-Bildschirms gesehen hatte.

«Hallo», sagte er und schob sich mit einer Hand die Strähnen seiner ungekämmten Haare aus dem Gesicht, während er mit einem Holzlöffel in der anderen in einer Kasserolle herumrührte.

8

«Wow! Sie haben ihn angekriegt», sagte sie und deutete mit dem Kopf auf das Monster von Küchenofen, den sie noch nie hatte anzünden können.

«Ja», sagte er lächelnd. «Auch wenn ich mich erst mal auf YouTube schlaumachen musste.»

Izzy nickte und wünschte, sie hätte es selbst so gemacht, als sie das erste Mal vor dem Ding gestanden hatte. Aber irgendwie hätte es sich wie Schummeln angefühlt. Und nun sollte es der Besitzerin eines schottischen Schlosses doch erst recht möglich sein, ihren Herd eigenmächtig anzuzünden.

«Entschuldigung, aber wer sind Sie eigentlich?», fragte sie ein wenig zu direkt, aber schließlich kam es nicht jeden Tag vor, dass man in sein Haus kam und einen – abgesehen von dem schlunzigen Beinahe-Bart – absolut umwerfend gut aussehenden Fremden in der Küche vorfand. Izzy gab seinen bezirzenden blauen Augen die Schuld daran, dass sie so forsch war.

Der Mann zog eine Augenbraue in die Höhe. Es wirkte gekonnt.

«Ich bin Ross Strathallan. Und wer sind Sie?»

Viel zu lange starrte sie ihn an, während ihr Hirn, das immer noch ganz durcheinander war von der Reise und von diesen blauen Augen, langsam zu Brei wurde. «Ich bin McBride ... ich meine, Izzy. Also, Izzy McBride.»

Seine Augenbrauen vollführten dieses Ich-bin-nicht-sicher-was-das-alles-soll-aber-ich-spiele-gern-mit-Dingsbums. «Nett, Sie kennenzulernen, McBride.» Dann wandte er sich wieder seinem Topf zu.

«Ähm, entschuldigen Sie bitte», stotterte Izzy, die sein

komplettes Desinteresse an ihrer Person völlig aus der Fassung brachte. Sie war vielleicht eine Weile weg gewesen, aber das hier war immer noch *ihr* Zuhause, und sie hatte keine Ahnung, was dieser Ross Strathallan, wer immer er auch war, in *ihrer* Küche zu suchen hatte.

«Ja?», antwortete er, als böte er ihr seine Hilfe an. Er wirkte total entspannt, sowohl in der Situation als auch mit sich selbst. Offenbar war er einer dieser übertrieben selbstbewussten, von sich überzeugten Männer, die sich in ihrer eigenen Haut pudelwohl fühlten. Doch gleichzeitig spürte Izzy eine gewisse Reserviertheit, als ob er sich von der Welt abschirmte.

Sie wollte nicht unhöflich klingen, aber was zum Teufel machte er hier? In *ihrer* Küche? Das hier war *ihr* Reich, das Herz des Schlosses. In Irland hatte es sie am Ende gejuckt, endlich wieder nach Hause zu kommen, ihre Küche in Beschlag zu nehmen und das Gelernte endlich anwenden zu können, bis sie irgendwann zahlende Gäste haben würden. Und jetzt einen Fremden hier zu sehen, in ihrem Zuhause ... Das ging doch einfach nicht!

«Was machen Sie hier?» Die Worte klangen ungewöhnlich scharf. Normalerweise war sie viel geduldiger – bei einer Mutter wie ihrer musste sie das auch sein.

Wieder zog er seine Augenbraue auf diese verdammt irritierende Weise in die Höhe. «Ich mache mir etwas zu essen.» Er hob den Löffel, um ihr die gebackenen Bohnen zu zeigen.

Sie beschloss, wegen des Essens nicht laut zu schnauben, aber dort, wo sie die letzten Wochen verbracht hatte, zählten gebackene Bohnen nicht als Mahlzeit. Die

Leiterin der Kochschule in Irland, Adrienne Byrne, wäre entsetzt gewesen.

«Wieso?», fragte sie.

«Weil ich Hunger habe», sagte er langsam und betont, als spräche er mit einer Schwachsinnigen.

Sie starrte ihn. Versuchte er etwa, witzig zu sein? Sie stieß einen genervten Seufzer aus, dann schenkte sie ihm ein künstliches Lächeln. «Ja, aber wieso kochen Sie in dieser Küche? In diesem Haus? Was haben Sie hier zu suchen?»

«Ich wohne hier», sagte er, als wäre das offensichtlich.

«Nein, tun Sie nicht», sagte sie.

«Doch.»

«Das können Sie nicht.»

«Doch, ich kann.»

«Seit wann? Ich meine, … Nein!» Sie hob ihre Hand. «Sagen Sie nichts. Sie können hier nicht bleiben.» Auch wenn sie ihn unter anderen Umständen sicherlich nicht einfach rausgeworfen hätte. Es war etwas Solides und Verlässliches und Unerschütterliches an ihm, selbst ohne sein gutes Aussehen und seinen Rugbyspieler-Körper. Normalerweise stand sie nicht auf diesen Typ Mann, jedenfalls nicht im echten Leben. Heimlich pflegte sie aber ziemlich heiße Fantasien über Jamie Fraser aus der Serie *Outlander*.

«Da bin ich anderer Ansicht», erwiderte er. «Wieso reden Sie nicht mit meiner Vermieterin Xanthe?»

«Vermieterin?» Izzys Stimme schraubte sich in die Höhe. «Sie hat Sie hier einziehen lassen? Wann? Und wie?»

«Nun, so wie es die meisten Leute machen. Mit ein paar Kartons und Koffern. Oh, und einer Zimmerpflanze.» Seine Lippen zuckten amüsiert, sodass sie ihn am liebsten geboxt hätte, auch wenn ihr Schlag wie der einer schlaffen Zeichentrickfigur vermutlich an seiner steinharten Brust abprallen würde. Nicht, dass sie in ihrem Leben schon irgendwen geboxt hätte, und sie hatte auch nie das Bedürfnis danach gespürt – außer das eine Mal, als Philip ihr verkündet hatte, dass er verlobt war. Aber mit diesem Thema wollte sie sich jetzt ganz sicher nicht beschäftigen.

«Ich hätte es ahnen müssen ...», murmelte sie. «Und wie lange haben Sie vor zu bleiben?»

«Drei Monate.»

Izzy machte große Augen.

«Vermutlich länger. Allerdings habe ich unter der Voraussetzung gebucht, dass ich hier absolute Ruhe habe.» Spöttisch kniff er die Augen zusammen und wandte sich wieder um. Er nahm eine der beiden Toastscheiben, die auf der Grillplatte des Herds rösteten, und legte sie auf einen Teller, bevor er den halben Inhalt der Kasserolle – ungefähr die Menge einer ganzen Dose gebackener Bohnen – darüberkippte. Dann nahm er seinen Teller, setzte sich an den Tisch, lehnte einen E-Reader gegen einen Teebecher und begann zu essen.

Erneut starrte sie ihn an. «Drei Monate? Das geht nicht. Also, ich möchte wirklich nicht unhöflich sein, aber Sie können nicht hierbleiben. Wir sind noch überhaupt nicht auf Gäste eingestellt. Sie müssen ausziehen.»

«Wie gesagt, ich würde vorschlagen, Sie klären das mit Xanthe», sagte er mit nervenaufreibender Gelassenheit, ohne sie weiter zu beachten.

«Das werde ich», sagte Izzy und klang dabei wie ein bockiges Kleinkind.

Sie würde ihre Mutter umbringen! Was zur Hölle hatte sie sich dabei gedacht? Sie waren noch gar nicht auf zahlende Gäste eingestellt – und erst recht nicht auf solche, die selbst kochten. Das hier war schließlich keine verdammte Jugendherberge oder billige Absteige. Zugegeben, es lag noch ein Berg an Arbeit vor ihr. Aber die Küche sollte *ihr* gemütliches Reich werden, abgetrennt vom Rest des Hauses. Ein Ort, an dem sie sich austoben konnte und ihre Ruhe haben würde, ganz besonders vor ihrer Mutter. Und nun schien sich dieser Kerl hier häuslich einrichten zu wollen. Damit war Izzy überhaupt nicht einverstanden.

Doch sie war erschöpft und hungrig, und die Bohnen rochen trotz allem gut. Sie rümpfte die Nase, ging an ihm vorbei und nahm sich einen Teller aus dem Schrank. Dann griff sie nach dem anderen Toast und lud sich den Rest der Bohnen aus dem Topf auf. Sie ignorierte seinen überraschten Blick, setzte sich ihm gegenüber und begann zu essen. Das hier war ihre Küche, und sie würde sich ganz sicher nicht daraus vertreiben lassen.

«Bedienen Sie sich ruhig», sagte er mit empörtem Blick auf ihren Teller.

«Vielen Dank.»

«Möchten Sie vielleicht noch eine Dose? Die können Sie dann einfach von meiner Rechnung abziehen.»

Izzy ließ ihre Gabel auf den Teller fallen und blickte ihn gequält an. Oh Gott, wie peinlich! Sie hatte angenommen, dass in dem Betrag, den er ihrer Mutter zahlte, zumindest die Mahlzeiten enthalten waren. War Xanthe wirklich derartig schamlos?

Sie war so wütend, dass es sinnlos wäre, jetzt gleich mit ihrer Mutter zu sprechen. Das würde ihren Blutdruck nur in eine gefährliche Höhe treiben. Stattdessen stürmte sie zurück in die Eingangshalle, vorbei an dem Hirschgeweih und den Angelruten, die die Wände zierten, bis zur Veranda. Sie brauchte dringend frische Luft.

Kurzerhand zog sie sich eine Wachsjacke an, schob sich durch die schwere Holztür und stapfte auf die Kiesauffahrt. Dort hielt sie kurz an und holte tief Luft, dann schritt sie zwischen den beschnittenen Bäumen und Büschen in den Park und in Richtung des nahe gelegenen Moores.

Die Sonne stand schon tief am Himmel, vermutlich würde es nur noch eine Stunde hell sein. Der sich ankündigende Sonnenuntergang hatte die Wolken bereits rosa gefärbt, doch das war Izzy egal. Seit ihrem Aufenthalt in Irland hatte sie gelernt, dass Essen zwar den Körper ernährte, doch dass es einzig und allein der Aufenthalt in der Natur war, das Einssein mit ihr, das die Seele nährte. Und genau das brauchte sie jetzt, sie musste einfach draußen an der frischen Luft sein.

Nachdem sie zwanzig Minuten schnellen Schrittes gegangen war, blieb sie stehen, um zu Atem zu kommen. Sie drehte sich um und schaute den Hang hinab, den sie erklommen hatte.

Das frühe Abendlicht tauchte die Umgebung nun in goldenen Schein, der sich harmonisch mit den herbstlichen Farben aus Rostbraun, Orange und Rot mischte. Bei diesem Anblick spürte sie einen freudigen Stich im Herzen, und ihr Ärger von vorhin verflog. Mit einer Mischung aus Stolz und Aufgeregtheit schaute sie auf die rauen Mauern von Kinlochleven Castle, das sich zwischen den braunen, gelben und blassrosa Herbstbäumen erhob. Dahinter bewachten rötliche, mit Farn bewachsene Hügel den Horizont. Der idyllische Eindruck der gesamten Szenerie wurde von dem perfekten Spiegelbild, das sich im glasklaren Loch Leven zeigte, noch gesteigert.

Die markanten, schindelgedeckten Kegeldächer, die Türmchen und Zinnen gaben dem schottischen Adelsschloss aus dem neunzehnten Jahrhundert eine majestätische Erscheinung und erinnerten in ihrer Pracht an ein vergangenes Zeitalter. Es war nun ihr Zuhause – zumindest so lange, wie sie verhindern konnte, dass ihnen das Dach auf den Kopf fiel. Doch sie war fest entschlossen, selbst wenn es sie ihren letzten Penny kosten würde.

Izzy ließ sich auf einen umgestürzten Baumstamm sinken, stützte das Kinn in eine Hand und betrachtete das wunderschöne Erbe, das von nun an unter ihrem Schutz stand. Sie musste das Gebäude für zukünftige Generationen erhalten, aber sie musste auch dafür sorgen, dass das Schloss Geld abwarf. Ihr Großonkel war strikt dagegen gewesen, einen Teil des Landes zu verkaufen, deshalb hatte er es ihr und nicht ihrer Mutter oder seinem Cousin vererbt. Das Anwesen in ein kleines privates

Hotel umzuwandeln, schien die einzige Lösung, wie sich das Schloss finanzieren ließ.

Natürlich gab es noch eine Menge zu tun, aber die schwierigste Aufgabe würde sein, Xanthe unter Kontrolle zu halten. Ganz offensichtlich war es bereits mit ihr durchgegangen, und sie hatte einem vollkommen Fremden ein Zimmer vermietet. Izzys Mutter gehörte einfach zu den Menschen, die schon losrennen wollten, bevor sie überhaupt sicheren Stand hatten, und das am liebsten mit olympischer Rekordgeschwindigkeit. Es war jedem ein Rätsel, woher Izzy ihren gesunden Menschenverstand geerbt hatte, denn ihr Vater schien nicht viel besser gewesen zu sein. Er war bei einem Unfall gestorben, genauer gesagt bei einem Traktorrennen auf der Straße vor ihrem Haus, als Izzy gerade mal fünf Jahre alt gewesen war.

Aber genug der Grübelei. Sie schaute auf ihr Handy. In der WhatsApp-Gruppe, die sie in ihrem Kochkurs in Irland eingerichtet hatten, häuften sich bereits die Antworten auf ihre Nachricht von vorhin.

Izzy: *Ich bin zu Hause. Fürchterliche Reise, aber so schön, wieder da zu sein.*

Jason: *Bin zurück im Job, und mein Boss lässt schon wieder die Peitsche knallen. Kaum zu glauben, aber ich vermisse Killorgally jetzt schon.*

Fliss: *Hoffe, dein neues Projekt läuft gut, Izzy. Viel Glück!*

Jason: *Sag Bescheid, wann wir kommen können. Bin noch nie in einem Schloss gewesen.*

Hannah: *Viel Glück beim Kochen!*

Sie lächelte. Von den Teilnehmern würde sie alle ver-

16

missen, aber besonders Hannah, Fliss und Jason, die ihr altersmäßig am nächsten waren.

Izzy stand auf und atmete noch einmal tief aus. Jetzt, wo sie sich etwas beruhigt hatte, würde sie ihre Mutter aufsuchen und herausfinden, was es mit diesem Ross Strathallan auf sich hatte – und wie schnell sie ihn wieder loswerden und ihre Küche zurückerobern konnte.

KAPITEL 2

*Z*u ihrer Erleichterung war die Küche leer, als sie zurückkam. Doch gerade als sie dankbar ihren ersten Schluck Tee trank, ging die Tür auf, und ein drahtiger Mann mit grau melierten Haaren, die von ein paar rot verblichenen Strähnen durchzogen wurden, kam herein.

«Ah, Kleines, du bist wieder da. Ich hab vorhin schon das Auto auf der Straße gesehen.»

«Duncan, wie geht es dir?» Izzy war erfreut, ihn zu sehen. Seit über zwanzig Jahren arbeitete er schon im Schloss, und er sollte eigentlich längst in Rente sein, doch er hatte Izzy angeboten, ihr bei allen Fragen rund um das Anwesen und seine Geschichte zur Seite zu stehen.

«Nicht schlecht, nicht schlecht. Wie war's denn in Irland?»

«Ziemlich gut, ich werde mich beim Kochen jedenfalls nicht blamieren. Hoffentlich.» Sie grinste. «Möchtest du auch eine Tasse Tee?»

«Jep. Ich muss dir sowieso eine Menge erzählen.» Er wiegte den Kopf und schnalzte.

«Okay.» Sie holte eine Tasse und goss ihm Tee ein, dann setzten sie sich beide an den Tisch.

«Ich habe den Kostenvoranschlag für die Reparatur vom Dach bekommen.»

«Das ist toll, danke, Duncan.» Sie lächelte ihn an. Sie hatten vor sechs Wochen darüber gesprochen, und sie war dankbar, dass er sich während ihrer Abwesenheit darum gekümmert hatte.

Er lächelte seltsam gequält zurück. «Wenn du den Preis erfährst, bist du vermutlich nicht mehr so froh darüber. Das Dach ist etwas schlimmer dran, als wir dachten.»

«Oh! Wie viel schlimmer?», fragte Izzy und umklammerte ihre Tasse, als könnte ihr die Wärme etwas Trost spenden.

Duncan verzog den Mund.

«Sag es mir lieber gleich.»

«Das wird mindestens zwanzigtausend kosten.»

Augenblicklich drehte sich ihr der Magen um. «Das ist viel Geld.»

«Wir können es erst noch ein bisschen flicken, aber das gesamte Dach über dem Ostflügel muss erneuert werden.»

Izzy nickte wie betäubt und unterdrückte ihre Übelkeit.

«Nun, die Hennen legen fleißig Eier», erklärte Duncan lapidar. «Also werden wir wenigstens nicht verhungern.»

«Na super», sagte sie mit einem schwachen Lächeln.

«Es ist jedenfalls gut, dass du wieder da bist, Kleines.» Er zwinkerte ihr aufmunternd zu, doch dann fiel ein Schatten über sein Gesicht. «Sehr gut sogar. Xanthe hat mich die letzten Wochen ganz schön herumgescheucht, und ich bin froh, wenn ich mal eine Atempause kriege.»

Izzy schaute ihn mitfühlend an und überlegte, was ihre Mutter bloß noch alles angestellt haben mochte. «Ich werde am besten mal zu ihr gehen. Ich habe sie noch gar nicht gesehen.»

«Sie hat sich nicht verändert», sagte Duncan und presste die Lippen zu einem Strich zusammen.

Als Izzy wenig später in die Haupthalle trat, schallte ihr eine Stimme so laut wie ein Nebelhorn vom oberen Stockwerk entgegen. «Izzy, Schatz, du bist wieder da!»

Ihre Mutter beugte sich über die hölzerne Balustrade und winkte ihr erhaben zu, als sei sie die Queen auf der königlichen Jacht *Britannia*, die gerade vor Anker ging.

«Ja, Xanthe, ich bin wieder da», murmelte Izzy, während ihre Mutter die Stufen hinuntereilte, wobei sie fast über den lilafarbenen Chiffonstoff stolperte, der um ihre Beine flatterte.

Am Fuße der Treppe umfasste sie Izzys Schultern und stach ihr mit ihrem federigen Haarschmuck, der wie ein exotischer Vogel auf den feuerroten Locken hockte, beinahe das Auge aus. «Liebling, was hast du denn für Schatten unter den Augen? Wir müssen dir Gurkenscheiben besorgen.»

«Warum war da vorhin ein fremder Mann in der Küche?»

Ihre Mutter sog an ihrer paillettenbesetzten Zigarettenspitze und blies den Rauch aus. Dann grinste sie Izzy verschmitzt an. «Netter Anblick, was? Diese Schultern! Er hat was von Jamie Fraser, finde ich. Ich dachte, wir könnten ihn behalten.»

Izzy prustete los. Ihre Mutter war komplett verrückt, aber es hatte gar keinen Sinn, sich mit ihr zu streiten. Das hatte sie schon vor langer Zeit gelernt.

«Du bist unverbesserlich, Mum. Also, was macht er hier? Er glaubt, dass er drei Monate im Schloss wohnen kann.»

«Ja!» Xanthe sah sehr zufrieden mit sich aus. «Mrs. McPherson, die bei der Post arbeitet – die mit diesen Zähnen, du weißt schon … Apropos, meinst du, es gibt hier einen Zahnarzt? Meine eine Füllung fühlt sich etwas locker an und –»

«Was wolltest du von Mrs. McPherson erzählen?»

Izzy seufzte. Ihre Mutter war ganz groß darin, den Faden zu verlieren.

«Na ja, sie war diejenige, die uns den Professor vor ein paar Wochen geschickt hat. Sie wusste von unseren Plänen … na ja, natürlich wusste sie es. Sie arbeitet bei der Post, und die wissen ja immer alles, stimmt's? Jedenfalls hat sie ihm erzählt, dass wir hier ein Hotel eröffnen wollen, und er wollte irgendwo unterkommen, wo es ruhig ist. Er schreibt nämlich ein Buch. Und da wir gerade keine anderen Gäste haben, dachte ich, das wäre doch gut für die Kasse.»

Professor? Izzy biss die Zähne aufeinander. «Aber wir haben noch keine Gäste, weil wir noch nicht auf Gäste vorbereitet sind!»

«Quatsch, Süße. Wir haben Zimmer, und damit ist es gut. Du solltest mal sehen, was ich mit dem Salon angestellt habe, während du weg warst. Außerdem ist unser Gast vollkommen einverstanden damit, sich

21

selbst zu versorgen. Ohnehin sehe ich ihn kaum. Und das ist eigentlich schade, wo er so ein hübscher Anblick ist.»

«Darum geht es doch nicht.» Izzy schluckte.

«Aber er hat gesagt, wir würden gar nicht merken, dass er hier ist.» Die sowieso schon laute Stimme ihrer Mutter drehte noch ein paar Dezibel mehr auf. «Er ist Schriftsteller. Ein Geschichtsprofessor im Sabbatjahr. Ehrlich, Liebling, er verbringt den ganzen Tag in seinem Zimmer, geht spazieren und ist dann wieder den ganzen Abend oben. Schrecklich langweilig. Ich vermute, dass er zu diesen großen, dunklen Grüblertypen gehört. Stille Wasser und so weiter, du weißt schon. Aber meinst du nicht auch, dass unter diesem zurückhaltenden Äußeren vielleicht große Leidenschaft brodelt? Jedenfalls macht er wirklich keine Mühe. Und jetzt komm und schau dir an, was ich geschafft habe.»

Bevor Izzy auch nur ein Wort erwidern konnte, schwebte ihre Mutter in ihrer lilafarbenen Wolke davon. Mit entnervtem Seufzen folgte sie ihr durch die Halle in den nördlichen Korridor und einen weiteren Gang hinunter, der mit einem ziemlich zerschlissenen Teppich in Karomuster ausgelegt war – teilweise war er mit grau glänzendem Klebeband am Boden festgeklebt.

Das alte Teil musste ganz dringend ersetzt werden, dachte Izzy, bevor jemand über die ausgefransten Ränder stolperte und sich den Hals brach. Ein weiterer Grund, weshalb sie noch keine Gäste beherbergen konnten. Die Gesundheit und Sicherheit der Gäste waren zurzeit einfach noch nicht zu garantieren.

«Oh, und noch was, Mum: Wieso weht am Turm eine Fahne mit Totenschädel und gekreuzten Knochen?», fragte sie, als sie ihre Mutter eingeholt hatte.

«Ist das nicht lustig? Ich habe sie in einer der Kommoden auf dem Dachboden gefunden und dachte, wieso nicht? Dann wissen die Nachbarn gleich, dass wir jetzt hier sind.»

Izzy lächelte schief. Das war typisch Xanthe.

«Ta-daa!», rief ihre Mutter und drückte eine Tür am Ende des Ganges auf.

Izzy trat in den Salon, der mit seinen vier großen Fenstern den Loch überblickte. Zwei weitere Fenster befanden sich am Ende des Raumes. Das Licht hier drin war herrlich, doch leider hatte man deshalb auch immer die verblichene Farbe der Wände überdeutlich sehen können, genauso wie die große Ansammlung von Spinnweben an der staubigen Stuckdecke oder die sonnenverblichenen Polstermöbel.

Aber all das war nun verschwunden.

«Oh, Wahnsinn!», rief Izzy. «Das sieht ja toll aus!»

Ihre Mutter hatte den Raum komplett überholt. Die Wände waren in geschmackvollem Mintgrün gestrichen – bestimmt trug die Farbe einen Namen wie ‹Waldsalbei› oder ‹Dünengras›, dachte sie. Die Decke war weiß getüncht worden, und rechts und links der Raffrollos aus vertraut wirkenden, kostbaren Stoffen hingen Vorhänge. Izzy erkannte auch ein paar der Bilder und Antiquitäten wieder, die aus anderen Teilen des Schlosses hergebracht worden waren, um aus dem Salon einen gemütlichen, geschmackvollen Raum zu machen.

«Ich weiß», sagte Xanthe selbstzufrieden.

«Wie hast du ...?» Ihre Mutter war zwar sehr kreativ, aber praktisch veranlagt war sie nicht. Wenn sie sich allerdings etwas in den Kopf setzte, konnte sie ziemlich stur und entschlossen sein – besonders, wenn sie jemandem etwas beweisen wollte.

«Ich habe Duncan aus seinem Büro gelockt, und er hat mir geholfen, die Möbel umzustellen.» Izzy starrte sie an. Daher wirkte der gute Mann so erschöpft. «Findest du die Überwürfe nicht herrlich? Fühl mal, sie sind so weich. Ich habe sie aus ein paar alten Decken gemacht, die ich in den Kisten auf dem Dachboden gefunden habe. Es war herrlich, dort herumzukramen. Ich muss schon sagen, damals hat man den Haushalt wirklich gut geführt. Alles war zusammen mit Mottenkugeln eingepackt. Die Raffrollos habe ich aus den Vorhängen von einem der Schlafzimmer genäht. Sie waren nur am Rand ausgeblichen, darum konnte ich fast den ganzen Stoff verwenden. Und die Schals sind bloß zur Dekoration, ich habe sie aus den Originalvorhängen gemacht und nur die Sonnenschäden abgeschnitten. Hübsch, oder?»

«Ja, allerdings», musste Izzy zugeben. «Und sehr sparsam. Das hast du wirklich toll gemacht, Mum.»

«Sparsam ist mein zweiter Vorname, und ansonsten heiße ich Xanthe, Liebling», verbesserte sie ihre Mutter.

Izzy ging geflissentlich darüber hinweg. «Der Raum sieht aus wie neu.» Sie betrachtete die makellosen Wände noch einmal genauer. «Hast *du* hier gestrichen?»

Xanthe lachte. «Du liebe Güte, nein. Ich habe mir jemanden geholt, Liebling.» Sie wedelte mit ihren lackierten Fingernägeln. «Der Kerl hat ziemlich gute Arbeit gemacht, auch wenn ich erst noch jemanden bestellen musste, der die Wände neu verputzt.»

Izzy schluckte. «Ah. Und was hat das gekostet?» Sie schob ihre Hände in die Taschen ihrer Jeanshose und verzog den Mund zu einem bemühten Lächeln. Schließlich hatten sie schon mal darüber gesprochen: Diese Arbeiten wollte Izzy selbst erledigen, damit sie Geld sparten – na ja, vielleicht nicht gerade Wände verputzen, aber Risse auffüllen, streichen und solche Sachen.

Ihre Mutter sah für Izzys Gefühl ein wenig zu selbstzufrieden aus.

«Ich weiß, was du denkst. Wir können es uns nicht leisten, aber ...» Sie tippte sich an die Nase. «Du vergisst etwas.»

Izzy schaute ihre Mutter fragend an. «Was?»

«Professor Strathallan hat für den ersten Monat im Voraus bezahlt.»

Was war bloß aus den typischen Professoren geworden? Diesen notorisch klammen Männern in Cordjacken mit Ellenbogenschützern? *Nicht abschweifen, Izzy,* ermahnte sie sich.

«Mit seinem Geld konnte ich die Farbe und das Verputzen wunderbar bezahlen.» Xanthe hob überheblich das Kinn. «Und es kommt noch mehr Geld rein.»

Izzy schloss die Augen. Sie fürchtete sich davor zu erfahren, wie wenig Miete ihre Mutter verlangt hatte. Denn von Geld hatte sie wirklich keine Ahnung, es rann ihr schneller als Wasser durch die Finger. Vermutlich würde die Miete kaum die Heizkosten für sein Zimmer decken.

Was noch ein Grund mehr war, ihn wieder wegzuschicken. Sie würden sonst noch Geld dabei verlieren.

Izzy öffnete die Augen. «Also, wie viel hast du von ihm verlangt?», fragte sie, als wäre sie eigentlich kaum daran interessiert.

«Fünfhundert Pfund.»

«Fünfhundert Pfund für drei Monate?»

«Sei nicht albern, Schatz. Für wie dumm hältst du mich? Das ist für eine Woche.»

«Was?!», quiekte Izzy und riss überrascht die Augen auf.

«Ja, zweitausend im Voraus für den ersten Monat. Ich dachte, das ist angemessen. Immerhin hat er ein Schloss fast ganz für sich allein. Und ...» Xanthe warf sich in die Brust. «Wir brauchten schließlich das Geld, oder nicht? Außerdem habe ich –»

«Aber wir kochen nicht mal für ihn!» Izzy fühlte, wie ihr die Schamröte ins Gesicht stieg.

Ihre Mutter zuckte mit den Schultern. «Das scheint ihn nicht zu stören. Solange er nur seine Ruhe hat. Das war ihm am allerwichtigsten, also habe ich ihn ganz am Ende des Westkorridors untergebracht. Du weißt doch, das Zimmer mit diesem grässlichen Bild von den röhrenden Hirschen.»

Izzy sagte einen Moment gar nichts, dann musste sie unwillkürlich lachen. Ihre Mutter war wirklich immer für eine Überraschung gut, und wenn der Mann mit der Höhe der Miete einverstanden gewesen war, war es gerade wirklich nicht an ihr, das Geld abzulehnen. Verdammt, sie würde sich bei ihm entschuldigen und ihn mindestens bis zum Ende dieses Monats hier wohnen lassen müssen. Aber länger konnte er nicht bleiben, dafür gab es zu viel zu tun. Er würde ständig im Weg sein, und spätestens wenn die Bauarbeiten begannen, wäre es mit der Ruhe vorbei.

«Ehrlich, Izzy, ich weiß nicht, warum du mich für derartig unfähig hältst.» Die Feder von Xanthes Kopfschmuck wackelte hin und her und unterstrich ihre Empörung.

Izzy schob einen Arm durch den ihrer Mutter. «Ich halte dich für großartig, und dieser Raum sieht toll aus. Wo sollten wir deiner Meinung nach weitermachen?»

«Ah», sagte Xanthe mit einem schelmischen Lächeln. «Komm und schau dir das Esszimmer an. Ich muss dir noch was zeigen. Ich habe dieses schreckliche ausgestopfte Wiesel entsorgt.»

«Wow! Einfach nur wow», sagte Izzy, als sie wenig später mit großen Augen das wunderschön gestaltete Esszimmer betrachtete.

Xanthe grinste mit dem zufriedenen Stolz eines Pfaus, der seine ganze Federpracht zeigt. «Gut, oder?»

Sie hatte nicht nur eine erlesene Sammlung an glänzend polierten Möbeln zusammengetragen, sondern außerdem die lange Tafel mit einem weißen Tischtuch überzogen und für zwanzig Personen eingedeckt: mit glitzernden Kristallgläsern, glänzendem Silberbesteck und zarten Porzellantellern, auf denen frisch gestärkte Damastservietten lagen. Dunkelgrüne Vorhänge umrahmten die beiden großen Flügelfenster, und Xanthe hatte sogar neue Fensterpolster genäht. In der Mitte des Tisches hatte sie vergoldete Tannenzapfen und Kerzen zwischen Efeuranken drapiert, und an den Tischenden prangten die beiden goldenen Hirschkandelaber, in denen kleine weiße Kerzen steckten.

«Wow! Xanthe, das sieht umwerfend aus. Als wäre schon Weihnachten.»

«Ich weiß, ich habe dafür auch viele Likes auf meiner Instagram-Seite bekommen. Wir sind bereit für unsere Weihnachtsbuchungen, denke ich.»

Izzy hob die Augenbrauen. «Nächstes Jahr vielleicht. Für dieses Jahr ist es zu früh. Es gibt noch so viel zu tun. Denk nur dran, wie viele Gästezimmer wir renovieren müssen.»

«Isabel Margaret Mary McBride! Manchmal denke ich, du hast zu viele Gene von meiner Großmutter geerbt – die alte Krähe war genauso miesepetrig.»

«Vielleicht war sie einfach nur vernünftig?» Izzy verdrehte die Augen.

«Unsinn! Wo ist nur dein Sinn fürs Abenteuer?»

«Xanthe, wir sind noch nicht vorbereitet auf Weihnachtsgäste!»

Xanthe schwebte im Zimmer herum und fummelte an einer der Kerzen am Kandelaber, dann machte sie sich an den anderen in der Mitte des Tisches zu schaffen. «Und was, wenn sie fünfundzwanzig dafür zahlen würden?»

«Fünfundzwanzig was?»

«Tausend», stieß Xanthe entnervt aus.

«Dann würde ich sagen, dass sie komplett verrückt sind.» Für so viel Geld würden die Leute ein Catering vom Niveau eines Sternehauses erwarten und dazu teuerste Getränke.

«Verrückt oder nicht –» Ihre Mutter drehte sich mit dramatischer Geste herum und wedelte gefährlich mit einem brennenden Streichholz in der Luft. «Ich habe noch weitere fantastische Neuigkeiten. «Willst du sie hören?» Ihre Augen glänzten vor beinahe fiebriger Aufregung.

«Was hören?», fragte Izzy, in deren Kopf sich die Kosten summierten. Von Professor Strathallans Geld konnte nicht mehr viel übrig sein.

Xanthe verschränkte die Arme und sah extrem zufrieden mit sich aus, was Izzy umgehend mit einem Gefühl der Vorahnung erfüllte.

«Ich habe das Schloss über Weihnachten vermietet.»

«Du hast was?» Izzy richtete sich kerzengerade auf. «Das hast du nicht.»

«Habe ich sehr wohl.»

Izzy starrte ihre Mutter fassungslos an. «Erzähl mir nicht, dass irgendein Millionär deine Posts auf Instagram gesehen hat, um uns fünfundzwanzigtausend Pfund für einen Weihnachtsaufenthalt zu bieten.»

Verärgerung und Triumph spiegelten sich auf dem Gesicht ihrer Mutter. «Tatsächlich, Miss Oberschlau, ist es ganz genau so.»

Izzy verengte ihre Augen zu schmalen Schlitzen.

«Ja, wirklich, Liebes. Die Assistentin eines gewissen Mr. Carter-Jones hat mir geschrieben und gesagt, Kinlochleven Castle wäre genau der Ort, nach dem sie gesucht hätten. Also habe ich geantwortet, dass ...» Ihr

Mund zuckte kurz bei der Erinnerung. «Dass es sehr exklusiv sei und nur für einen fünfstelligen Betrag die Woche zu haben wäre. Sie hat gefragt, ob wir es für fünfundzwanzigtausend machen würden, da habe ich Ja gesagt.»

Izzy fühlte, wie ihre Knie weich wurden. «F-f-fünfundzwanzig ... t-tausend Pfund? Du ... du machst doch Witze!»

«Nein, tue ich nicht.»

«Aber wir können doch niemals –»

«Ehrlich, Izzy, manche Leute sind auch niemals zufrieden. Du hast gesagt, wir brauchen Geld, also habe ich mich darum gekümmert, dass wir welches bekommen, und jetzt hast du damit auch wieder ein Problem. Was willst du eigentlich?»

«Mum! ... Xanthe, für das Geld werden sie einen noblen Sechssterne-Luxusaufenthalt erwarten.» Izzy schüttelte den Kopf. «Und du bist sicher, das ist kein Scherz?»

«Izzy, selbst du musst doch vom Reichtum der Carter-Jones gehört haben. Alexander Carter-Jones macht in Boxershorts, weißt du. Ziemlich passend für Schottland, der Heimat des Kilts, unter dem die meisten Männer, die ich kenne, alles frei hängen lassen ... Jedenfalls hat seine Frau offenbar schottische Vorfahren, und das war immer ihr Traum. Ich habe seiner Assistentin gesagt, wir bräuchten eine Anzahlung von siebentausend, um die Buchung zu garantieren, und der Mann hat heute Morgen überwiesen.»

«Was?!» Izzy blinzelte ihre Mutter an. «Wirklich?»

«Ja, du Ungläubige.» Sie strahlte ihre Tochter an. «Wir können das Geld für die Gästezimmer verwenden. Ich habe die hübschesten Tapeten gesehen ...»

«Mum, Weihnachten ist schon in sechs Wochen. Das ist nicht genügend Zeit.»

«Ach, sei nicht albern. Wo ein Wille ist, ist auch ein Weg. Sicher können wir jemanden aus dem Dorf anstellen, der uns bei der Renovierung und beim Putzen hilft, wenn es denn sein muss.»

Izzy biss sich auf die Lippen. «Wie viele Leute werden denn kommen?» Schon drehten sich ihre Gedanken um all die Dinge, die noch zu tun waren.

«Im Moment sind es noch vier, aber sie haben gesagt, vielleicht kommen noch ein oder zwei mehr.» Mit diesen Worten wirbelte ihre Mutter herum. «Also, ich lasse dich dann jetzt mal allein. Cheerio!»

Nachdem ihre Mutter in einer Wolke aus Parfüm und Befriedigung hinausgerauscht war, starrte Izzy noch eine Weile auf die Tür. *Fünfundzwanzigtausend Pfund.* Das war viel Geld. Auf jeden Fall genug, um das Dach zu reparieren und ein paar Renovierungsarbeiten zu bezahlen, falls Xanthe das Geld nicht schon für die Tapeten ausgegeben hatte. Ihnen blieben sechs Wochen. Ungläubig schüttelte Izzy den Kopf. Mit dem Geld der Carter-Jones und der Miete von Ross Strathallan könnten sie es vielleicht wirklich schaffen ...

KAPITEL 3

Izzy tippte nervös mit dem Fuß auf und schaute auf die Uhr. In der Hand hielt sie Stift und Block. Sie hatte gehofft, Professor Strathallan gleich morgens zu treffen, doch leider war das einzige Lebenszeichen von ihm ein noch warmer Teekessel auf dem Herd und eine abgespülte Müslischale auf dem Abtropfgitter, woraus sie schließen konnte, dass er ganz offensichtlich Frühaufsteher war.

Er schien außerdem ruhig, unauffällig und sehr selbstständig zu sein – so ganz ohne Zimmerservice. Das machte die exorbitante Summe, die Xanthe von ihm verlangt hatte, in Izzys Augen noch beschämender. Für diesen Preis sollten sie einen besseren Service anbieten. Aber sie mussten sich darauf konzentrieren, das Schloss in Schuss zu bringen und zu renovieren, ohne sich auch noch um einen Gast kümmern zu müssen.

Entschlossen legte Izzy Notizblock und Stift beiseite, eilte aus der Küche und lief die Treppe hinauf, vorbei an leicht vergilbten eingerahmten Porträts von steif dastehenden Männern mit ihren Ehefrauen, die alle mit strenger Miene auf sie herabsahen – alles Menschen, die vor ihr in diesem Schloss gewohnt hatten. Sie ging den Flur zu Strathallans Zimmer hinunter und blieb einen Augenblick zögernd vor seiner Tür stehen. Aber der Mann war ja offensichtlich schon aufgestanden, sie würde ihn also nicht aufwecken.

Selbstbewusst klopfte sie mit den Knöcheln fest gegen das polierte Türholz. Sie wartete, doch niemand antwortete. War er nicht im Zimmer? Vielleicht war er spazieren gegangen? Sie klopfte ein zweites Mal und wartete erneut auf Antwort. Als sich nichts regte, rief sie: «Mr. Strathallan?»

Nichts.

Sie klopfte ein drittes Mal und wollte gerade wieder gehen, als sie von drinnen ein deutliches Knallen vernahm und ein lautes «Herrgott noch mal!».

Ups. Er klang nicht besonders erfreut.

Schon bereute sie, ihn gestört zu haben, besonders weil sie ihm sagen musste, dass sie nicht länger für Ruhe garantieren konnten und er deshalb abreisen musste. Die massive Tür wurde aufgerissen, und Ross Strathallan stand mit gerunzelter Stirn vor ihr. Er schien vor Anspannung zu vibrieren, seine dunklen Brauen waren zu zwei wütenden Strichen zusammengezogen. Beinahe wäre sie zurückgewichen.

«Was wollen Sie?», fragte er und zog die Worte derartig zusammen, dass sie einen Augenblick brauchte, um zu verstehen, was er meinte. Sie war so überrascht, dass sie um Worte rang.

«Ich ... äh ...»

Seine dunkelblauen Augen durchbohrten sie förmlich, sodass sie unbehaglich von einem Bein auf das andere trat und sich vorkam wie eine Teenagerin, die nicht wusste, wohin mit sich.

«Ja?», blaffte er. «Ich arbeite. Gibt es etwas Dringendes?»

«Äh, nein», quiekte sie mit der Souveränität eines gewürgten Meerschweinchens.

«Ich hatte doch ziemlich deutlich gemacht, *Miss McBride*, dass ich nicht gestört werden will. Deshalb bin ich hierhergekommen, und deshalb bezahle ich ein Vermögen. Für *Ruhe* und *Frieden*.» Seine Betonung der beiden Worte war unmissverständlich. Er warf ihr einen finsteren Blick zu und schüttelte dann den Kopf, als wäre es sein Schicksal, sich nur mit Idioten herumschlagen zu müssen.

Izzy stand einfach nur stumm da, während er die Tür vor ihrer Nase wieder zumachte.

«Also, das ist doch …», murmelte sie, als sie endlich einen Gedanken fassen konnte. *Wie unverschämt!*

Zehn Minuten später stürmte sie mit einem Thermosbecher Tee über den gepflasterten Hof ins Büro mit dem großspurigen Namen «Schlossverwaltung». Duncan würde eine Tasse Tee niemals ablehnen, und sie musste raus aus dem Haus. Im Kopf formulierte sie mit jedem ihrer wütenden Schritte ein höflich-kühles Kündigungsschreiben, das sie mit größter Freude noch heute unter der Türschwelle ihres Gasts hindurchschieben würde.

Lieber Herr Professor Strathallan, mit Bedauern …

Nein, sie bedauerte es keineswegs.

Lieber Herr Professor Strathallan, ich muss Sie bitten, Ihr Zimmer bis zum Monatsende …

Nein, auch nicht. Sie wollte ihn nicht bitten, sondern es anordnen.

Lieber Herr Professor Strathallan, bitte verstehen Sie die-
ses Schreiben als Aufforderung, Ihr Zimmer zum Ende des
Monats zu räumen.

Eigentlich sollte sie ‹umgehend› daraus machen, aber
das wäre nicht sehr professionell. Tatsächlich würde es
ziemlich hysterisch klingen.

Vielleicht so: *Lieber Herr Professor Strathallan, bitte ver-*
stehen Sie dieses Schreiben als Aufforderung, Ihr Zimmer
bis Freitag zu räumen.

Ja, das war besser. Zufrieden, dass sie die richtige For-
mulierung gefunden hatte, drückte Izzy die Tür zum Ver-
walterbüro auf und trat ein.

Ein leicht muffiger Geruch empfing sie. Der Raum
präsentierte ein ziemliches Durcheinander aus Papie-
ren, alten Fotos und nicht identifizierbaren Geräten und
Eisenwaren, deren ursprüngliche Verwendung sie nur
erahnen konnte. Obwohl das alles hier Duncans Reich
war, liebte sie diesen Geist von Historie und wie alles von
Generation zu Generation weitergegeben worden war.
Izzy hatte Duncan erst kurz vor ihrer Abreise nach Irland
kennengelernt, doch sie hatte schnell eine Zuneigung zu
dem älteren Mann entwickelt. Im Gegenzug schien er ihren Eifer zu schätzen, alles lernen und tun zu wollen, um
das Anwesen zu erhalten. Er bezog eine Rente aus dem
Nachlass, der zum Glück gut angelegt war, und durfte so
lange in seinem Cottage leben, wie er wollte.

«Morgen, Duncan.»

«Ah, Isabel.» Er schaute von einem altmodischen Buch
auf, in dem er gerade mithilfe einer Lupe gelesen hatte.

Izzy hatte schon bei einem früheren Besuch festgestellt, dass er eine Lesebrille bräuchte, doch er hatte es glatt abgestritten und gemeint, er könne gut genug sehen. Und tatsächlich besaß er ein außerordentliches Sehvermögen für die Ferne. Er konnte einen Hirsch aus einer Meile Entfernung in den Farngewächsen auf dem Hügel erkennen.

«Ich hab vom Hofladen was für dich herschicken lassen.» Er deutete auf eine Kiste voller Lebensmittel und Gemüse, die auf dem Tisch stand. «Wollte sie gleich rüberbringen. Dachte, deine Mutter wird vielleicht nicht dran denken.»

«Danke, Duncan, das hilft mir sehr. Ich muss bald mal vorbeifahren und mir einen Überblick über ihr Angebot verschaffen.» Sie warf einen schnellen Blick auf das Gemüse. Stolz wurde ihr klar, dass sie mit diesen Zutaten ihre neuen Kochkünste demonstrieren könnte. Es juckte ihr förmlich in den Fingern, endlich anzufangen. «Ich könnte uns eine Suppe zum Mittagessen kochen. Wenn du auch welche magst, dann lasse ich den Topf auf dem Herd stehen, und du nimmst dir einfach vom Essen, wann immer du willst.»

Sie hatte das Gefühl, dass man sich eine lange Zeit schon nicht um Duncan gekümmert hatte, und ihr gefiel die Vorstellung, dass sie etwas für ihn tun konnte.

«Danke, Kleines. Das ist sehr nett von dir. Hab schon lange keine selbst gekochte Suppe mehr gegessen.» Er strahlte sie an, und sie freute sich, dass sie ihm den Vorschlag gemacht hatte. «Also, wo willst du beginnen?»

«Am Anfang?» Izzy lächelte ihn vorsichtig an und betrachtete den Stapel Papiere neben seinem Ellenbogen.

Vermutlich alles Rechnungen. «Aber wusstest du, dass Xanthe bereits Gäste angenommen hat? Dabei müssen wir doch mit der Renovierung der Zimmer anfangen!»

«Ach, mach dir mal keine Sorgen, wir schaffen das schon.»

Geduldig ging Duncan in den nächsten zwei Stunden alles mit ihr durch, auch die ausstehenden Futterrechnungen für die Hochlandrinder, die bis auf zwei, von denen Duncan sich nicht hatte trennen können, alle verkauft waren. Er hatte Dolly und Reba als Kälber aufgezogen, und sie waren für ihn praktisch zu Haustieren geworden. Als er darum gebeten hatte, sie zu behalten, hatte Izzy hinter seiner nüchternen Art erkennen können, wie viel die Tiere ihm bedeuteten. Xanthe hatte gewitzelt, dass es wahrscheinlich gut wäre, ein Rinderpaar zu behalten, damit sie immer ein Steak hätten, falls sie mit ihrem Schlossprojekt scheiterten. Izzy wand sich innerlich bei der Erinnerung an Duncans entsetzten Blick, den er Xanthe zugeworfen hatte. Wie immer hatte ihre Mutter überhaupt nicht gemerkt, wie unangebracht ihre Bemerkung war.

Als Izzy schließlich mit der Kiste voller Einkäufe zurück zum Haus ging, rief Duncan ihr nach: «Eins habe ich noch vergessen. Es gibt da ein paar wilde Camper, die sich am Loch eingerichtet haben. Sie wirkten ganz nett und ordentlich. Bisher haben sie keinen Müll rumliegen lassen, und sie machen keinen Ärger, aber ich dachte, du solltest es wissen.»

«Danke, Duncan. Vielleicht gehe ich später mal hin und besuche sie.»

Anders als im Rest des Vereinigten Königreichs war wildes Campen in Schottland erlaubt, und jeder hatte Zugang zu Land, das nicht eingezäunt war. Izzy fand das eigentlich ziemlich schön – als sie das Schloss geerbt hatte, war das einzig unangenehme Gefühl für sie gewesen, dass sie jetzt Grundbesitzerin war. Das Land gehörte doch eigentlich allen, oder nicht? Genau wie den Tieren, die darauf lebten. Grundbesitz war ein Privileg, das sie niemals für selbstverständlich halten würde.

KAPITEL 4

*D*a bist du ja.» Kaum war eine Stunde später Izzy aus dem kleinen Arbeitszimmer getreten, das sie sich eingerichtet hatte, hüpfte Xanthe auf sie zu, als hätte sie schon darauf gewartet, dass ihre Tochter endlich aus der Tür kam. Tatsächlich hatte Izzy sich den restlichen Vormittag in ihrem Büro versteckt, aber jetzt konnte sie es kaum erwarten, in die Küche zu kommen. Ihr knurrte bereits der Magen.

Sie schaute auf ihr Handy, ob es auf ihre Frage an die Killorgally-Kochgruppe hin schon eine Antwort gab. *Ich habe hier eine Tonne Karotten. Irgendwelche Rezeptvorschläge?*

Ihre Freundin Fliss hatte bisher als Einzige reagiert: *Hier das Rezept für eine Karotten-Ingwer-Suppe. Perfekt für einen Herbsttag.*

«Liebes, ich habe beschlossen, mit dem Morgenzimmer anzufangen», gab Xanthe bekannt, als würde sie dem Publikum in einem voll besetzten Auditorium eine große Ankündigung machen, anstatt im Flur mit ihrer Tochter zu reden. «Die Gäste werden mehr als einen Salon benötigen. Außerdem habe ich entschieden, welcher der Räume das Schlafzimmer für die Carter-Jones sein soll.»

«Toll», sagte Izzy, doch sie hörte gar nicht richtig zu, in Gedanken war sie schon beim Kochen.

Sie folgte dem Rezept von Fliss und wählte eine Handvoll Karotten aus, um daraus Suppe zu kochen. Da sie keine Zeit hatte, eine frische Gemüsebrühe zuzubereiten, musste fürs Erste ein Brühwürfel herhalten. Die leicht zuzubereitende Karotten-Ingwer-Suppe würde sie wärmen und wunderbar zu dem Brot schmecken, das sie am Vortag gebacken hatte. Sie konnte immer noch nicht glauben, wie einfach es war, selbst zu backen. Bevor sie den Kochkurs besucht hatte, war Brot für sie einfach etwas gewesen, das aus dem Supermarkt kam. Dabei schmeckte selbst gebackenes Brot so viel besser, und sie beabsichtigte, in Zukunft mit verschiedenen Sorten Mehl zu experimentieren. Wenn das Hotel erst einmal eröffnet war, wollte sie zum Mittagessen immer eine saisonale Tagessuppe mit hausgemachtem Brot und Käse aus der Region anbieten – oder alternativ eine Brotzeit für die Wanderer abpacken, die einen Ausflug machen wollten.

Sie schaltete das Radio ein und summte zu dem Song, in dem die Proclaimers fünfhundert Meilen wanderten, während sie die Karotten putzte und in Scheiben schnitt und dabei den frischen Kräuterduft des Brühwürfels einatmete, den sie mit kochendem Wasser übergossen hatte.

Gedankenverloren arbeitete sie vor sich hin, bewegte sich leichtfüßig um den großen Kieferntisch, der die eine Hälfte des Raumes belegte.

«Mh. Das riecht gut.»

Izzy wirbelte herum. Sie hatte gar nicht gehört, dass jemand hereingekommen war.

«Oh, Professor Strathallan», sagte sie mit einem zurückhaltenden Kopfnicken, denn sie wusste nicht, wie sie ihm nach seinem ruppigen Verhalten am Morgen begegnen sollte.

Unwillig verzog er das Gesicht. «Nennen Sie mich Ross. ‹Professor Strathallan› klingt wie ein Relikt aus dem letzten Jahrhundert.»

«Wie Sie wünschen», sagte sie und klang dabei schrecklich devot, beinahe wie eine Dienstbotin aus *Downton Abbey*. In ihrem ganzen Leben hatte sie noch nie ‹Wie Sie wünschen› zu jemandem gesagt!

Er hob seine ausdrucksvollen Augenbrauen. «Das war sehr formell.»

«Auch nicht formeller als *Miss McBride*.»

«Ach ja. Sie wollten vorhin mit mir sprechen.»

Izzy drehte ihm den Rücken zu und tat so, als würde sie die Suppe umrühren, während sie versuchte, sich zu sammeln. Eigentlich konnte sie ihn unmöglich rauswerfen, denn sie brauchte sein Geld, wie ihr das Gespräch mit Duncan deutlich gemacht hatte, als sie vorhin über den Rechnungen saßen. Aber es fiel ihr zunehmend schwer, freundlich zu ihm zu sein. Sie holte tief Luft und setzte ein Lächeln auf.

«Tatsächlich wollte ich mich für gestern bei Ihnen entschuldigen. Xanthe hatte mich nicht darüber informiert, dass sie ein Zimmer vermietet hatte. Ich hatte keine Ahnung, wer Sie waren.»

«Ah, das erklärt die Sache, Miss McBride.»

Als sie ihn wegen ihres Namens korrigieren wollte, fing sie wieder an zu stottern. «Ich heiße McBride ... also

McBride, Izzy. Ich meine, Izzy McBride.» Wieso übte er bloß diese Wirkung auf sie aus?

«Okay, McBride, Izzy. Ich akzeptiere, dass Sie gestern nicht wussten, wer ich war und was ich in Ihrer Küche zu suchen hatte.»

Izzy unterdrückte das Bedürfnis, ‹Wie großzügig von Ihnen› zu sagen, bevor er weitersprach.

«Xanthe kam mir gleich etwas impulsiv vor.»

«Mmm, das kann man wohl sagen.» Izzy schürzte die Lippen bei seiner vorsichtigen Bemerkung. Sie sollte versuchen, ihn auf ihre Seite zu bringen und wieder die Oberhand zu erlangen. «Schauen Sie, ich habe überlegt, ob Sie gern mit uns essen würden, jetzt, wo ich wieder da bin. Ich muss sowieso jeden Tag kochen und –» Sie unterbrach sich und schenkte ihm ein gezwungenes Lächeln. «Mein Repertoire ist auch etwas größer als aufgewärmte Bohnen auf Toast.»

«Das ist auch nicht schwer.» Er grinste. «Hören Sie, ich möchte wirklich nicht unhöflich sein, aber ich würde nur ungern auf anderer Leute Zeiten Rücksicht nehmen müssen. Ich bin zum Arbeiten hergekommen, und ich möchte nicht unterbrechen müssen, nur weil es Essen gibt.» Sein Lächeln wirkte nun etwas gezwungen. «Aber ich bin sehr dankbar für Ihr Angebot. Mit meinen Mahlzeiten aus Nudeln mit Tomatensoße und Bohnen auf Toast fühle ich mich zwar wie zu Studentenzeiten, aber sie sind schnell und einfach zuzubereiten.»

«Ich habe gesehen, dass schon einige Dosen in der Gelben Tonne liegen.»

Er zog eine Grimasse und zuckte mit den Schultern.

Izzy runzelte die Stirn. Auch wenn er ziemlich bescheiden war und immer alles ordentlich wegräumte, fühlte es sich nicht richtig an, dass er so ein kärgliches Mahl zu sich nahm, wenn sie doch kochen konnte und außerdem üben wollte.

«Okay», sagte Izzy, «wie wäre es, wenn ich Ihnen immer etwas übrig lasse und Sie essen es einfach dann, wenn es Ihnen passt? Zu Mittag wird immer ein Topf Suppe auf dem Herd stehen, und Sie bedienen sich einfach davon, und auch von dem Brot. Und zum Abendessen lasse ich Ihnen eine Portion übrig, die Sie sich auf dem Herd warm machen können.»

Er überlegte nicht lange. «Danke, das klingt gut.»

«Tja, man sagt, der Weg zum Herzen eines Mannes geht durch seinen Magen», plapperte Izzy drauflos – und hätte sich am liebsten gleich auf die Zunge gebissen.

«Nicht bei mir», sagte er mit todernstem Gesicht, während er seine Brieftasche herauszog. «Wie viel verlangen Sie für die Mahlzeiten?»

Seine Frage ärgerte sie. «Ich finde, Sie bezahlen schon genug», sagte sie etwas zu schmallippig.

«Da haben Sie allerdings recht. Xanthe ist eine harte Geschäftsfrau, aber sie hat mir absolute Ruhe garantiert. Ich werde nicht gern gestört, wenn ich arbeite.»

«Das habe ich gemerkt», erwiderte Izzy spöttisch.

Wieder hob er eine dunkle Augenbraue. «Ich werde mich nicht dafür entschuldigen. Ich bezahle für dieses Privileg.»

Izzy nickte und fragte sich, ob er wohl auch dann noch bleiben wollen würde, wenn sie erst mal mit der Renovierung anfingen. Einige der Arbeiten würden sicherlich laut werden.

«Auch wenn dieser Blick aus meinem Fenster ... er ist jeden Penny wert.»

Sie lächelte ihn an. «Ja, oder? Es ist so ein wunderschöner Ort, man hat praktisch aus jedem Fenster einen herrlichen Ausblick. Ich freue mich schon darauf, die verschiedenen Jahreszeiten hier zu erleben.»

Er nickte wissend, und Izzy spürte, wie ihr Puls beim Anblick der kleinen Fältchen, die sich um seine Augen gebildet hatten, schneller schlug.

«Ja, nur das Licht lenkt manchmal etwas ab, wenn ich eigentlich arbeiten will.»

«Xanthe hat gesagt, Sie schreiben ein Buch.»

«Ja.»

Auch wenn sein Ton nicht gerade dazu einlud, weitere Fragen zu stellen, fragte sie trotzdem und redete sich dabei ein, dass sie ja nur höflich war. «Was für eine Sorte Buch ist es denn?»

«Ach, nichts besonders Interessantes», sagte er, und sein Gesicht nahm einen bemüht gleichgültigen Ausdruck an, der Izzy sofort das Gefühl gab, dass er nicht die Wahrheit sagte. «Ein ... äh, Geschichtsbuch. Ich unterrichte eigentlich in Edinburgh an der Uni, aber ich habe ein Sabbatjahr genommen, um dieses Buch zu schreiben.»

«Welche Epoche?», fragte sie und betrachtete ihn nach seiner eher ausweichenden Antwort nur noch aufmerksamer.

«Das Schottland der Jakobiten, natürlich», sagte er und wirkte beinahe verlegen.

«Ah, Bonnie Prince Charlie – der ‹hübsche Prinz Charlie›?»

«Genau.»

«Ich glaube, mein Großonkel hat erzählt, dass der hübsche Prinz mal hier gewohnt hat. Haben Sie deshalb hier gebucht?»

Ross schnaubte. «Wenn man all diesen Legenden glauben will, dann hat der Mann in jedem Schloss Schottlands gewohnt.»

«Ein bisschen wie bei Mary, der Königin von Schottland.»

«Ja. Die beiden waren ziemliche … *Herumtreiber.*»

«Ist das ein historischer Ausdruck?», fragte Izzy belustigt.

«Nicht offiziell. Und nein, ich habe hier gebucht, weil die Dame in der Post sagte, das Schloss stünde so gut wie leer. Ich wusste, dann würden mir die vielen Fragen erspart bleiben, woran ich schreibe.»

«Na danke, das war deutlich», meinte Izzy verschnupft.

«Nein, ich will es Ihnen nur erklären, McBride Izzy.» Er grinste sie überraschend an, und sein Gesicht leuchtete richtiggehend auf – was ihn ärgerlicherweise noch attraktiver machte. Verdammt, wenn seine Augen so glitzerten und seine Lachfältchen so zur Geltung kamen, gerieten ihre Hormone direkt in Wallung.

«Wenn man irgendwo ist und die Leute wissen, dass man Schriftsteller ist, dann fragen sie, was man denn gerade schreibt. Und dann erzählen sie einem, dass sie selbst auch immer schon daran gedacht hätten, ein Buch zu schreiben, und dass man dieses Buch doch vielleicht für sie schreiben könnte, und dann könnte man sich die Einnahmen teilen. Und wenn ich Pech habe, bitten sie mich, ihr Werk zu lesen. Aber wenn ich sage, dass ich staubtrockene Geschichtsbücher schreibe, fühlen sich die meisten Leute abgeschreckt.»

«Schlau», sagte Izzy und widmete sich wieder dem Essen. «Die Suppe ist in ein paar Minuten fertig. Möchten Sie warten, oder wollen Sie später noch mal vorbeikommen?» Sobald die Karotten weich gekocht waren, würde sie alles pürieren. «Und wollen Sie in der Zwischenzeit vielleicht eine Tasse Tee?»

Er stand einen Moment unschlüssig da und schien zu überlegen. «Ich sage Ihnen was, McBride Izzy: Ich mache den Tee, während ich auf die Suppe warte. Ich kenne mich ja schon etwas aus.»

Sie lächelte und dachte, dass das wohl einem Friedensangebot am nächsten kam – und dass sie das ausnutzen sollte. Sie nickte.

«Wo wohnen Sie eigentlich, wenn Sie nicht hier sind?»

«Edinburgh», sagte er, während er zwei Becher aus dem Schrank holte.

Sie wollte nicht genauer nachfragen, um nicht zu neugierig zu wirken, schließlich war er mit persönlichen Informationen nicht gerade freigebig. Sie selbst war immer ziemlich offen, und deshalb sagte sie jetzt: «Ich habe mal eine Weile in Edinburgh gelebt. Letzten Sommer habe ich beim Festival gearbeitet.»

Er hob die Augenbrauen. «Das war sicher ... interessant.»

«So kann man es auch nennen», sagte sie und seufzte unvermittelt bei dem Gedanken an jene Zeit, die sie nämlich vor allem damit verschwendet hatte, darauf zu warten, dass Philip sie bemerkte. «Aber ich liebe die Festival-Zeit, es ist etwas ganz Besonderes. Es herrscht eine solche Energie in der Stadt. Und ich finde es großartig, die Royal Mile hinabzuschlendern, wo alle einem Flyer in die Hand drücken und versuchen, einen zu einer ihrer Shows zu überreden.»

«Ja, ein paar der Shows sind toll. Ich gehe auch immer mal hin, so viel Kreativität liegt in der Luft.»

«Und es ist eine wunderschöne Stadt. Ich habe sehr gern da gewohnt.»

«Sind Sie weggezogen, weil Sie hier leben wollten?»

«Nein.» Sie drehte ihm den Rücken zu und griff nach dem Pürierstab. Sie wollte sich ihm gegenüber auch nicht zu sehr öffnen und ihm erzählen, dass sie erst vor vier Monaten weggezogen war – nach drei Jahren unerwiderter Liebe. Weil sie endlich erkannt hatte, dass sie für Philip nichts als eine Liebschaft war und er sich niemals ganz für sie entscheiden würde.

Der Krach des Pürierstabs machte klar, dass die Unterhaltung damit beendet war, und schon bald trabte Duncan durch die Tür und lenkte sie beide ab.

«Das duftet so, als wäre ich gerade rechtzeitig gekommen», meinte er. Dann setzte er sich ächzend an den Tisch. «Diese Frau bringt mich noch um. Ich habe ihr jetzt unzählige Stühle in den dritten Stock raufgeschleppt und –» Er stockte. «Oh. Hallo, Ross.»

«Duncan.»

47

«Ihr kennt euch schon, ja?», fragte Izzy höflich.

«Der Mann ist doch schon seit zwei Wochen hier», meinte Duncan. «Und viel auf Erkundungen unterwegs.»

«Ich gehe einfach gern spazieren, das hilft mir beim Schreiben ... Klärt meine Gedanken.»

In diesem Moment summte ein Handy, und Ross zog seines aus der Tasche und nahm den Anruf an. «Bethany. Hi! ... Ja.» Er klemmte sich das Handy zwischen Wange und Schulter, zog eine Schublade auf und nahm vier Esslöffel heraus.

Das Gespräch war ziemlich einseitig, denn Ross sagte nichts weiter als «Ja» und «Nein» und «Ich bemühe mich». Schließlich legte er stirnrunzelnd und mit einem schweren Seufzer auf, legte die Sets auf den Tisch und stellte außerdem vier Suppenteller und die Butterdose in die Mitte, ohne dass man ihm etwas sagen musste.

Izzy und Duncan tauschten einen Blick, aber niemand sagte etwas. Mit einem Mal herrschte eine gewisse Spannung in der Luft.

Schweigend füllte Izzy in nur drei der Schalen Suppe, dann setzte sie sich Ross gegenüber neben Duncan.

«Tut mir leid wegen eben», sagte Ross plötzlich, als würde er merken, dass er die Atmosphäre irgendwie vergiftet hatte. «Das war bloß meine Lektorin, die mir Dampf gemacht hat.» Er griff nach dem Löffel, als ihm aufging, dass jemand fehlte. «Isst Xanthe nicht mit?», fragte er und schaute lauernd zur Tür. Belustigt stellte Izzy fest, dass Duncan es ihm nachmachte. Ihre Mutter hatte wirklich eine seltsame Wirkung auf Menschen.

«Nein, sie wird essen, wenn sie so weit ist», sagte Izzy,

die wusste, dass ihre Mutter mehrere Tage ohne eine anständige Mahlzeit auskam, wenn sie durch irgendetwas abgelenkt war. Sie war wie eine anspruchsvolle Perserkatze, die, wenn es ums Essen ging, komplett gleichgültig und unnahbar sein konnte, obwohl sie gleichzeitig erwartete, dass man ihr immer etwas kredenzte. Aber wenn es dann nicht mehr frisch genug war, wenn sie sich endlich dazu bequemte, es zu essen, rümpfte sie die Nase.

Nach einem überraschend angenehmen Mittagessen, bei dem Ross am Ende wieder etwas heiterer wirkte, erhob er sich vom Tisch, um den Abwasch zu übernehmen. Währenddessen murmelte Duncan etwas von der Dame des Hauses und verschwand durch die Tür, um die letzten Stühle hinaufzutragen.

Izzy verstaute den Rest der Suppe in der Tiefkühltruhe – sie hatte die doppelte Menge gekocht, um Vorräte für die Tage zu haben, an denen sie keine Zeit haben würde zu kochen. Und als sie zurückkam, war Ross verschwunden, und das Geschirr stand auf dem Abtropfgitter.

Sie wollte noch etwas Luft schnappen, bevor sie die lackierten Flächen im Morgenzimmer abschliff. Die Ruhe des nahen Loch lockte sie, also zog sie ihre Converse an und marschierte durch die Bäume hinunter zum Wasser.

Ein grauer, fedriger Nebel hatte sich auf das Moor hinter dem Schloss gesenkt. Tentakelgleich glitten die Schwaden suchend über das rostbraune Farnkraut und die goldroten Flecken der Heidelbeersträucher. Sie dämpften die Laute der Vögel, die sich wie Geisterschatten vor dem Himmel abzeichneten.

Das einzige andere Geräusch war das heisere Schaben ihrer Jacke und das Rascheln ihrer Füße durch die trockenen, sich wellenden Blätter auf dem Boden. Der Rest war Stille, und Izzy hatte das Gefühl, der einzige Mensch im Umkreis von Meilen zu sein. Sie holte tief Luft. Sosehr sie ihr Leben in Edinburgh genossen hatte, so sehr liebte sie diese intensive Ruhe und das friedliche Gefühl, das Einssein mit der Welt.

Als sie aus dem stillen Schatten des Waldes hinaustrat, sah sie ein kleines rotes Zelt an einem von Ginsterbüschen geschützten Platz am Rand des Loch stehen.

«Hallo!», rief sie, als jemand mit Wollmütze über einem Wust aus dunklen Locken in Sicht kam.

«Hi», kam die freundliche Antwort von einer kleinen, zarten Frau, die von dem Baumstumpf aufsprang, auf dem sie gesessen hatte. Sie trug mehrere Kleidungsstücke übereinander und erinnerte ein wenig an ein Michelinmännchen.

«Na, Sie sind ja mutig. Ist es um diese Jahreszeit nicht zu kalt fürs Zelten?», fragte Izzy und schauderte leicht.

Die Frau zuckte mit den Schultern und sah Izzy misstrauisch an. «Schon okay.»

«Bleiben Sie lange?», fragte Izzy.

«Das ist erlaubt, wissen Sie?»

«Ja, ja. Ich weiß.» Izzy schenkte ihr ein freundliches Lächeln ohne jeden Vorwurf. «Alles in Ordnung, es stört mich überhaupt nicht. Und falls Sie hier unten ein Feuer machen wollen, dann wäre das auch kein Problem.»

«Oh, wirklich?» Die junge Frau klang sehr erleichtert. «Das wäre fantastisch. Aber sind Sie sicher, die Besitzer wären damit einverstanden? Ich will nicht, dass sie uns wegschicken.»

Izzy schwieg, denn sie fühlte sich etwas unbehaglich. Sie war nicht viel älter als diese junge Frau, und es sollte nicht großspurig klingen, wenn sie ihr erklärte, dass sie die Besitzerin war. «Nein, es wird sie nicht stören. Ich ... kenne sie gut.»

«Danke, das ist wirklich nett von Ihnen. Ich sage es gleich Jim, wenn er wiederkommt. Er ist mein Mann.»

«Und ich bin Izzy.»

«Ich bin Jeanette.» Die junge Frau sah beinahe zu jung aus, um verheiratet zu sein. Und wegen ihres kleinen Zögerns und der anscheinend noch ungewohnten Bezeichnung ‹mein Mann› überlegte Izzy, wie frisch diese Ehe wohl sein mochte.

«Sind das hier Ihre Flitterwochen?», fragte sie.

Wieder schaute die Frau Izzy misstrauisch an. «Ja ... also, so ähnlich.» Hastig fügte sie hinzu: «Möchten Sie vielleicht eine Tasse Tee?»

Überrascht von der unerwarteten Einladung, wollte Izzy schon ablehnen, doch im Gesicht der anderen lag beinahe etwas Flehendes. «Nun, wenn Sie eine Tasse übrig haben, dann sehr gern.» Sie fragte sich, wie lange Jeanette wohl schon allein hier war und wo ihr Mann steckte und was er machte. Die Frau tat ihr ein wenig leid, sie schien irgendwie verloren.

«Ach, es ist bloß ein Teebeutel und etwas Milch.» Sie hob das Kinn, und Izzy merkte, dass sie Jeanettes Stolz gekränkt hatte. «Ich lagere sie im Loch, damit sie kalt bleibt.»

«Das ist eine gute Idee. Also, wie lange machen Sie hier Urlaub?»

«Nicht lange», sagte die Frau und begann, mit dem kleinen Spirituskocher und dem Kessel zu hantieren. Trotz ihres offenen und jugendlichen Gesichts spürte Izzy ein gewisses Misstrauen.

«Sie haben sich einen wunderschönen Platz ausgesucht», sagte sie und bemühte sich um einen ermutigenden Ton, um die Frau zu beruhigen, die ziemlich angespannt und nervös wirkte.

Jeanette runzelte die Stirn und schaute sich um, als hätte sie die Umgebung noch gar nicht richtig wahrgenommen. «Ja, vermutlich.»

«Woher kommen Sie? Aus Glasgow?»

«Ja.» Nun klang ihre Stimme misstrauisch und leicht alarmiert. «Woher wissen Sie das?»

Izzy lächelte. «Ich bin in Glasgow aufgewachsen. Sie klingen wie die Menschen dort.»

«Oh.»

«Wie sind Sie hergekommen? Sie sind doch sicher nicht den ganzen Weg von Glasgow hergewandert?»

«Jim hat ein Motorrad. Er ist heute Morgen damit nach Fort William gefahren.»

«Und Sie wollten nicht mit?»

«Er arbeitet da, also hin und wieder.»

«Ah, verstehe», sagte Izzy, auch wenn sie gar nichts verstand. Es schien eine sehr seltsame Idee, in dieser Jahreszeit einen Campingtrip zu unternehmen.

In diesem Moment kam ein Mann zwischen den Bäumen hervor.

Jeanette ging zu ihm und begrüßte ihn, und Izzy sah, wie die beiden sich kurz und leise unterhielten, bevor sie zu ihr zurückkehrten.

«Jim, das ist Izzy», sagte Jeanette. «Sie kennt die Besitzer des Schlosses.»

Die Spannung in der Luft war spürbar, der Mann wirkte verkrampft, mehrfach fuhr er sich nervös über seinen Bart. «Ich wette, das sind richtig reiche Schnösel.»

«Es war eine unerwartete Erbschaft», sagte Izzy, gekränkt von seiner abfälligen Bemerkung. «Tatsächlich gehört es mir.»

«Schön für Sie.»

«Jim!», tadelte Jeanette ihren Mann mit aufgerissenen Augen, als wollte sie ihn an irgendetwas erinnern.

«Sorry, das war unfreundlich. Meinte ich nicht so.» Er lächelte entschuldigend, wenn auch mehr zu seiner Frau als zu Izzy, aber sie konnte sehen, dass er es ernst meinte.

«Schon gut», sagte sie. «Ich habe viel Glück gehabt und nehme es nicht als Selbstverständlichkeit. Wenn es Ihnen ein Trost ist: Ich bin nicht mit einem Silberlöffel im Mund geboren worden, sondern habe den Großteil meines Lebens mit meiner Mutter in einer Zweizimmerwohnung in Glasgow gelebt.»

«Wo in Glasgow?», fragte Jim und warf Jeanette einen besorgten Blick zu.

Izzy runzelte die Stirn und überlegte, welche Bank die beiden wohl ausgeraubt hatten. Obwohl es schwer vorstellbar war, dass auch nur einer von ihnen mit ihren unschuldigen Gesichtern irgendetwas angestellt haben sollte.

«Ich bin in Langside aufgewachsen», sagte Izzy. Sie wusste, dass das heute zu den besseren Gegenden von Glasgow gehörte, aber es war nicht immer so gewesen. Als ihre Mutter in jungen Jahren Witwe wurde, war die Zweizimmerwohnung alles, was sie sich nach Auszahlung der Lebensversicherung leisten konnte. Zum Glück hatte Izzys Vater für eine kleine ortsansässige Firma gearbeitet, die diese Versicherung abgeschlossen hatte.

Die beiden Camper entspannten sich sichtlich.

«Wie lange wohnen Sie schon hier?», fragte Jim.

«Erst ein paar Monate, aber die meiste Zeit davon war ich unterwegs. Ich bin erst gestern wiedergekommen. Wir wollen ein Hotel aus dem Schloss machen.»

«Oh.» Die beiden richteten sich auf.

«Haben Sie irgendwelche Jobs zu vergeben?», fragte Jim.

Izzy schüttelte den Kopf. «Im Moment nicht. Ich habe zwar ein Schloss geerbt, aber kein Geld. Noch kann ich mir keine Hilfe leisten.»

«Okay.» Jim presste enttäuscht die Lippen aufeinander.

«Hier», sagte Jeanette und drückte Izzy einen Emaillebecher in die Hand. «Und du musst dir einen mit mir teilen», sagte sie zu ihrem Mann. «Wir haben ja nur zwei.»

Izzy wärmte ihre Hände am Becher, denn so langsam wurde ihr kalt. Es musste eisig sein, hier zu schlafen. «Oben am Schloss haben wir reichlich Feuerholz, falls Sie ein paar Scheite brauchen ... Es ist im Hof aufgeschichtet, bedienen Sie sich gern.»

Jim strahlte sie an. «Das wäre super, danke.»

«Kein Problem.» Izzy lächelte und überlegte, ob sie den beiden ein Bett für die Nacht anbieten sollte. Aber die zwei hatten ganz eindeutig ein Geheimnis, und sie konnte auch nicht jeden aufnehmen, der sich auf ihrem Land befand.

Sie blieb noch ein paar Minuten und unterhielt sich, bis sie ihren Tee ausgetrunken hatte, dann verabschiedete sie sich von den beiden und ging am westlichen Ufer des Loch entlang. Sie fragte sich, wovor die beiden sich wohl versteckten – und sie ahnte, dass sie sicherlich in ein paar Tagen verschwunden sein würden.

KAPITEL 5

*N*a, was meinst du? Ist das nicht wundervoll?», krähte Xanthe und stieß die riesige Tür zum Morgenzimmer auf, als das Tageslicht draußen gerade abnahm.

Das zarte Blau der von Izzy in den letzten Tagen selbst zweifach gestrichenen Wände bildete tatsächlich einen schönen Kontrast zur weißen Stuckdecke. Und die vergoldeten Holzarbeiten, um die sich ihre Mutter gekümmert hatte, erstrahlten nun in sanftem Glanz.

«Kannst du die Lichter anschalten? Ich will ein paar Fotos für Instagram machen.» Wie immer war ihre Mutter bereits zum nächsten Thema übergegangen.

«Ja, aber dann muss ich mich ums Abendessen kümmern.»

«Wir können doch hier essen», flötete Xanthe und deutete auf einen kleinen, runden Esstisch in einer Ecke.

Izzy betrachtete den schön gedeckten, Instagram-fertigen Tisch. Es sah wirklich großartig aus, und für einen Augenblick konnte sie kaum glauben, dass sie wirklich hier wohnte. «Ist vielleicht ein bisschen zu fein für Pilzrisotto und Salat, oder?»

«Du hast einfach keine Seele, Isabel.» Ihre Mutter schüttelte seufzend den Kopf und machte ein dramatisches Gesicht.

Izzy ging zu ihr und drückte ihr einen schnellen Kuss auf die Wange. «Nein, aber ich weiß, dass meine Mutter ein Genie ist, wenn es um die Inneneinrichtung geht. Und außerdem möchte ich dieses schöne Bild gar nicht verderben. Mach du ruhig ein paar Aufnahmen, und ich fange an zu kochen, ja? Das Essen ist um sieben fertig.»

«Wunderbar, ich bin nämlich ziemlich hungrig. Und ich finde, wir sollten zur Feier des Tages eine Flasche Prosecco aufmachen.»

Izzy lachte und kehrte in die Küche zurück. Sie stellte das Radio an und begann mit den Vorbereitungen, froh, ein wenig Zeit für sich allein zu haben. Sie hatte festgestellt, dass sie deutlich besser kochte, wenn sie sich mehr Zeit nahm, in Eile ging immer etwas schief. Es hatte einfach etwas Beruhigendes und Tröstliches, ein Gericht zuzubereiten: Zwiebeln zu schneiden und zu wissen, dass sie goldbraun würden, wenn man sie langsam anschmorte. Kräuter über einer kleinen Flamme zu erhitzen, um ihren Geschmack zu intensivieren. Oder etwas Sahne hinzuzugeben, um für zusätzlichen Geschmack zu sorgen. Alles gelang besser, wenn man es mit der nötigen Sorgfalt und Aufmerksamkeit tat. Sie liebte es, sich ganz in der Aufgabe zu verlieren und an nichts anderes denken zu müssen. Das war ihre Zeit.

Draußen hatte es zu regnen begonnen, und der Wind frischte auf, sodass die Regentropfen mit unheimlicher Kraft gegen die Küchenfenster trommelten. Durch den Herd war es in der Küche zwar warm und gemütlich, trotzdem schauderte Izzy beim Blick in den tiefschwarzen Himmel. Meilenweit gab es kein Licht, das die Dunkelheit durchschnitt, sodass man das Gefühl hatte, von der Außenwelt abgeschnitten zu sein.

Es war fast eine Erleichterung, als Xanthe kurz darauf mit zwei schlanken Champagnerflöten in der Hand in die Küche marschierte. «Schau dir die an. Sind die nicht einfach perfekt?» Ohne auf eine Bemerkung von Izzy zu warten, eilte sie zum Kühlschrank und holte eine Flasche heraus. «Blubberwasser.»

Während Izzy die Zwiebeln anbriet und Knoblauch hackte, öffnete ihre Mutter die Flasche und schenkte großzügig ein.

«Worauf wollen wir anstoßen?», fragte sie. «Darauf, dass ich morgen mit dem großen Schlafzimmer anfange? Ich habe die umwerfendsten Tapeten von einer Firma aus Glasgow gesehen, Timorous Beasties. Guck mal, ist das nicht der Wahnsinn?» Sie hielt ihr Handy hoch.

Izzy legte den Kochlöffel beiseite, wischte sich die Hände ab und nahm es ihr aus der Hand. Sie vergrößerte das Bild. Die Tapete war typisch Xanthe: dramatisch und gewagt. Aber sie konnte sie sich gut in dem großen Schlafzimmer vorstellen. «Sie sieht wirklich umwerfend aus.» Dann scrollte sie weiter runter, um nach dem Preis zu sehen, und keuchte auf.

«Dreihundertfünfzig Pfund die Rolle! Xanthe!»

Ihre Mutter nahm ihr das Handy wieder ab. «Das ist eine Investition», sagte sie unbekümmert, bevor sie zur Tür schaute, die gerade geöffnet wurde, und flötete: «Oh, Ross! Sie kommen gerade rechtzeitig. Trinken Sie ein Glas Prosecco mit uns? Wir feiern die Renovierung des

Morgenzimmers. Izzy hat die Wände wundervoll gestrichen. Und jetzt ist es endlich fertig.»

Ihren Gast zu dieser Tageszeit anzutreffen, war ungewöhnlich. Er blieb weiterhin meist für sich, und der einzige Hinweis darauf, dass er hier wohnte, war ab und an eine abgewaschene Suppenschüssel auf dem Abtropfgitter.

«Es tut mir leid, dass ich störe», sagte er, «aber ich glaube, oben gibt es ein Leck.»

«Oh, Mist!» Izzy sah ihn fragend an. «Wo genau?»

«Im Flur bei meinem Zimmer. Da tropft Wasser von der Decke.»

Mit zwei Eimern und einem Stapel alter Handtücher war Izzy schon aus der Küche und die zwei Treppen hinaufgelaufen, bevor sie überhaupt merkte, dass Ross ihr dichtauf folgte.

Und wirklich, ein paar Meter von seinem Zimmer entfernt sammelte sich Wasser an der Decke und tropfte auf den zerschlissenen Flurteppich.

«So ein Mist! Das kann ich wirklich nicht gebrauchen», brummte Izzy. Sie starrte hinauf und studierte den Riss, durch den das Wasser tropfte. Wenn es hier an der Decke schon so nass war, wie sah es dann erst darüber aus?

«Geben Sie mal her.» Ross streckte die Hand nach einem Handtuch aus, faltete es mehrmals und legte es auf den Boden, um das Wasser aufzusaugen, dann stellte er den Eimer unter das stetige Tropfen. «Oben muss es ein größeres Leck geben.»

«Ach was, Sherlock ...», murmelte Izzy und versuchte herauszufinden, auf welcher Höhe das Leck sich oben wohl befand. «Ich gehe rauf.»

«Ich komme mit.»

«Das müssen Sie nicht.»

«Nein, aber ich tue es trotzdem.» Lächelnd griff er nach dem anderen Eimer. «Vier Augen sehen mehr als zwei, Sie wissen schon.»

«Ich bin nicht sicher, ob vier Augen das Problem lösen können», sagte sie und erwiderte schwach sein Lächeln.

Sie eilten den Flur entlang zu der schmalen Dienstbotentreppe, die zum Dachboden führte, auf dem es neben einem Speicher auch eine kleine, separate Wohnung gab. In der Nähe des Speichers fanden sie eine ominöse Ausbuchtung im Dach sowie einen krummen Riss, aus dem stetig Wasser quoll und staubige Spritzer über die Holzdielen schickte.

Izzys Herz schlug ihr bis zum Hals. Ängstlich blickte sie zu dem aufgeblähten Putz hinauf, der wie ein entzündeter Pickel aussah, und stellte sich vor, wie das ganze Ding platzen und die Decke zum Einsturz bringen würde.

«Verdammt», sagte sie und starrte wie gelähmt auf die nasse Stelle, wohl wissend, dass sie zu dieser Tageszeit absolut nichts unternehmen konnte und alles nur noch schlimmer werden würde.

Ross sagte nichts, sondern stellte den Eimer strategisch unter das Leck, dann zog er ein Handtuch aus Izzys kraftlosen Händen und wischte die Pfütze auf dem Fußboden auf. Von hier musste die Nässe durch die Dielen nach unten sickern.

«Sorry», sagte sie, als sie merkte, was er da tat. «Das sollte ich wohl eigentlich machen.» Aber sie war nicht in der Lage, sich aus ihrer Lähmung zu lösen. Stattdessen starrte sie über den Dachboden, während Ross zu ihren Füßen jetzt auf die Knie ging und das Handtuch ausbreitete, um das Wasser bestmöglich aufzusaugen.

«Wir werden ein größeres Boot brauchen ... oder vielmehr einen größeren Eimer. Haben Sie da was?», fragte er, weil sich der Eimer erschreckend schnell füllte.

Es musste die reine Hysterie sein, die sie zum Kichern brachte, denn die Situation war wahrlich nicht lustig. «Nicht hier oben. Vielleicht im Keller oder in der Spülküche.»

«Dann kommen Sie, lassen Sie uns nachsehen. Für den Moment sollte es reichen. Aber heute Nacht müssen wir uns wahrscheinlich abwechseln mit Eimerwechseln, wenn der Regen nicht nachlässt. Und morgen früh können Sie dann jemanden holen.»

Izzy schluckte. Nahmen Bauarbeiter auch Kreditkarten? Oder eine Anzahlung? Sie presste die Augen zu, um nicht loszuheulen. Plötzlich war ihre Hoffnung, dass alles irgendwie klappen würde, von der Wucht des Wassers, das durch das Dach drang, davongespült worden.

«Kommen Sie, Izzy», sagte er und berührte sie sanft am Arm. «Sie können jetzt nichts machen. Es wird schon gehen, und morgen sieht alles besser aus.»

Sie betrachtete ihn skeptisch, und die Verzweiflung gewann die Oberhand. «Sie sollten gar nicht hier oben sein. Sie sind Gast und –» Ihre Stimme brach.

«Hey», sagte er und sah sie beruhigend an. «Das macht mir wirklich nichts aus. Betrachten Sie mich einfach als Untermieter und machen Sie sich keine Sorgen. Außerdem, was wäre ich für ein Mensch, wenn ich nicht helfen würde?» Er nahm sie kurz in den Arm. «Kommen Sie, lassen Sie uns ein größeres ... Dings suchen.»

Sie schniefte. «Sorry. Ich bin sonst nicht so ein Weichei.»

«Sie kommen mir überhaupt nicht vor wie ein Weichei. Ich finde es beeindruckend, dass Sie sich entschlossen haben, das alles hier auf sich zu nehmen. Und manche Leute würden aus so einem Wasserschaden gleich ein Riesendrama machen.»

«Danke», sagte sie. «Aber Xanthe macht schon genug Drama in meinem Leben, also versuche ich, jegliche Theatralik zu vermeiden, wo immer möglich.»

«Na, kommen Sie.» Er schenkte ihr wieder dieses beruhigende Lächeln. «Gehen wir auf Schnitzeljagd und schauen, was wir finden können. Ich habe das ungute Gefühl, dass dieser Pickel da gleich platzen wird.»

«Ja, Pickel! Genau das dachte ich auch!» Sie lächelte zu ihm auf und freute sich aus irgendeinem unerklärlichen Grund darüber, dass er ihre Gedanken teilte. Dann ging plötzlich ein Ruck durch ihren Körper, wie ein schneller Stromstoß, der durch ihre Brust schoss, als sie sich seiner körperlichen Nähe bewusst wurde. Sie wich zurück.

Diesen Weg wirst du nicht schon wieder einschlagen, Izzy, ermahnte sie sich streng. Und schon gar nicht jetzt.

«Also, dann beeilen wir uns lieber mal», sagte sie, «bevor dieser Eimer überläuft.» Sie musste verrückt sein. Ihr Leben war gerade wirklich verwickelt genug, da brauchte sie sicher keine emotionalen Verwicklungen, und ganz bestimmt keine mit einem Gast. Auch wenn er ein sehr gut aussehender Gast war.

«Alles wieder gut?», fragte Xanthe fröhlich und schaute vom Display ihres Handys auf, als Izzy in die Küche zurückkehrte. In der anderen Hand hielt sie den Prosecco.

Es roch stark nach verbranntem Essen. Izzy verzog das Gesicht und eilte zum Herd, sie zog den Topf mit der angebrannten Masse von der Platte und zählte stumm bis drei. Hatte ihre Mutter das denn nicht gerochen?

«Nein, es ist nicht alles gut», sagte Izzy, die ihre scheinbar völlig unbeeindruckte Mutter am liebsten erwürgt hätte. «Durch das Dach kommt Wasser, und offensichtlich hast du nicht bemerkt, dass das Abendessen gerade verbrennt.»

«Ach du je. Ich fand auch, es roch irgendwie komisch ...»

Bevor Izzy etwas antworten konnte, kam Ross glücklicherweise aus der Waschküche. Er schleppte eine große Zinnwanne herbei.

«Ta-daa!» Triumphierend hielt er sie in die Luft, als wäre er ein preisgekrönter Gewichtheber.

«Sie sind mein Held!», rief Izzy. «Das ist perfekt.»

«Bis wir die Wanne ausleeren müssen ... Aber darum machen wir uns später Gedanken.»

«Danke», sagte sie wieder, gerührt von seiner Hilfsbereitschaft und dass er ‹wir› gesagt hatte.

«Ich bringe sie gleich mal rauf», erklärte er, als die Hintertür aufsprang und Duncan hereinkam. Seine Haare lagen angeklatscht an seinem Kopf, ganze Rinnsale flossen von seinem Mantel auf den Fußboden, und seine Schuhe quietschten beim Gehen. Hinter ihm drang eine Windböe herein, die die feuchte Nachtluft in die Küche trug.

«Duncan!», quiekte Xanthe. «Mach sofort die Tür zu und zieh deinen Mantel aus. Du bist völlig durchweicht und machst den Boden nass.»

Er schaute hinab auf die Pfütze, die sich um seine Füße gebildet hatte, und schürzte die Lippen. Dann zog er den Mantel aus und hängte ihn auf. «Es ist nur ein bisschen nass draußen.»

«Alles in Ordnung, Duncan?», fragte Izzy.

«Ja, Kleines, alles fein. Ich wollte dir bloß sagen, dass ich Dolly und Reba in die alten Boxen gestellt habe.» Er schaute hoffnungsvoll zum Herd hinüber und krauste seine Nase. «Und ich habe mich gefragt, ob du noch was von dieser Suppe hast. Ich bin bis auf die Knochen durchgefroren.»

«Tja, wir haben ehrlich gesagt nichts anderes als Suppe», sagte Izzy mit bitterem Ton und schaute zu ihrer Mutter, die sich schon wieder über ihr Handy gebeugt hatte.

Duncan strahlte. «Perfekt. Der Regen wird wohl die ganze Nacht weitergehen, fürchte ich.»

«Na toll», stöhnte Izzy. «Dann werde ich also tatsächlich die ganze Nacht wach bleiben müssen und kontrollieren, dass das Wasser nicht überläuft.»

«Das ist doch Quatsch, McBride», sagte Ross. «Warum sollten Sie die ganze Nacht aufbleiben? Wir wechseln uns ab, wie ich gesagt habe. Ich schaue noch mal um Mitternacht nach, dann kriegen Sie schon mal ein paar Stunden Schlaf. Und dann können Sie noch mal nachts hingehen, sagen wir, so gegen drei Uhr. Und dann wieder ich um sechs Uhr, und Sie wieder um neun.»

«Aber Sie sind –»

«... gewillt und in der Lage, das zu tun», sagte er mit festem Blick, sodass sie lächeln musste.

«Nun, das ist sehr edel von euch beiden», meinte Xanthe. «Aber manche von uns brauchen ihren Schönheitsschlaf, und ich würde darum gern auf irgendein Herumgefuhrwerke mitten in der Nacht verzichten.»

«Ich schätze, das würden wir alle gern», sagte Izzy etwas säuerlich.

«Sei nicht so, Schatz. Du weißt, wenn ich erst mal schlafe, weckt mich keiner auf.» Das stimmte. Selbst wenn sie ihre Hilfe angeboten hätte, hätte Izzy nicht auf ihre Mutter zählen können. Xanthe würde entweder gar nicht aufwachen oder nicht mehr wissen, was sie eigentlich tun sollte. «Ich könnte dafür den Abwasch machen», sagte sie in großspurigem Ton, als wäre das so eine Art Kompromiss.

«Gut, dann kannst du ja auch gleich den Topf waschen, in dem alles angebrannt ist.»

Ross räusperte sich. «Also, dann werde ich mal die Wanne platzieren und mich dann hinlegen, damit ich um Mitternacht ausgeruht bin.»

«Vielen Dank, Ross», sagte Izzy. «Ich bin wirklich froh über Ihre Hilfe.»

«Kein Problem. Besser, als wenn mir mitten in der Nacht die Decke auf den Kopf fällt.»

«Stopp, machen Sie darüber bloß keine Witze.» Sie seufzte tief. Es wurmte sie, dass sie gerade einfach nichts tun konnte.

«Hey, versuchen Sie, sich nicht zu viele Sorgen zu

machen.» Er schenkte ihr ein warmes Lächeln, das sein ohnehin schon gut aussehendes Gesicht noch sympathischer werden ließ, und Izzy betete innerlich, dass er nicht merken würde, wie wunderbar sie ihn fand. «Für jetzt haben Sie alles getan, McBride. Wir sehen uns dann morgen. Gute Nacht.» Er beugte sich vor – und zu ihrer großen Überraschung küsste er sie auf die Wange!

Zugegeben, es war ein lockerer, kumpelhafter Gutenachtkuss, aber trotzdem jagte er ihr einen Schauer der Erkenntnis durch den Körper. Und als sich ihre Blicke trafen, erstarrte Ross, als hätte er gerade einen falschen Raum betreten und müsste sofort umkehren. Ohne ein weiteres Wort drehte er sich um und verließ mit der Wanne in der Hand die Küche.

Izzy blieb einen Moment lang stehen und starrte ihm nach. Ihre Haut kribbelte dort, wo seine Lippen sie sanft gestreift hatten. Es war vielleicht der flüchtigste Kuss der Welt gewesen, aber die Haut fühlte sich trotzdem an wie verbrannt.

«Nun, das war ja interessant», sagte Xanthe mit einem katzenhaften Grinsen, während Duncan konzentriert seine Schuhe untersuchte.

«Er ... war bloß nett und wollte mich ein bisschen trösten», sagte Izzy lapidar. Dann fügte sie noch kurz angebunden hinzu: «Im Gegensatz zu manch anderen Leuten.»

Xanthe stand auf und hob kaum merklich die Augenbrauen. Sie schlenderte aus der Küche, während Izzy mit aller Kraft den Wunsch unterdrückte, ihre brennende Wange zu berühren.

KAPITEL 6

Als ihr Wecker um drei Uhr morgens klingelte, kämpfte sich Izzy mühsam ins Bewusstsein zurück. Beim Geräusch des Regens, der gegen das Fenster trommelte, schauderte sie in der kalten Nacht. Es regnete also immer noch. Sie schlüpfte in ihre Jogginghose, zog einen Rollkragenpullover über den Pyjama und trottete hinauf zum Dachboden.

Auch wenn sie auf ein Wunder gehofft hatte, war die Zinkwanne beinahe voll. Und nachdem sie sie mühsam ins Badezimmer der oben liegenden Wohnung geschleift und ausgeleert hatte, wobei sie überall Pfützen hinterließ, war sie durchweicht und hellwach. Jetzt konnte sie sich ebenso gut anziehen und nach unten gehen, um sich eine Tasse Tee zu kochen.

Draußen heulte der Sturm, als würde er mit schnellen, wüsten Böen gegen das Gebäude anrennen. Izzy war dankbar für die dicken Wände des Schlosses, die sie schützten, als sie ihre Hände an der Restwärme des Herdes wärmte. Vor dem Fenster spiegelte sich das Küchenlicht in der glitschigen Wasserschicht, die draußen den Boden bedeckte, und sie sah, wie der Regen vom Himmel peitschte. Sie setzte sich neben den großen Ofen in den Schaukelstuhl, ihren Teebecher in der Hand, und schob das Kinn in die dicke Wolle ihres Rollkragenpull-overs.

Bamm. Bamm. Bamm.

Izzy fuhr zusammen, und ihr Herz klopfte plötzlich ebenso laut wie das Hämmern an der Hintertür. Als es erneut klopfte, sprang sie auf und ging hin. War das Duncan? Um diese Zeit? Aber wer sollte es sonst sein?

Als sie die Tür öffnete, riss ihr der eisige Wind beinahe den Griff aus der Hand, so heftig drückte er sich in die Küche. Er fuhr in alle Ecken, brachte das Geschirr auf der Kommode zum Klappern und ließ die alte Deckenleuchte schwanken, sodass Licht und Schatten sich durch den Raum jagten.

Izzy spähte hinaus. Das Innenlicht beleuchtete zwei erbärmliche Gestalten in regennassen Mänteln. Sie hatten ihre Kapuzen über den Kopf gezogen, deren Kordelzug eng um die verkniffenen, blassen Gesichter lag.

«Bitte, können wir reinkommen? Unser Zelt ist weggeweht», bat eine weinerliche Stimme, und jetzt erkannte Izzy, dass es die beiden Wildcamper waren.

«Oh mein Gott, natürlich, kommen Sie rein.» Sie hielt die Tür weit auf, und die beiden stolperten in die Küche, ihre durchweichten Schlafsäcke im Arm, wie ertrunkene Raupen. «Oh, Sie Armen, Sie sind ja klatschnass.»

Schnell drückte sie die Tür zu und schloss das tobende Unwetter aus.

«Danke. Vielen Dank», sagte Jeanette mit erstickter Stimme und ließ ihre Sachen fallen. Ihr Rucksack kippte zur Seite. «Verzeihung, aber mir ist so kalt.» Sie streckte ihre blau gefrorenen Hände aus.

«Kommen Sie rüber zum Herd. Ich mache Ihnen etwas Heißes zu trinken.»

«Danke», sagte Jim mit knurriger Stimme, während er seinen Rucksack absetzte.

«Alles ist nass», schniefte Jeanette und blickte an sich herunter.

«Ich hole Ihnen was Trockenes zum Anziehen», sagte Izzy. Dann schaute sie zu Jim. «Ich weiß allerdings nicht, ob ich etwas in Ihrer Größe habe.»

«Keine Sorge. Holen Sie nur etwas für Jeanie.» Er zog seine Frau zu sich heran und küsste sie auf die Stirn. «Alles ist gut, Schatz.»

«Nein, gar nichts ist gut», schluchzte sie. «Alles ist weg. Was sollen wir denn jetzt machen?» Ihre Stimme schraubte sich zu einem verzweifelten Klageton in die Höhe.

«Sie können gern heute Nacht hierbleiben», sagte Izzy. Die beiden taten ihr leid, sie sahen aus wie zwei durchweichte Welpen. Und Izzy war mehr denn je davon überzeugt, dass sie nicht älter als zwanzig sein konnten, wenn überhaupt.

Eine halbe Stunde später sahen die beiden schon ein wenig menschlicher aus, wie sie da jeder mit einem großen Becher heißer Schokolade und einem Teller mit Toast am Tisch saßen. Jeanette trug eine von Izzys Trainingshosen, ein Sweatshirt und Wollsocken, während Jim einen alten Morgenmantel von Großonkel Bill angezogen und sich ein großes Badehandtuch um Lenden und Beine gewickelt hatte.

«Mmmmm, das tut so gut», sagte die junge Frau zwischen zwei Schlucken Schokolade. «Vielen Dank für Ihre Gastfreundschaft. Wir haben seit gestern Mittag nichts gegessen, weil wir den Campingkocher nicht anbekamen. Jim wollte dann ins Dorf gehen, um Fish and Chips zu holen, aber es war zu stürmisch. Wir haben stundenlang das Zelt festgehalten und gehofft, dass der Sturm irgendwann aufhören würde, aber dann ... diese letzten Böen ... Sorry, Jim, meine Hände waren einfach zu kalt.» Während ihrer Erzählung hielt Jim die ganze Zeit über ihre Hand.

«Das klingt furchtbar», sagte Izzy und stellte sich vor, wie die beiden sich in ihrem Zelt zusammenkauerten. Sie grämte sich, denn sie hätte viel früher an sie denken und ihnen Unterschlupf bieten sollen. «Ich zeige Ihnen gleich das Gästezimmer, wenn Sie so weit sind.»

«Das ist wirklich nett von Ihnen», sagte Jim zum tausendsten Mal und rieb Jeanette beruhigend den Rücken. Allerdings machte er dabei einen furchtbar niedergeschlagenen Eindruck, so als hätte er sie irgendwie enttäuscht. «Tut uns leid, dass wir Sie geweckt haben.»

Izzy lächelte gequält. «Ach, ich war sowieso wach.» Und dann erzählte sie den beiden vom Leck im Dach.

«Ich kann mir das morgen früh gerne mal von außen ansehen, wenn Sie wollen. Bestimmt kommt man über die Zinnen gut dran.»

«Oh, das wäre toll. Danke.» Sie merkte, dass es wichtig für ihn war, etwas zu tun, um ihr zu helfen und ihr damit für ihre Gastfreundschaft zu danken.

Während die beiden ihre heißen Getränke tranken,

stellte Izzy einen Wäscheständer vor den Herd. «Sie können Ihre Schlafsäcke hier trocknen», schlug sie vor. Die regendurchweichten und mit Matsch bespritzten Kleidungsstücke, die sie vorhin getragen hatten, befanden sich bereits in der Waschmaschine. «Kann ich Ihnen sonst noch etwas Gutes tun?», fragte sie.

«Nein, Sie waren schon so freundlich. Wir sind Ihnen wirklich dankbar», sagte Jeanette.

Was hätte sie auch sonst tun sollen? Die beiden wegschicken? Welcher Mensch wäre zu so etwas fähig? Izzy war bloß froh, dass sie im Schloss genug Platz hatte, um die beiden unterzubringen.

Als Jeanette und Jim so weit waren, führte Izzy sie in ein Zimmer im ersten Stock und ließ sie dann allein, um noch einmal zum Dachboden hinaufzugehen und nach dem Leck zu sehen. Das Wasser kam nicht mehr ganz so schnell hindurchgeschossen, doch die Schwellung in der Decke sah nach wie vor so aus, als könnte sie jeden Moment platzen. Mit besorgtem Blick beschloss Izzy, die Wanne noch einmal zu leeren und am Morgen gleich wieder nachzusehen.

Als sie schließlich müde ins Bett fiel, dachte sie mit Dankbarkeit daran, dass Ross die Sechs-Uhr-Schicht übernehmen würde. Wie hatte sie nur annehmen können, das Leben auf dem Lande wäre ruhig?

«Aufwachen, aufwachen! Ich habe dir eine Tasse Tee mitgebracht.» Die Stimme ihrer Mutter klang schrecklich laut in Izzys Ohren.

Sie hob den Kopf und ließ ihn sofort wieder auf das

Kissen zurückfallen. Es fühlte sich an, als wäre sie eben erst eingeschlafen.

«Wusstest du, dass zwei Fremde im Karo-Zimmer schlafen?» In Xanthes Worten schwang deutliche Empörung mit.

«Mmm», murmelte Izzy und versuchte vergeblich, ihre Augen zu öffnen.

«Ich meine, woher kommen die? Ich bin da heute Morgen reingegangen und habe mich derartig erschrocken –»

«Wie spät ist es?», stöhnte Izzy und blinzelte ihre Mutter an.

«Es ist halb acht, Liebes. Ich war schon auf, also dachte ich, ich bringe dir eine schöne Tasse Tee.»

Ihre Mutter hatte ihr morgens noch nie Tee gekocht, und schon gar nicht hatte sie ihr eine Tasse ans Bett gebracht.

Xanthe stellte die Tasse auf den Nachttisch, schaltete die Lampe an und hockte sich dann wie ein erwartungsvolles Rotkehlchen auf die Bettkante.

«Mum! Ich war die halbe Nacht auf den Beinen.» Es kostete Kraft, die Worte herauszubringen. Izzy fühlte sich völlig zerschlagen.

«Diese Leute, kennst du die? Wie sind die hier reingekommen?»

«Sie zelten. Am Loch.»

«Und du hast sie reingelassen? Wir hätten ja alle in unseren Betten ermordet werden können!»

«Du wirkst quicklebendig», murmelte Izzy.

«Das ist nicht der Punkt. Und wenn sie sich nun das Silber unter den Nagel gerissen hätten?»

«Du schaust zu viel fern.»

Xanthe lächelte schmallippig. «Hier, trink deinen Tee. Dann geht es dir besser.»

Izzy runzelte die Stirn. «Wieso warst du überhaupt schon so früh im Karo-Zimmer?»

«Weil die Carter-Jones mich angerufen haben. Sie bringen noch zwei Leute mit. Also, mindestens.»

Izzy ließ den Kopf wieder aufs Kissen fallen.

Später an diesem Morgen knetete sie in der Küche gerade den Brotteig, als Duncan erst gegen die Hintertür klopfte und dann hereinkam. Er ging direkt zum Herd und streckte die Hände aus, um sie zu wärmen.

«Kann ich mir vielleicht 'ne Tasse Tee machen? Die Zündflamme am Heizungskessel ist aus. Es ist eiskalt bei mir.»

«Ja, natürlich», sagte Izzy sofort. «Aber eine kaputte Heizung können wir jetzt nicht gebrauchen. Kannst du jemanden holen, der das repariert?»

«Ha! Ich hab's schon versucht, aber heute Morgen ist wohl in ganz Schottland die Heizung ausgefallen. Ich kann den Klempner nicht erreichen, bei ihm ist ständig besetzt.»

Izzy lächelte reumütig. Was machte schon ein Gast mehr im Schloss? Sicher, ihr Haushalt hatte sich bereits verdoppelt, aber bald würde sie noch viel mehr Gäste haben, also konnte sie sich genauso gut gleich daran gewöhnen. «Du kannst gern so lange hier wohnen, bis deine Heizung repariert ist.»

«Das ist wirklich sehr freundlich von dir, Kleines.

Übrigens scheinen die Camper weitergezogen zu sein. Die Stelle, an der sie ihr Zelt aufgeschlagen hatten, ist leer.»

«Hmm, aber sie sind nicht weit gekommen», sagte Izzy amüsiert. Doch bevor sie ihm die Lage erklären konnte, kam Ross mit seinem Teebecher herein, der offenbar neu gefüllt werden musste.

«Wie war die Nachtschicht, McBride?», fragte er, dann nickte er Duncan zu. «Guten Morgen.»

Izzy schnaubte. «Es war ... ereignisreich. Ich habe zwei Streuner aufgelesen. Gerade wollte ich es Duncan erzählen ... Das Zelt der Wildcamper ist vom Sturm weggeweht worden, und sie haben jetzt hier im Schloss Zuflucht gefunden.»

«Ach ja?» Ross betrachtete sie mit beunruhigtem Ausdruck.

«Fangen Sie jetzt nicht auch noch mit dem Tafelsilber an», meinte sie.

«Äh, darüber mache ich mir keine Sorgen. Ich fürchte eher, dass es mir hier zu trubelig wird. Ich bin schließlich wegen der Ruhe hier, Sie erinnern sich?» Er goss sich einen Tee auf. «Wie lange werden sie bleiben? Und wollen Sie auch eine Tasse Tee, McBride? Duncan?»

«Sie werden vermutlich heute abreisen», sagte Izzy, wobei sie sich wieder dem Teig widmete und weiterknetete. «Und ja, bitte einen Tee für mich. Diese Arbeit macht durstig.»

Ross holte einen frischen Becher für sie aus dem Schrank und füllte den Teekessel, während sie den Teig in eine gefettete Schüssel legte, mit einem feuchten Ge-

74

schirrtuch bedeckte und alles neben den Herd stellte, damit der Teig aufgehen konnte.

«Kommen Sie, setzen Sie sich und trinken Sie Ihren Tee», sagte Ross. «Sie sehen müde aus.»

Das war nicht gerade ein Kompliment, aber es war schwer, ihm das übel zu nehmen, wo er nur wollte, dass sie sich einen Moment ausruhte. «Gerne. Es war eine kurze Nacht.»

Duncan nickte. «Du musst dich wirklich ausruhen, Kleines», sagte er. «Ich gehe mal eben nach den Kühen sehen. Komme gleich wieder und trinke meinen Tee.»

Als er gegangen war, deutete Ross auf den Tisch, der mit vollgeschriebenen DIN-A4-Blättern übersät war. «Was ist das alles?»

Izzy atmete kurz aus, bevor sie antwortete. «Weihnachten», antwortete sie schließlich. Xanthes Nachricht von weiteren Gästen hatte sie in Aktion versetzt. «Ich weiß ja nicht, was Sie vorhaben, aber wir erwarten über die Feiertage weitere Gäste.» Sie schaute ihm fest in die Augen. «Tut mir leid. Ich weiß, Sie möchten Ihre Ruhe, aber ich will ganz ehrlich zu Ihnen sein ...» Sie biss sich auf die Lippen, bevor sie weiterredete. «Die Gäste haben uns dafür ein Vermögen angeboten, und wir brauchen dringend das Geld. Erst recht jetzt, da wir das Dach reparieren müssen. Aber ... Also, ich kann Ihnen natürlich Ihr Geld für die letzte Dezemberwoche wiedergeben, wenn Sie vor Weihnachten abreisen möchten.» Sie nahm an, dass er sowieso zu seiner Familie fahren würde.

Er runzelte die Stirn, dann starrte er aus dem Fenster.

Sein bewegungsloser Körper sprach für seine Selbstbeherrschung.

«So weit im Voraus habe ich noch gar nicht gedacht», sagte er nach längerem Schweigen. «Ich hoffe, dass ich bis dahin den ersten Entwurf meines Manuskripts fertig habe, und ich dachte, dass ich dann ein paar Tage freinehmen könnte. Aber ich habe noch gar keine Pläne.» Er schob die Hände in die Taschen, zog die Schultern hoch und fragte: «Wie viele Leute kommen denn und für wie lange?»

«Im Moment sind es sechs, aber die genauen Reisedaten weiß ich selbst noch nicht.» Sie zog eine Grimasse. «Sie haben bisher nur mit Xanthe kommuniziert.»

«Dann gnade uns Gott!», witzelte Ross. «Ich sehe schon den Schlitten samt Rentier in der Eingangshalle, einen Weihnachtsbaum in jedem Zimmer des Hauses und mehr Glitzer als in jeder Grundschule.»

Izzy schürzte die Lippen. Sie sollte eigentlich protestieren, immerhin sprach er von ihrer Mutter, doch sie musste ein Grinsen unterdrücken, denn er hatte es genau getroffen. Xanthes Begeisterung für das gesamte Projekt würde sich höchstwahrscheinlich in trunkene Höhen schrauben – außer wenn es um tatsächliche Arbeit ging.

«Ich verstehe, wenn Sie abreisen möchten.» Als sie es sagte, stellte sie fest, dass ihr die Vorstellung nicht gefiel.

«Ich ... Ich denke drüber nach», erwiderte Ross. «Wie gesagt, ich habe noch keine Pläne für Weihnachten gemacht.»

«Haben Sie denn keine Familie?» Die Frage konnte sie sich einfach nicht verkneifen.

Er starrte sie einen Moment an, dann nickte er. «Doch, ich habe Familie. Mutter, Vater und zwei Schwestern.»

«Und wollen Sie die über Weihnachten nicht sehen?» Sie wusste, dass sie zu neugierig war, aber sie wollte, dass er weiterredete. Seine Anwesenheit beruhigte sie und zögerte außerdem den Moment hinaus, in dem sie sich ihren Listen zuwenden musste.

Er zuckte mit den Schultern. «Ich bin noch nicht sicher.»

«Worüber sind Sie nicht sicher?» Xanthe war in die Küche gekommen und sah ganz besonders selbstzufrieden aus.

«Wir sprechen gerade über Ross' Weihnachtspläne», erklärte Izzy.

«Werden Sie nicht bei Ihrer Familie sein?», fragte Xanthe stirnrunzelnd.

«Nein, das hatte ich eigentlich nicht vor», sagte Ross.

«Wohnen sie weit weg?» Xanthe lächelte ihn freundlich an.

«Nein. In Callander.»

«Nun, dann sollten Sie zu ihnen fah –» Sie stutzte. «Oh mein Gott: Callander. Sie sind doch nicht etwa mit Alicia Strathallan verwandt, oder?»

Sein versteinertes Gesicht sprach Bände. «Äh ... doch», sagte er, und in seiner Stimme schwang vorsichtiges Misstrauen mit.

«Oh! Mein! Gott!» Xanthe klatschte in die Hände und begann, um den Tisch zu tanzen. «Alicia Strathallan.

Hast du das gehört, Izzy? Erinnerst du dich an die wunderbare Glasausstellung im Dovecot in Edinburgh, wo ich einen ganzen Tag lang im Glück schwelgte?»

Izzy nickte.

«Das war Alicia Strathallan!» Sie starrte Ross an. «Und sie ist wirklich, wirklich, wirklich Ihre Mutter?» Aufgeregt hüpfte sie auf der Stelle auf und ab.

Ross nickte. «Ganz wirklich.»

Xanthe fächelte sich Luft zu. «Sie ist meine absolute Lieblingskünstlerin. Stimmt's, Izzy? Ich sage das nicht nur so, oder? Ich liebe ihre Arbeiten. Ihre Farben sind einfach großartig.» Sie lachte, dann fügte sie mit der für sie typischen Taktlosigkeit hinzu: «Man stelle sich nur vor: Sie sind ihr Sohn. Das ist wirklich lustig, denn Sie wirken so gar nicht kreativ.»

Izzy erstarrte, stellte dann aber erleichtert fest, dass er Xanthe die Bemerkung nicht krummnahm. In seinen Augen blitzte sogar der Schalk auf. «Nein. Ich habe tatsächlich keinen einzigen kreativen Knochen in meinem Körper. Ein harter Schlag für meine Mutter.»

Er schaute über den Tisch zu Izzy und grinste.

«Nun, wir können wohl nicht alle kreativ sein», sagte Xanthe und breitete die Arme aus, als wolle sie ihr eigenes kreatives Genie demonstrieren. «Izzy ist auch eher praktisch veranlagt. Das ist ziemlich enttäuschend.»

«Vielen Dank», erwiderte Izzy trocken. Sie hatte schon lange aufgehört, sich über die unverblümten Beurteilungen ihrer Mutter zu ärgern.

«Du weißt, wie ich das meine. Also ...» Abrupt wechselte sie das Thema. «Ich möchte einen Freund einladen.»

«Einen Freund?», fragte Izzy, die vom plötzlichen Wandel der Unterhaltung überrascht war. «Wen denn?»

«Niemand, den du kennst.» Xanthe wedelte leichthin mit der Hand durch die Luft. «Ein alter Freund.»

Izzy kniff misstrauisch die Augen zusammen. «Welcher alte Freund?»

«Ich sage doch, es ist niemand, den du kennst. Aber du hast doch nichts dagegen, oder?»

Die spitze Frage war Xanthes Art, sich über die Tatsache zu mokieren, dass Izzy das Schloss geerbt hatte und nicht sie. Und die unausgesprochene Anschuldigung, dass sie ihrer Mutter nicht erlauben würde, ihre Freunde einzuladen, schmerzte Izzy.

«Es ist auch nur für ein paar Tage», fügte Xanthe noch hinzu. «Du wirst gar nicht merken, dass er hier ist.»

Das hielt Izzy für sehr unwahrscheinlich.

Xanthe schenkte ihr ein gönnerhaftes Lächeln. «Jetzt, wo das blaue Zimmer fertig ist, kann er ja da wohnen. Er wird vor Weihnachten auch sicher wieder abreisen. Und ich weiß jetzt schon: Du wirst ihn unglaublich charmant finden. Ich kenne ihn seit Ewigkeiten. Er ist sehr gut vernetzt, er ist mit den Hochland-Sinclairs verwandt, weißt du?» Xanthes Redefluss war ein klares Zeichen dafür, dass sie etwas verheimlichte. «Da fällt mir etwas ein!» Ihre Augen leuchteten vor Begeisterung auf. «Da wir ja jetzt ein richtiges Weihnachtsfest feiern, brauchen wir mindestens drei Weihnachtsbäume. Ich liebe den Geruch echter Tannen. Es gibt nichts Schöneres, oder, Izzy? Und wir könnten alle zusammen den Baum schmücken. Was für ein Spaß!»

Als die Erinnerungen an vergangene Weihnachtsfeste in ihrem Kopf aufploppten wie Popcorn, musste Izzy lächeln. Sie hatten immer einen echten Baum gehabt, auch wenn das Geld knapp war, und es war Tradition, sich gegenseitig jedes Jahr einen neuen Baumschmuck zu schenken. Als Kind hatte sie den in der Schule gebastelt, und egal, wie krumm und schief er geworden war – die kleine Maus in einer Walnussschale, die Wattebüschel an einer Schnur oder die Fee aus einem Deckchen und einer hölzernen Wäscheklammer –, Xanthe hatte sich gefreut und darauf bestanden, dass der Neuzugang einen Ehrenplatz bekam. Den Baum zu schmücken, war in ihrer Familie stets eine große Sache gewesen, und als Izzy älter geworden war, hatten sie zur Feier des Tages immer eine Flasche Sekt geöffnet und auf das Anschalten der Lichter angestoßen.

«Wie gesagt», fuhr Xanthe ungerührt fort, «ich denke, wir werden mindestens drei Bäume brauchen: einen für die Halle, einen für das Esszimmer und einen für den Salon. Und es wird uns nichts kosten, weil Duncan sagt, dass wir Tannen aus dem Wald neben dem See fällen können. Allerdings müssen wir dann auch noch mehr Baumschmuck kaufen. Na, vielleicht gibt es ja oben auf dem Dachboden noch welchen.»

«*Du* willst einen Baum fällen?», fragte Izzy mit belustigtem Grinsen.

«Nun, *ich* natürlich nicht. Aber ich bin sicher, wir können diesen strammen jungen Mann dazu überreden, uns zu helfen.» Xanthe schenkte Ross ein herausforderndes Lächeln. «Schwingen Männer nicht gerne ihre Äxte und spielen He-Man?»

«Immer», erwiderte Ross mit zuckenden Mundwinkeln und schaute erneut zu Izzy, die den Kopf schüttelte. Ihre Mutter war wirklich unmöglich.

«Dann ist ja alles geregelt.» Xanthe strahlte Ross an. «Alicia Strathallans Sohn unter meinem Dach! Wie wundervoll! Das muss ich meiner Näh-WhatsApp-Gruppe erzählen – Nähen für die Ehre.» Mit einem kleinen Hüpfer verließ sie laut summend die Küche.

Ross sah ihr etwas verwirrt nach, bevor er seinen Tee nahm, Izzy kurz zunickte und dann ebenfalls die Küche verließ.

Als Izzy den Raum wieder für sich allein hatte, setzte sie sich mit einem Notizbuch an den Tisch und betitelte die erste Seite mit der Aufschrift *Weihnachts-To-do-Liste*. Sie unterstrich die Worte zweimal und dachte an all die schönen Dinge, die sie tun konnten, um dieses Weihnachten zu einem Fest zu machen, an das man sich gern erinnerte.

Sie beschrieb mehrere Seiten in ihrem Notizbuch und spürte, wie die Aufregung stieg, während sie die zu erledigenden Dinge in überschaubare Portionen teilte.

«Hallo, Izzy.»

Als sie die leise, zaghafte Stimme hörte, sah sie auf. Jeanette stand in der Tür, hinter ihr winkte Jim.

«Kommen Sie rein», sagte Izzy.

«Tut uns leid, dass wir erst jetzt aufgestanden sind. Aber ich habe seit Wochen nicht mehr so gut geschlafen. Ich hatte immer Angst, dass ein Schaf oder ein Reh am Zelt knabbert, wissen Sie? Vielen Dank, dass wir die Nacht über hierbleiben durften.»

Izzy lächelte sie freundlich an. Trotz des guten Schlafs wirkten die Augen des armen Mädchens trüb und müde. «Das ist kein Problem. Ich bin froh, dass Sie gut geschlafen haben. Möchten Sie frühstücken?»

Jeanette sah ihren Mann unsicher an.

«Wenn das keine Umstände macht», sagte er und schob seine Frau weiter in die Küche.

«Möchten Sie Eier mit Speck?»

«Nein, nein, machen Sie sich keine Umstände. Danke», sagte Jeanette, doch Izzy sah, wie sich Jims Mundwinkel vor Enttäuschung senkten.

«Ehrlich, das ist überhaupt kein Problem», erwiderte sie. «Wir haben massenhaft Eier. Duncan ist so eine Art Hennen-Flüsterer. Ich glaube, sie haben noch gar nicht gemerkt, dass der Winter da ist. Sie legen immer noch.»

«Im Gegensatz zu uns», meinte Jeanette. Sie schaute aus dem Fenster und schlang die Arme um ihren Körper.

«Tja, also, Eier wären toll», beeilte Jim sich zu sagen und fuhr sich verlegen über seinen Bart.

Jeanette versetzte ihm einen Stoß in die Seite. «Er hat immer Hunger.»

Izzy musste schmunzeln. «Setzen Sie sich doch.»

«Nein, lassen Sie mich Ihnen lieber helfen», bat Jeanette. «Es war schon so nett von Ihnen, uns die Übernachtung anzubieten.»

«Ich hätte Sie ja schlecht draußen im Regen stehen lassen können», antwortete Izzy lapidar.

«Nein, das vielleicht nicht, aber Sie haben uns das Gefühl gegeben, willkommen zu sein. Nicht, als wären wir Ihnen eine Last. Wir sind Ihnen wirklich sehr dankbar.»

Izzy zuckte mit den Schultern. «Wie gesagt, es war kein Problem. Was werden Sie denn jetzt machen? Nach Hause gehen?»

Jeanette und Jim tauschten einen vorsichtigen Blick. Dann sprang die junge Frau zu Izzy und fragte: «Was kann ich tun?» Sie wollte offensichtlich schnell das Thema wechseln.

«Äh … Sie könnten den Tisch decken. Besteck ist da drin.» Izzy deutete mit dem Kopf zu einer der Schubladen.

Während seine Frau sich nützlich machte, trat Jim zum Fenster und sah hinaus. «Das Wetter hat sich beruhigt. Es regnet auch schon nicht mehr», sagte er und drehte sich zu ihr. «Wollen Sie, dass ich mir mal das Dach ansehe?»

«Das wäre großartig. Würden Sie das wirklich tun?»

Jeanette strahlte. «Lassen Sie ihn ruhig, er kann wirklich gut mit seinen Fingern umgehen. Äh, ich meine … Also, er ist sehr praktisch veranlagt», sagte sie leicht errötend.

Jim schenkte ihr ein intimes, liebevolles Lächeln, und Izzy war selbst überrascht, dass sie einen eifersüchtigen Stich verspürte. Wie musste es sich anfühlen, diese ganzheitliche Verbindung zu einem anderen Menschen zu haben? Jemanden zu lieben, der sich so sehr für einen interessierte? War es eine Schwäche, wenn man sich wünschte, dass hin und wieder mal jemand auf einen aufpasste?

Izzy schüttelte die Gedanken ab. «Wenn Sie noch ein bisschen warten, kommt Duncan. Er kennt das Schloss wie seine Westentasche und kann Sie sicher hinauf zu den Zinnen führen.»

Wie aufs Stichwort kam der alte Mann durch die Hintertür in die Küche, und Izzy stellte ihm die beiden vor.

«Ich bringe Sie gerne jetzt gleich rauf», sagte er sofort, als er von Jims Angebot hörte. «Und wenn wir zurückkommen, wartet hoffentlich schon Tee auf uns.»

Izzy grinste ihn an. «Wird gemacht!»

«Ist das für dich okay so, Schatz?», fragte Jim und schaute besorgt zu seiner Frau. «Ich bin auch nicht lange weg.» Als sie nickte, nahm er seine Fleecejacke vom Wäscheständer am Herd, drückte Jeanette einen kleinen Kuss auf die Wange und zog sie wie zur Beruhigung kurz an sich. Dann folgte er Duncan.

«Sei vorsichtig», sagte Jeanette und sah ihm mit einem leicht träumerischen Ausdruck nach, über den Izzy lächeln musste.

«Wie lange sind Sie beide denn schon verheiratet?», fragte sie und holte ein paar Eier aus dem Kühlschrank.

Jeanettes Gesicht wurde ernst, und ihr Körper versteifte sich. Sie presste kurz die Lippen aufeinander, dann antwortete sie: «Noch nicht so lange.» Dann drehte sie Izzy den Rücken zu und kümmerte sich um das Besteck.

Izzy schlug die Eier in die Pfanne und fragte sich, warum die junge Frau so wenig umgänglich war.

Eine Weile arbeiteten sie schweigend nebeneinanderher.

Bis Xanthes schrille Stimme plötzlich erklang: «Sie sind da!»

Izzy wendete den Kopf und sah ihre Mutter mit einem langen, schmalen Paket die Küche betreten. Xanthe schwenkte es so stark, dass sie beinahe einen Stapel Teller von der Kommode riss.

«Was ist da?», fragte Izzy verwirrt.

«Die Tapeten, Liebling!», rief Xanthe.

«Die teuersten Tapeten der Welt? Aber die hast du mir doch erst gestern Abend gezeigt! Du ... Ach so, da hattest du sie längst bestellt, oder?», sagte Izzy trocken, als ihr klar wurde, dass ihre Mutter gar nicht ernsthaft ihr Einverständnis gesucht hatte, als sie gestern über die Tapeten sprachen.

«Ach, sei nicht so, Schatz. Außerdem erwarten Leute wie die Carter-Jones das Beste, wenn sie schon fünfundzwanzigtausend für eine Woche in einem schottischen Schloss bezahlen.»

«Genau das macht mir ja gerade solche Sorgen», sagte Izzy wahrheitsgemäß.

«Fünfundzwanzigtausend?», wiederholte Jeanette mit weit aufgerissenen Augen. «Das ist aber viel Geld.»

«Wir brauchen auch viel Geld», flötete Xanthe und drehte sich strahlend zu Jeanette um. «Sie müssen einer unserer verlorenen Welpen sein.»

«Xanthe!», knurrte Izzy durch zusammengebissene Zähne.

«Wie bitte?» Jeanette sah verständlicherweise verwirrt aus.

«Ignorieren Sie Xanthe einfach, das tun die meisten vernünftigen Menschen», sagte Izzy zu Jeanette.

Ihre Mutter schnaubte, dann nickte sie Jeanette kurz

zu und wandte sich wieder an Izzy. «Willst du die Tapeten nun sehen oder nicht?» Sie riss bereits an der braunen Verpackung.

Ein Windstoß kündigte die Ankunft von Jim an, der von draußen hereinkam und die Hintertür hinter sich zuschlug.

«Oh! Welpe Nummer zwei», sagte Xanthe fröhlich, während sie weiter mit der Verpackung kämpfte. «Schau, Izzy, schau doch. Ist das nicht himmlisch?» Sie hielt das Foto hoch, das vorn auf der Rolle klebte.

«Das ist ja ein Wahnsinnsmuster», meinte Jim.

«Ich weiß», sagte Xanthe. «Ist es nicht wunderschön?»

Jim trat vor und nahm eine der Rollen in die Hand. «Gute Qualität.»

«Das sollte es auch sein bei dem Preis», sagte Izzy. «Ich habe schon jetzt eine Riesenangst, beim Tapezieren etwas falsch zu machen.»

«Oh, Jim ist toll im Tapezieren», sagte Jeanette.

«Wirklich?» Xanthe quiekte aufgeregt.

«Jep, ich kann die meisten Handwerkeraufgaben erledigen», meinte er. «Ich glaube, wir können auch dieses Dach heute noch reparieren – wenn es Ihnen nichts ausmacht, dass Duncan mich zum Baumarkt fährt.»

«Hast du das gehört, Izzy?» Xanthes Blick durchbohrte sie. «Dachreparaturen und Tapezieren!»

«Ich habe es gehört», sagte Izzy, die es nicht ausstehen konnte, dass ihre Mutter stets alles besser wusste.

Xanthe wandte sich aber bereits wieder an Jim. «Izzy sagt, Sie würden unten am Loch zelten. Machen Sie hier Urlaub?»

Jim und Jeanette schauten sich wieder verunsichert an, so wie Izzy es schon von den beiden kannte.

«Nein», sagte Jeanette, während Jim gleichzeitig «Ja» sagte.

«Also, was denn nun?», fragte Xanthe mit der für sie typischen Ungeduld.

«Wir …», begann Jeanette, während Jim sagte: «Wir haben …»

«Wollen Sie in der Gegend bleiben?», fragte Xanthe und schaute die beiden erwartungsvoll an.

«Ja, das wollten wir eigentlich», sagte Jim, «aber wir haben das Zelt verloren und –»

«Und nun haben Sie keine Bleibe.» Xanthe warf Izzy einen bedeutungsvollen Blick zu.

«Xanthe …», zischte Izzy, die merkte, wohin das alles führen würde.

«Nun, für mich ist damit alles klar.» Xanthe hob mit königlicher Miene das Kinn. «Sie sollten beide hier im Schloss bleiben. Wir brauchen Hilfe. Viele Hände erleichtern die Arbeit und so weiter.»

Izzy verschränkte ihre Arme und funkelte ihre Mutter an, obwohl sie zugeben musste, dass es eine sehr gute Idee war.

Xanthe machte eine wegwerfende Handbewegung und wandte sich wieder an das junge Paar. «Zuerst müssen Sie mir aber erklären, was bei Ihnen los ist. Können wir Ihnen vertrauen? Haben Sie eine Bank ausgeraubt? Jemanden ermordet? Ein Haus niedergebrannt?»

Jeanette schüttelte heftig den Kopf. «Nein!», protestierte sie. «Nichts dergleichen.» Ihr Gesicht verzog sich zu einem plötzlichen Lächeln. «Im Vergleich dazu ist es jedenfalls nichts Schlimmes, was wir getan haben.»

Jim legte einen Arm um ihre Schulter. «Es ist überhaupt nichts Schlimmes.» Er drückte Jeanette einen Kuss auf die Haare.

«Wir haben geheiratet», erklärte sie. «Unsere Familien waren damit aber nicht einverstanden, also sind wir weggelaufen. Wir dachten, wir könnten einfach so günstig wie möglich leben und Gelegenheitsjobs finden, aber ohne feste Adresse will uns leider niemand einstellen.»

Izzy wurde das Herz schwer. Für jeden, der auch nur ein bisschen bei Verstand war, musste doch offensichtlich sein, dass die beiden eindeutig schwer ineinander verliebt waren. Gleichzeitig schienen sie den gesunden Menschenverstand verloren zu haben, sich so in ein ja durchaus gefährliches Abenteuer zu stürzen. «Wissen Ihre Eltern denn, wo Sie sind?», fragte sie besorgt.

«Nein!», rief Jeanette. «Und das wollen wir auch gar nicht. Sie wissen, dass es uns gut geht, aber das ist auch alles. Sonst würden sie nur wieder versuchen, uns zu trennen. Und das könnte ich nicht ertragen.»

«Wir haben an Jeanettes achtzehntem Geburtstag geheiratet», sagte Jim, als ob das alles erklärte.

«Ahhh, junge Liebe!» Xanthe strahlte das Pärchen an. «Ich war auch erst achtzehn, als ich geheiratet habe. Leider ist mein Mann zu früh gestorben. Er war die Liebe meines Lebens.»

«Mmm», machte Izzy, senkte den Kopf und tat so, als würde sie etwas auf ihrer Liste lesen. Ihr Vater war mit dreiundzwanzig gestorben, weil er immer noch ein

Kindskopf gewesen war, der Traktorrennen fuhr, verdammt noch mal. Und nach dem, was ihre Großmutter gesagt hatte, bezweifelte Izzy, dass ihre Eltern zusammengeblieben wären. Ihre Mutter war ja sogar immer noch in vielerlei Hinsicht ein Kind – ständig auf der Suche nach sofortiger Selbstbelohnung. Im Vergleich dazu wirkten Jim und Jeanette direkt wie ein bodenständiges Paar, das sich eindeutig liebte.

«Also?», fragte Xanthe mit hochgezogenen Augenbrauen und stieß Izzy ihren spitzen Ellenbogen in die Seite.

Izzy seufzte. Sie hatte nicht gern das Gefühl, in die Ecke gedrängt zu werden, aber wenn sie an die Menge an Arbeit dachte, die bis Weihnachten erledigt werden musste, dann wären zwei weitere Helfer ein wirkliches Plus.

«Ich kann Ihnen aber nicht viel zahlen.»

«Das ist schon in Ordnung. Wie wäre es für den Anfang mit freier Kost und Logis für die Handwerksarbeiten?», schlug Jim vor.

Izzy kaute auf ihrer Lippe herum. Das Angebot schien ein bisschen zu gut, um wahr zu sein, außerdem würde sie die beiden damit ausnutzen. Wie sollten Jeanette und Jim unabhängig werden, wenn sie kein eigenes Geld verdienten?

«Zudem empfehlen Sie uns noch weiter», forderte Jeanette. «So können wir dann auch andere Jobs finden.»

Jim nickte. «Sehen Sie, jeder hat etwas davon.»

«Also ... Wie wäre es mit einer Probewoche?», schlug Izzy vor. «Um zu sehen, ob das so funktioniert. Und ich werde Ihnen ein kleines Gehalt zahlen.» Dann fügte sie lächelnd hinzu: «Und ich schlage vor, wir gehen zum Du über.»

«Abgemacht.» Jim schüttelte ihre Hand. «Sie werden ... äh, du wirst es nicht bereuen, das versprechen wir.»

Jeanette nickte freudig.

Izzy hoffte, dass er recht behalten würde, vor allem angesichts der Zahl der Gäste, die mit alarmierender Geschwindigkeit anwuchs.

KAPITEL 7

*L*ieferung für I. McBride», sagte die Frau, die ein-
einhalb Wochen später mit einem großen, fest
verklebten Paket und einigen weiteren Päckchen auf der
Türschwelle stand. «Da war wohl jemand fleißig beim
Online-Shoppen.»

Izzy zuckte nur mit den Schultern.

«Ich bin übrigens Mrs. McPherson vom Postbüro», erklärte die Besucherin und hielt ihr ein Schreibboard hin.
«Für das Große hier müssen Sie unterschreiben. Sind
Sie das überhaupt? Und soll ich Ihnen die Sachen rein-
bringen? Von diesen Paketen kriegen Sie ja in letzter Zeit
ziemlich viele.»

Stimmte das? Es war Izzy gar nicht aufgefallen, was
vermutlich daran lag, dass Xanthe ziemlich gut darin
war, die Post abzufangen.

«Ja, danke», sagte Izzy. «Bitte nennen Sie mich Izzy.»

«Ah, die neue Besitzerin!» Die Frau schenkte ihr einen
kurzen, bewundernden Blick. «Ich habe schon gehört,
dass Sie jung sind», sagte sie ungläubig. «Und dass Sie
ein Hotel aus dem Schloss machen, sagt man.» Sie spähte
hinter Izzy in den Korridor, dann zeigte sie auf den großen Karton zu ihren Füßen. «Das ist Farbe, oder?»

«Ja», antwortete Izzy und grinste über die plumpe
Neugier der Postbotin.

Die Frau nickte. «Von *Farrow and Ball*, das ist ganz feines Zeug. Ich bin ja selbst mehr für Dulux. Soll ich Ihnen das reintragen?»

«Ja, bitte, das wäre sehr nett.» Amüsiert trat Izzy zur Seite und ließ Mrs. McPherson herein.

Die Frau marschierte in die Halle und sah sich erst mal in Ruhe um. «Wo wollen Sie das hinhaben?»

«Vielleicht könnten Sie erst mal alles in die Küche bringen? Kommen Sie, ich zeige Ihnen –»

Doch die Frau war bereits in die richtige Richtung davonmarschiert.

«Schon gut, ich war früher öfter hier und habe mit Bill eine schnelle Tasse Tee getrunken, als er noch lebte.»

Sie schob sich mit dem Ellenbogen durch die Tür in die warme Küche, die gerade gemütlich nach frischem Brot duftete, stellte ihre Lieferung auf den Tisch und sah sich mit zufriedenem Nicken im Raum um. «Sie haben hier nichts verändert. Riecht aber lecker. Ist schon ein Weilchen her seit meinem Frühstück …»

Izzy verstand die Anspielung. «Möchten Sie vielleicht eine Tasse Tee?» Sie warf einen Blick auf die Uhr. Duncan würde auch gleich kommen, um Tee zu trinken, wie er es immer tat.

«Aye, Kleines.» Mrs. McPherson lächelte Izzy zufrieden an und legte dabei eine beeindruckend schiefe Zahnreihe frei. «Ich dachte schon, Sie würden nie fragen. Und vielleicht ein Scheibchen von dem Brot? Das sieht gut aus, haben Sie das selbst gebacken?»

«Allerdings.» Izzy war ziemlich stolz auf ihr heutiges Werk, denn es war ein Experiment gewesen. In ihrem

Kochkurs war es auch ein wenig um die Wissenschaft hinter dem Brotbacken gegangen und wie sich unterschiedliche Mehlsorten verhielten, was Izzy fasziniert hatte und in ihr den Drang auslöste, neue Rezepte auszuprobieren. Sie warf einen liebevollen Blick auf das Einmachglas auf dem Regal, in dem sich ihr Sauerteigstarter aus Irland befand. Er trug den Namen ‹Kleine McBride›. «Ich will später noch ein paar andere Mehlsorten ausprobieren.»

«Die verkaufen gutes Mehl im Hofladen, von der Mühle hinter dem Hügel. Das sollten Sie mal probieren. Waren Sie schon da?»

«Nein, noch nicht. Aber ich werde bald mal dort aufschlagen.» Sie hatte es sich leicht gemacht und sich auf den großen Supermarkt in Fort William verlassen, womit sie gegen alles verstieß, was sie in Irland über die Bedeutung von Anbietern regionaler Nahrungsmittel gelernt hatte. Aber ihr fehlte einfach die Zeit.

Als sie den Wasserkessel aufsetzte und den frischen Brotlaib aufschnitt, war ihr durchaus bewusst, dass Mrs. McPherson sie subtil über ihre Pläne für das Schloss ausfragte, und Izzy überlegte, ob das ganze Dorf wohl bis zum Abend Bescheid wissen würde.

«Also, die Farbe ... wofür brauchen Sie die?», fragte die Postbotin mit schlecht verhohlener Neugierde.

Izzy schaute sie an und beschloss, die Frau ein wenig aufzuziehen. «Wollen Sie das wirklich wissen?», sagte sie mit einer gewissen Zweideutigkeit.

«Ja.» Mrs. McPherson riss die Augen auf, als wäre ihr gerade etwas Schlimmes eingefallen. «Sie haben doch nicht vor, das Schloss in ein Bordell zu verwandeln, oder?»

Izzy brach in schallendes Gelächter aus. «Nein, so etwas Spannendes wird es nicht. Die Farbe ist für das Morgenzimmer.»

«Ich meine ja nur ... Also, Bill hat damals schon ein paar wilde Partys geschmissen.» Mrs. McPherson schürzte missbilligend den Mund. «Ich schätze, einige der Zimmer hier haben ziemlich was zu sehen gekriegt. Bill mochte die Frauen, auch wenn er nie geheiratet hat. Aber vermutlich wissen Sie das alles.»

«Um ehrlich zu sein, weiß ich nicht viel über ihn. Er war der Bruder meines Großvaters, also mein Großonkel. Und die wenigen Male, die ich ihn getroffen habe, hat er sich immer sehr anständig benommen.»

«Hm, na ja, es gibt so ein paar Geschichten über ihn. Aber er war ein netter Typ. Er mochte Partys.»

«Party? Wer gibt eine Party?», fragte Xanthe, die soeben hereinschwebte, bekleidet mit weißen, weiten Culottes, einem blau-weiß gestreiften T-Shirt und einem knallroten Barett. «Ich liebe Partys. Hallo, Mrs. McP.!» Dann wandte sie sich an Izzy. «Ooooh, machst du gerade Tee, Izzy? Ich könnte für eine Tasse morden. Ich habe heute Morgen noch keine einzige Pause gemacht.»

«Morgen, Mrs. McBride», antwortete Mrs. McPherson mit frostigem Ton. «Wie geht es Ihnen?»

«Bin sehr beschäftigt. Es gibt ja so viel zu tun.» Xanthes Blick fiel auf das große Paket. «Ist das meine Farbe? Schau, Izzy, die Farbe ist angekommen.»

«Ach, wirklich?», neckte Izzy sie, bevor sie heißes

Wasser über die Teebeutel in der Kanne goss, die sie zu Ehren der Postbotin gewählt hatte.

«Der junge Ronald Braid könnte Ihnen beim Streichen helfen, wenn Sie wollen», sagte Mrs. McPherson zu Izzy. «Hier gibt's ja eine ganze Menge neu zu streichen. Soll ich für Sie ein gutes Wort einlegen und fragen, ob er Zeit hat?»

«Das ist sehr nett von Ihnen, aber ich werde es mir überlegen und ihn dann gegebenenfalls ansprechen.»

Mrs. McPherson bedachte Izzy mit prüfendem Blick. «Ja, ich sehe schon, dass Sie klarkommen. Sie werden sicher nicht vom nächsten Lufthauch umgeworfen.»

Xanthe quiekte vor Lachen. «Sie kommt ganz nach der Familie ihres Vaters.»

«Nein, tue ich nicht», sagte Izzy mit ernster Miene, denn sie verstand, dass die Frau ihren kräftig gebauten, groß gewachsenen Körper nicht abgewertet, sondern nur kommentiert hatte. «Aber ich habe auch schon tatkräftige Unterstützung.»

«Wirklich? Wen?» Mrs. McPherson schien richtiggehend verstimmt zu sein.

«Ein Pärchen, das hier in der Nähe gezeltet hat.»

«Ach, *die* beiden. Die sind schon eine ganze Weile hier. Sehr verdächtig.» Sie runzelte die Stirn. «Merkwürdige Jahreszeit, um zu zelten, nicht wahr?» Sie schien auf eine weitere Erklärung zu warten, doch Izzy fand, dass die Frau das nichts anging. Aber sie wollte auch nicht unhöflich sein. Also nahm sie die Teebeutel aus der Kanne und schenkte allen ein.

Nach einem längeren Schweigen hielt es die Postbotin nicht mehr aus. «Und werden Sie einen Koch einstellen?», fragte sie.

«Nein, das möchte ich übernehmen.»

«Dann werden Sie ja ziemlich beschäftigt sein. Immer nur Arbeit und kein Vergnügen macht auf Dauer krank, das wissen Sie hoffentlich. Sie sollten mal runter ins Dorf kommen. Am Freitag gibt es da ein Ceilidh.»

«Ein Ceilidh!» Xanthe schlug vor Begeisterung über die Aussicht auf eine Tanzveranstaltung die Hände zusammen. «Da müssen wir hin! Ich liebe einen Dashing White Sergeant.» Sie stieß ein besonders dreckiges Lachen aus, hob die Arme über den Kopf und tanzte mit wirbelnden Füßen in der Küche herum.

Izzy beschloss, ihr nicht zu sagen, dass sie da eher einen Highland Fling aufführte als einen ultraschnellen Ceilidh-Tanz.

Aber Xanthe war ohnehin schon wieder ganz woanders. «Wisst ihr was, ich würde zu gern Dudelsack spielen lernen.»

Izzy schauderte, aber da sagte Mrs. McPherson: «Mein Sohn besitzt einen, der wird ihn beim Ceilidh allerdings nicht spielen, weil er der Aufrufer sein wird.»

Izzy starrte die Frau an – das klang nach einer schrecklichen Idee. Doch bevor sie etwas einwenden konnte, sagte die Postbotin mit hinterlistigem Zug um den Mund: «Sie können es also gern mal ausprobieren.»

Gott bewahre! Izzy mochte gar nicht an den Lärm denken. Der würde ihre Gäste mit Sicherheit verjagen. Allen voran den Professor. Sie hatte ihn in den letzten Tagen kaum gesehen, fiel ihr jetzt auf.

«Es werden auf jeden Fall ein paar junge Leute da sein», sagte Mrs. McPherson und nickte Izzy aufmunternd zu. «Wie alt sind Sie, neunundzwanzig? Haben Sie einen Freund?» Ihre Augen wirkten plötzlich hellwach, und Izzy musste bei der plumpen Frage ein Grinsen unterdrücken.

«Im Moment nicht, nein», erklärte sie bemüht leise.

Zum Glück war Xanthe gerade abgelenkt, weil sie das Paket mit der frisch eingetroffenen Farbe mit dem nagelneuen Gemüseschälmesser attackierte.

«Das ist ja eine Schande», erklärte Mrs. McPherson, «aber machen Sie sich mal keine Sorgen, Kleines. Wir haben hier massenhaft schicke junge Männer. Die werden ein hübsches Mädel wie Sie umschwärmen wie die Bienen die Heideblumen.»

«Danke», murmelte sie. Einen Mann zu finden, stand im Moment ganz unten auf ihrer Liste.

«Haben Sie sich schon Lieferanten ausgesucht?», fuhr die Postbotin fort. «Sie sollten mal mit John Stewart unten im Hofladen sprechen. Übrigens auch ein sehr gut aussehender Mann.»

«Da will ich tatsächlich schon seit meiner Ankunft hin», sagte Izzy und ignorierte die Anspielung. Sie hatte das Gefühl, dass bis zum Abend das gesamte Dorf von ihrem Singledasein wüsste. «Ich habe vor, saisonale Speisen mit regionalen Produkten anzubieten, sobald wir Gäste haben. Wenn er mir dabei helfen könnte, wäre das perfekt.»

«Oh, wir haben hier großartige regionale Produkte! John Stewart wird Ihnen da sicher unter die Arme greifen. Und vergessen Sie nicht den Whisky – *uisge beatha*, das Wasser des Lebens. Sie sollten immer was für Ihre Gäste vorrätig haben. Ich kann Ihnen einen guten Rabatt pro Kiste geben, falls Sie interessiert sind. Außerdem biete ich Heideseife an, die wäre gut für Ihre Gäste. Ich bringe Ihnen mal eine schöne Sorte zum Ausprobieren mit.»

«Äh, danke», sagte Izzy. «An so was habe ich noch gar nicht gedacht, und mein Budget ist begrenzt, aber –»

«Sie haben die Saphire also noch nicht gefunden? Ich meine ...» Mrs. McPherson presste die Lippen zusammen, als hätte sie diese Information nur ungern preisgegeben, sich aber dazu verpflichtet gefühlt.

«Wie bitte?»

Xanthe ließ klappernd das Messer fallen. «Saphire? Das klingt interessant.»

«Lady Isabellas Saphire», sagte Mrs. McPherson mit gesenkter Stimme, als wollte sie sich damit mehr Autorität verleihen. «Sie kennen die Geschichte gar nicht? Der alte Bill hat immer gesagt, er wüsste nicht, wo sie sind, aber dass sie sich von allein zeigen würden, wenn sie gebraucht werden. Der alte Dummkopf.»

Izzy schüttelte den Kopf. Sie fragte sich, ob das nicht nur eine dieser regionalen Legenden war.

«Man erzählt sich», fuhr die Postbotin fort, «dass Ihre Ladyschaft eine feine Sammlung seltener Saphire besaß, als sie den Gutsherrn 1724 heiratete. Aber als der starb, stürmte ein rivalisierender Clan das Schloss, um Isabella mit ihrem Herrn zu verheiraten. Sie weigerte sich, den Ort preiszugeben, an dem die Saphire lagen, und man brannte das damalige Schloss ab. Also baute Isabella dieses hier, und der Legende nach hat sie die Saphire in dem Gebäude irgendwo versteckt. Seitdem wurden sie jedenfalls nie mehr gesehen.» Ihre Augen weiteten sich voller Andeutungen.

«Ohh!» Xanthes Wangen glänzten fieberhaft vor Begeisterung. «Das würde all unsere Probleme lösen. Stell dir mal vor, Izzy, was wir alles machen könnten, wenn wir sie finden würden!»

«Nach all der Zeit, die man sie nicht gefunden hat, gehe ich mal davon aus, dass sie entweder dem Feuer zum Opfer gefallen sind oder dass sie verkauft wurden», meinte Izzy. «Falls sie überhaupt je existiert haben.»

«Tsss. Izzy McBride, hast du denn überhaupt keine romantische Ader?» Ihre Mutter schüttelte so heftig den Kopf, dass ihr das Barett über ein Auge rutschte.

«Oder man hat sie eben sehr gut versteckt.» Mrs. McPherson starrte sie mit unverhohlener Faszination an.

«Ach, Maggie», sagte Duncan, der soeben durch die Hintertür in die Küche trat. «Du erzählst doch wohl nicht wieder dieses alte Märchen, oder?» Er schüttelte seine schwere Tweedjacke von der Schulter. «Brr, heute Morgen ist es draußen richtig feuchtkalt.»

Mrs. McPherson drückte den Rücken durch. «Niemand hat die Saphire je gefunden.»

«Ja, aus gutem Grund, du Klatschweib.» Duncan verdrehte die Augen. «Die existieren nämlich nicht. Sonst wären sie in den letzten dreihundert Jahren doch wohl mal aufgetaucht, oder nicht?»

Xanthe verschränkte die Arme und hob trotzig den Kopf. «Und was, wenn sie doch existieren?»

Mrs. McPherson zuckte mit den Schultern. «Vermutlich hast du recht, Duncan.» Dann wandte sie sich mit stolzgeschwellter Brust an Izzy. «Aber es ist eine tolle Geschichte, das müssen Sie zugeben.»

Duncans Augenbrauen schnellten in die Höhe. «Es kommt selten vor, dass Maggie McPherson mal eingesteht, dass sie nicht alles weiß.» Er kratzte sich am Kopf. «Von dem schlimmen Sturm weißt du aber schon, der sich hier in den nächsten Tagen zusammenbrauen soll?»

Das war Xanthes Stichwort. «Oh, ich liebe Sturm! Das ist so schön dramatisch», erklärte sie und presste sich eine Hand an die Brust.

Duncan warf ihr einen säuerlichen Blick zu, ignorierte sie aber ansonsten.

«Ja, ein Südwester», erklärte Mrs. McPherson. «Da haben wir ein paar ziemlich nasse Nächte vor uns.»

Automatisch schaute Izzy nach oben, in Sorge um das Dach.

«Keine Sorge, Kleines», sagte Duncan. «Jim hat gesagt, er kann die Löcher flicken. Und wenn's ganz schlimm kommt, stellen wir ein paar Eimer auf.»

Das klang nicht gerade beruhigend, fand Izzy und biss sich auf die Lippe, während sie einen Teebecher an Duncan weiterreichte.

«Hat Maggie dir von dem Ceilidh erzählt, Kleines? Du und deine –» Er deutete mit dem Kopf Richtung Xanthe. «Ihr solltet da mal hingehen.» Xanthe hatte ihm offenbar eingebläut, dass sie niemals ‹Mum›, ‹Ma› oder ‹Mutter› genannt werden wollte. «Wird bestimmt 'ne prächtige Angelegenheit, sie sammeln Geld für die Bergrettung. Früher bin ich auch immer mit raufgegangen. Ist also für 'ne gute Sache, und ihr würdet ein paar Leute von hier kennenlernen.»

«Das klingt gut. Ich überlege es mir», sagte Izzy, deren Blut bei der Vorfreude auf ein Ceilidh bereits pulsierte. Es wäre tatsächlich eine gute Gelegenheit, Ortsansässige zu treffen.

«Und du solltest Ross fragen, ob er mitkommt», ergänzte Duncan. «Er ist seit Wochen nirgendwo gewesen. Ich schätze, die Mädchen im Dorf freuen sich über frisches Blut. Und die Jungs natürlich auch.» Er zwinkerte ihr zu.

«Ich schätze, Mr. Ich-brauche-meine-Ruhe würde lieber sterben, als zu einem Ceilidh zu gehen», meinte Izzy.

«Völlig richtig.» Es war Ross' Stimme.

Izzy wirbelte herum und bemerkte voller Schrecken, dass ihr Gast in der Tür stand.

«Er hat nämlich bessere Dinge zu tun, als zu tanzen. Zum Beispiel arbeiten», fügte er hinzu.

«Morgen, Junge!», sagte Duncan fröhlich und ignorierte die Anspannung in der Luft. «Du solltest mitkommen. Du warst doch seit Wochen nicht draußen. Ein bisschen Tanz und ein paar Bier würden dir ganz guttun.»

Ross schenkte ihm ein kurzes Lächeln. «Ich denk drüber nach.»

Izzy war beim Blick auf seinen strengen Gesichtsausdruck und seinen verspannten Körper allerdings sicher, dass er damit ‹Nur über meine Leiche› meinte.

«Ist für einen guten Zweck», ergänzte Mrs. McPherson, die auf einmal die Hände in ihrem Schoß gefaltet hielt wie eine prüde Königin Victoria. «Es wird Geld für die Bergrettung gesammelt.»

Ross nahm sich einen Kaffee, und Izzy überlegte kurz, wie er wohl in einem Kilt aussehen mochte. Und wie wohl unter diesem dicken, unförmigen Pulli, den er trug? Schnell verdrängte sie diesen respektlosen und vollkommen unangemessenen Gedanken wieder.

Himmel, was war denn bloß los mit ihr?!

Angespornt von Mrs. McPhersons ziemlich offensichtlicher Schleichwerbung für die ortsansässigen Geschäftsleute und von dem Wunsch, den richtigen Lieferanten für regionale Produkte zu finden, beschloss Izzy ein paar Tage später, dem Hofladen einen Besuch abzustatten. Am Nachmittag würden weitere Malerarbeiten sie ans Haus binden. Es war auch nur eine Fahrt von zehn Minuten, und als sie vor der großen, umgebauten Scheune in den vollen Parkplatz einbog, hatte sie bereits ein gutes Gefühl.

In ihrem Kochkurs hatte Adrienne immer wieder betont, wie wichtig gute Produkte waren, nicht nur für den Geschmack, sondern auch, um Nachhaltigkeit zu fördern und die Umwelt zu schützen. Im Moment gab es nur die Kühe und ein paar Hühner, um die Duncan sich kümmerte, und zwei Ziegen, doch irgendwann wollte Izzy gern einen kleinen Bauernhof halten, damit sie sich der guten Herkunft ihrer Produkte sicher war. Außerdem wollte sie einen Kräutergarten anlegen. Doch weil hier im rauen Schottland nicht gerade ein mediterranes Klima herrschte, war dies ein Projekt für die Zukunft, wenn sie ein Gewächshaus besaß, in dem sie Basilikum, Oregano und Majoran ziehen konnte, ebenso wie Chilipflanzen, Tomaten und Paprika. In der Zwischenzeit jedoch würde sie mit Zwiebeln, Kartoffeln und Roten Rüben beginnen.

Voller Vorfreude stieg sie aus dem Auto und betrat den Hofladen.

«Hallo, kann ich Ihnen helfen? Brauchen Sie einen Korb?»

Izzy merkte, dass sie geträumt hatte. Sie hob den Kopf und begegnete einem freundlich und aufmerksam dreinblickenden Mann. «Sie müssen die neue Schlossbesitzerin sein, Bills Nichte.» Er plapperte einfach drauflos. «Sie sehen viel jünger aus, als ich dachte, auch wenn Maggie mir schon gesagt hat, dass Sie ein hübsches Mädel sind.»

«Großnichte», stellte sie klar und lächelte über das Kompliment, fragte sich aber gleichzeitig, was Mrs. McPherson wohl noch alles erzählt hatte.

«Ah, das erklärt es. Ich bin John Stewart.» Er streckte ihr eine große Hand entgegen, die ihre eigene beim Schütteln praktisch verschluckte. Er war etwa so groß wie sie, stämmig gebaut und hatte ein kräftiges Boxerkinn sowie wachsame Augen, denen nichts zu entgehen schien.

«Izzy McBride.»

«Willkommen in Stewarts Hofladen. Es heißt, Sie wollen das Schloss in ein Luxushotel verwandeln.»

Izzy lächelte. «Was den Luxus angeht, bin ich mir

nicht so sicher. Aber wir werden auf jeden Fall Zimmer vermieten.»

«Und Sie suchen nach regionalen Anbietern.» Er schaute sie mit leuchtenden Augen an. «Das ist Musik in meinen Ohren.»

«Du liebe Güte, die Dschungeltrommeln arbeiten hier aber effektiv ...»

«Sie hatten Besuch von Maggie McPherson – sie ist die beste Informationsquelle neben der Regionalzeitung», meinte er. «Warum setzen wir uns nicht ins Café, trinken einen Kaffee, und Sie sagen mir, was Sie brauchen?»

«Das klingt gut», sagte Izzy, beeindruckt von seiner freundlichen Begeisterung und seinem Geschäftssinn. Er wollte sich diese Gelegenheit ganz offensichtlich nicht entgehen lassen.

Ein paar Minuten später saßen sie in einem Zwischengeschoss am anderen Ende der Scheune mit einem herrlichen Blick über das von der Sonne beleuchtete Tal und dem Loch in der Ferne. Im Westen krönten raue Felsen die Silhouette, während der Horizont im Osten durch eine mit Farnkraut bewachsene Moorlandschaft einladend mild wirkte.

«Es ist wunderschön hier», sagte Izzy und deutete mit der Hand zu dem großen Panoramafenster, durch das die schwache Herbstsonne hereinschien.

«Ja, der Anblick lockt viele Spaziergänger her, die hier Pause machen, einen Kaffee trinken und Kuchen essen, und dann kaufen sie auch immer etwas im Laden ein. Es kommen auch viele Wanderer wegen des schönen Rundwanderwegs, der hier beginnt.»

«Praktisch», bemerkte Izzy.

«Allerdings. Ich gebe Ihnen ein paar Wanderkarten mit, wenn Sie möchten. Für Ihre Gäste.»

Izzy grinste in sich hinein. John Stewart ließ wirklich nichts anbrennen. «Ich schätze, ich brauche wohl auch noch einige Flyer über Ihre preisverdächtigen Marmeladen und den selbst geräucherten Lachs.»

Er lachte dröhnend.

«Aber nur, wenn Sie mich vorher probieren lassen, Mr. Stewart.»

Er nickte. «Sie wissen zu verhandeln. Also, wollen wir jetzt übers Geschäft reden?»

Zehn Minuten später standen mehrere Teller vor ihr auf dem Tisch.

«Dies ist ein Tain Cheddar, das ist ein Caboc und dies ein Morangie Brie», erklärte er und deutete auf die verschiedenen Käsesorten. «Sie werden alle in der Highland Fine Cheese Farm oben in Tain produziert. Dies hier ist Wildbret-Carpaccio, und das hier ist ein Chili-und-Senf-Ketchup von Scotch Bonnet.»

Während Izzy die verschiedenen Sachen probierte, erzählte John ihr, woher sie kamen und welche Werte die Hersteller vertraten.

«Es ist wichtig zu wissen, woher die Nahrungsmittel kommen», sagte er.

«Ganz genau», sagte sie und erzählte ihm von dem Kochkurs in Irland und was sie dort über die Slow-Food-Bewegung gelernt hatte.

«Dann stehen wir ja auf derselben Seite», meinte John,

streckte erneut die Hand aus und schüttelte ihre kräftig. «Sie sind eine Frau ganz nach meinem Geschmack. Schon seit Jahren predige ich Bio-Nachhaltigkeit und Slow Food. Sie müssen unbedingt mit diesen Menschen sprechen ...»

In den nächsten zehn Minuten nannte er unzählige ihr Namen, Telefonnummern und E-Mail-Adressen. Am Ende hatte Izzy eine lange Liste von Lieferanten für Fleisch und Fisch, Gemüse und Gewürze zusammen.

«Das wird bei Ihnen gut ankommen, glaube ich», fuhr John Stewart fort. «In der Stadt hat so ein Typ ein Restaurant eröffnet und bietet ein feines Menü an, aber die Hälfte des Jahres bekommt er nicht die Ware, die er will, darum lässt er alles herschiffen. Ein Wahnsinn, wo es direkt vor der Tür so viele großartige Produkte gibt!»

«Ich bin mir aber nicht sicher, ob ich es mir bei einem kleinen Hotel wie meinem leisten kann, ausschließlich saisonale Gerichte anzubieten», sagte Izzy diplomatisch. «Ich werde keine großen Menüs zubereiten. Bei mir wird es nur ein Tagesgericht für die Gäste geben. Und wenn sie das nicht wollen, müssen sie ausgehen.»

«Großartiges Konzept! Ich kann Sie gern anrufen, wenn ich etwas Besonderes reinbekomme, wie Kaninchen oder Moorhühner. Und Kenny, der Fischer, wird das Gleiche tun, wenn er etwas Unerwartetes in seinem Netz findet.» Er machte eine Pause, dann sagte er: «Ich würde ja gern mal Ihre Kochkünste erleben.» Seine Augen blitzten schelmisch. «Klingt so, als hätten Sie eine hervorragende Lehrerin gehabt, und ich esse für mein Leben gern. Wir könnten ein gutes Paar abgeben.»

Izzy zog die Augenbrauen hoch. Sie war nicht sicher, ob er mit ihr flirtete oder ob das einfach seine Art war, Geschäfte zu machen. «Sie preschen ja schnell voran, Mr. Stewart.»

«John. Bitte, nennen Sie mich John. Und ja, hier in der Gegend muss man sich ranhalten. Die meisten hübschen Frauen sind schon vergeben.»

Als Izzy eine halbe Stunde später aufbrach, war sie beladen mit Lachs, der hier auf dem Gelände geräuchert worden war, zwei Gläsern Finlay-Sisters-Konfitüre – von den Schwestern, die nur ein paar Meilen weiter nördlich wohnten –, einer Packung Cumberland-Würstchen von einem Bio-Hof, der auf der anderen Seite des Loch lag, und einem veganen Haggis.

«Seit Monaten versuche ich, diesen Haggis loszuwerden», sagte John mit fröhlichem Grinsen, während er die Spezialität ganz oben in ihre braune Papiertüte legte.

«Das ist wirklich nett von Ihnen», sagte sie, als er ihr die volle Tüte reichte.

«Unsinn», meinte er. «Das ist ein gutes Geschäft. Und ...» Er hob die Augenbrauen. «Vielleicht gehen Sie ja mit mir zum Ceilidh?»

Izzy starrte ihn an.

«Trotz meiner Schuhgröße 47...» Er betrachtete missbilligend seine Füße. «... bin ich gar kein schlechter Tänzer. Und ich kann Sie ein paar Leuten vorstellen.»

Izzy lächelte ihn an. Mit seinem dunkelblonden Haarschopf und den stahlgrauen Augen sah er nicht schlecht aus. Sie traf eine spontane Entscheidung. «Okay!»

Ihr letztes Date war schon lange her, vielleicht war das der Neustart, den sie brauchte.

Er strahlte sie an. «Wunderbar. Ich notiere Ihnen noch meine Handynummer. Sie schreiben mir und ich Ihnen. Und ich hole Sie auch ab, wenn Sie möchten.»

«Äh, ja. Also, ich muss schauen. Duncan wollte auch hin, und er braucht wohl jemanden, der ihn mitnimmt.»

«Ich nehme auch Duncan gern mit. Er kommt nicht besonders oft raus, um seine alten Kumpels zu treffen.»

Izzy wurde von Johns Freundlichkeit ganz warm ums Herz, und sie lächelte ihn an.

KAPITEL 8

November

Izzy hatte schon sehr lange kein Date mehr gehabt. Als sie am Tag des Ceilidh die Küche aufräumte, konnte sie ihre Aufregung kaum unterdrücken.

«Isabel McBride, hörst du jetzt endlich auf, in der Küche herumzufuhrwerken, und machst dich fertig!», rief ihre Mutter, als Izzy anfing, die Kühlschranktür abzuwischen.

Jeanette stimmte mit ein: «Ja, geh ruhig, Izzy. Jim und ich räumen hier auf.»

Izzy legte ihren Lappen weg und lächelte ihre Mutter, Duncan, Jim und Jeanette an, die am Küchentisch saßen und den Fischauflauf, den sie zubereitet hatte, verputzten. Jeanette und Jim hatten beschlossen, nicht zum Tanz zu gehen, sie wollten stattdessen mit dem Land Rover nach Fort William ins Kino fahren.

«Aber ich habe doch noch so viel Zeit», sagte Izzy. John wollte sie um sieben Uhr abholen. Bei der Vorstellung, dass auch ihre Mutter und Duncan mit im Auto sitzen würden, lachte sie leise vor sich hin. Konnte man es also überhaupt ein Date nennen?

«Jetzt ab mit dir», sagte Jim und erhob sich. «Sonst trage ich dich rauf.»

Izzy hob amüsiert die Hände. «Okay, okay, ich gehe ja schon.»

Nachdem sie geduscht hatte, betrachtete sie sich oben in ihrem Zimmer im Spiegel. Aus praktischen Gründen band sie sich die Haare immer hoch, aber die Eitelkeit verlangte heute etwas anderes. Normalerweise ließ sie ihre Haare an der Luft trocknen, aber wenn sie auf irgendetwas stolz war, dann waren es ihre rotbraunen Locken, weshalb sie einige Zeit damit verbrachte, sie zu weichen Wellen zu föhnen.

Sonst schminkte sie sich eigentlich nicht, doch heute Abend wollte sie einen guten Eindruck machen. Mit einem dicken Rougepinsel stäubte sie hellen Bronzepuder auf ihre Wangen und fügte etwas Highlighter hinzu, um ihre Wangenknochen zu betonen. Sie wählte einen neutralen Lidschatten, der das Grün ihrer Augen betonte, und einen rauchgrünen Eyeliner, der die Augen ein bisschen größer wirken ließ. Nachdem sie mit leicht zittriger Hand Wimperntusche aufgetragen hatte, lächelte Izzy ihrem Spiegelbild zufrieden zu. Sie sah hübsch und feminin aus. Xanthe würde es gefallen. Und John Stewart vermutlich auch. Sie hatte seine flirtigen Andeutungen ganz sicher nicht missverstanden, und diese hatten ihr den längst fälligen Schwung verliehen, nachdem Philip sie so lange für selbstverständlich gehalten hatte.

Sie hatte sich für ein weites, gestuftes Kleid entschieden – bei einem Ceilidh konnte einem ganz schön warm werden –, trug dazu aber ihre treuen Converse, denn sie wusste aus Erfahrung, dass es recht wild zugehen konnte und manche Leute ihre Partner mit großer Begeisterung herumschleuderten. Mit einem letzten Blick in den Spiegel nickte sie sich zufrieden zu. Das Dunkelgrün ihres Kleides passte perfekt zu ihrem Make-up.

Eine halbe Stunde, bevor John kommen sollte, ging sie nach unten in den Salon anstatt in die Küche. In ihrem leicht aufgedrehten Zustand würde sie sonst sicher etwas zu tun finden und dann vermutlich ihr Kleid bekleckern oder ihr Make-up ruinieren.

Irgendjemand hatte die Lampen im Raum angeschaltet – Xanthe vermutlich –, und das Zimmer strahlte genau die Liebe und Sorgfalt aus, die man ihm in letzter Zeit hatte zukommen lassen. Ihre Mutter hatte wirklich Wunderbares geleistet.

Izzy wollte eigentlich ein Buch zur Hand nehmen, doch dann merkte sie, dass in einem der Sessel vor dem Kamin, in dem ein niedriges Feuer brannte, jemand saß.

«Ross, ich habe Sie gar nicht gesehen.»

«Nein», sagte er und erhob sich langsam. Er sah etwas verwirrt aus, vielleicht sogar verloren. Sie konnte den Ausdruck in seinen Augen nicht ganz deuten, doch es lag eine Sanftheit darin, die sie zuvor noch nie wahrgenommen hatte.

«Sie sehen ...» Er schluckte, und ein Schweigen breitete sich aus.

Izzy wartete darauf, dass er den Satz beendete, und dabei spürte sie eine merkwürdige Spannung in der Brust.

Dann schien er endlich wieder zu sich zu kommen. «Sie sehen sehr hübsch aus, McBride», sagte er, und es klang, als hätte er sich mühsam zu diesem Kompliment durchgerungen.

«Danke.»

Er nickte und trat unbehaglich von einem Bein auf das andere. «Wann müssen Sie los?»

«Um sieben.»

«Nun, ich hoffe, Sie haben einen netten Abend.» Er wandte sich zum Gehen, doch plötzlich wollte Izzy gar nicht, dass er ging – nicht, wenn er sie so ansah.

«Haben Sie schon gegessen?», fragte sie.

«Noch nicht. Das wollte ich jetzt machen.»

«Ich habe einen Fischauflauf gemacht. Es ist noch etwas übrig, wenn Sie mögen. Der Lachs hat eine orangerote Farbe angenommen, das kommt vom Räuchern.»

Sein Mund zuckte amüsiert. Sie wussten beide, dass Izzy nur redete, damit er blieb.

«Duncan hat mir schon berichtet, wie gut er schmeckt. Nämlich offenbar genauso, wie seine Mutter ihn immer gemacht hat. Ich nehme an, das bedeutet höchstes Lob.»

Izzy lachte. «Ach, das sagt er eigentlich immer, wenn er einen Nachschlag will. Soll ich Ihnen schnell einen Teller aufwärmen?»

«Nicht in diesem hübschen Kleid. Aber Sie können mir auf die Finger schauen, wenn Sie dann ein besseres Gefühl als Wirtin haben.» Er zwinkerte ihr zu, und sie folgte ihm in die Küche, wo Xanthe und Duncan über Schottenmuster diskutierten.

Ihr Handy vibrierte, als sie den Auflauf aus dem Kühlschrank holte, und sie zog es aus ihrer Handtasche und warf einen Blick auf das Display. Dann verzog sie das Gesicht.

Tut mir schrecklich leid, Izzy. Mir ist was dazwischenge-
kommen, und ich schaffe es heute Abend nicht. Darf
ich Sie als Entschädigung morgen Abend zum Essen
ausführen? John

Verdammt. Sie schaute in Duncans gerötetes Gesicht. Er
trug bereits seinen Kilt und freute sich auf den Abend,
und Xanthe hatte sich den ganzen Nachmittag lang he-
rausgeputzt.

«Planänderung, ihr Lieben. John musste absagen.»

Beide wirkten enttäuscht und schienen auch ihre Enttäuschung zu bemerken, darum setzte Izzy ein tapferes
Lächeln auf. Irgendwie glaubte sie nicht, dass sie mit
dem Vorschlag, den Abend stattdessen mit Scrabble-
oder Kartenspielen zu verbringen, einen Treffer landen
würde. Aber die Vorstellung, mit ihrer Mutter und dem
betagten Verwalter – so lieb er auch war – zu einem Ceilidh zu gehen, war auch nicht gerade verlockend. Jetzt,
wo ihre Verabredung abgesagt worden war, merkte Izzy
erst, wie sehr sie sich darauf gefreut hatte.

Duncans Mund verzog sich zu einer ungewöhnlich geraden Linie, während er kerzengerade auf seinem Stuhl
saß. Er hatte sich so auf diesen Abend gefreut. Sie fing
Ross' Blick auf und konnte nicht genau sagen, ob Miss-
billigung oder Mitgefühl darin lag.

«Wisst ihr was?», sagte sie betont fröhlich. «Ich fahre
uns hin. In zehn Minuten geht's los. Ich muss nur kurz
aufs Klo.»

Und damit stürzte sie davon, bevor sie sich verraten konnte, und hastete die Treppe hinauf. Was

für ein Dummkopf sie doch gewesen war! Johns Flirten und seine Aufmerksamkeit im Hofladen waren ein so willkommener Trost gewesen, und sie hatte sich tatsächlich auf ihre Verabredung gefreut. Seit Philip hatte sie Dates vermieden, und nun hatte sie heute das erste Mal ihre Komfortzone verlassen – schön dumm von ihr. John hatte in allerletzter Minute abgesagt, genau wie Philip es so oft getan hatte. Sie seufzte. Aber sie konnte Duncan nicht im Stich lassen. Und ihre Mutter auch nicht, die den ganzen Tag im Haus herumgetanzt war.

Als Izzy zehn Minuten später mit zusammengebissenen Zähnen und zu Fäusten geballten Händen in die Küche zurückkehrte, fand sie den Raum leer vor. Einen Augenblick lang dachte sie hoffnungsvoll, dass Xanthe und Duncan es sich vielleicht anders überlegt hatten. Da hörte sie ein Geräusch hinter sich und drehte sich um.

Dann wurde sie blass.

«R-Ross», brachte sie mühsam heraus. Sie starrte ihn an und konnte den Blick einfach nicht von ihm abwenden. Er hatte seinen üblichen unförmigen Pulli gegen ein enges schwarzes T-Shirt getauscht, das nichts der Fantasie überließ. Er hätte sich genauso gut Pfeile aufmalen können: hier Bauchmuskeln, da Brustmuskeln und dort Trapezmuskeln. Außerdem trug er einen Kilt! Und er sah darin verdammt sexy aus.

Das plötzliche Flattern in ihrem Bauch machte Izzy noch nervöser. Ihr Körper reagierte auf völlig unangemessene Weise auf ihn. Sie hatte außerdem das Gefühl, dass ihr die Zunge am Gaumen festklebte, wie in einem Cartoon.

«Ich dachte ... ich begleite Sie zum Ceilidh», sagte er mit dieser sanften Stimme, die die Schmetterlinge in ihrem Bauch aufstieben ließ.

«I-ich dachte, Sie wären wegen der Ruhe hier», stammelte sie, immer noch ganz überwältigt von seinem Anblick.

«Es ist nicht besonders nett, so sitzen gelassen zu werden», meinte er. «Ich dachte, Sie könnten vielleicht etwas Unterstützung gebrauchen.»

«Das ist wirklich sehr freundlich von Ihnen», sagte sie schwach, denn sie konnte immer noch nicht glauben, dass er sie begleiten wollte.

«Ich konnte auch Duncans Enttäuschung nicht mitansehen.» Er lächelte. «Genauso wenig wie Sie. Und da habe ich gedacht, wenn Sie sich zusammenreißen können, dann kann ich es auch.»

Sie war gleichermaßen gerührt wie überrascht von seiner scharfsinnigen Beobachtung. Bis zu diesem Moment hatte sie den Begriff ‹herzzerreißend› nie wirklich verstanden, aber sie wusste, dass Ross es trotz seiner Worte vor allem tat, um ihr zu helfen, das Gesicht zu wahren.

«Ja, er hat sich wirklich darauf gefreut», stimmte sie ein.

«Und Sie auch.»

Bemüht beiläufig hob sie die Schultern, denn sie wollte nicht zugeben, wie sehr sie Johns Absage verletzt hatte. Nicht, weil sie John nun so besonders mochte, aber dass er sie in letzter Minute versetzt hatte, hatte ein paar Erinnerungen zu viel in ihr ausgelöst. Ross schien auch das gemerkt zu haben, war aber offenbar zu freundlich, um darauf hinzuweisen.

«Danke.» Sie trat vor und drückte ihm einen schnellen Kuss auf seine glatte Wange. «Sie sind ein sehr netter Mann, Ross Strathallan.»

Er verzog den Mund. «Erzählen Sie das bloß nicht rum. Aber wollen wir nicht Du sagen, wenn wir nun schon gemeinsam tanzen gehen? Da müssen wir nun wirklich nicht mehr so förmlich sein.»

Da war er wieder, dieser Herzschmelz. Sie kam nicht umhin, sein Lächeln zu erwidern. «Sehr gern.»

«Also komm, Izzy, gehen wir zu den anderen, bevor Mr. Ruhe-und-Frieden noch seine Meinung ändert», sagte er mit einem Grinsen. «Soll ich fahren?»

Als sie sich dem Gemeindesaal von Ballachulish näherten, schallte ihnen bereits die mitreißende Musik von Akkordeon und Geigen entgegen. Xanthe in ihrem Flora-MacDonald-Look mit Tartan-Schal über dem Taftkleid begann schon auf dem Weg zur Eingangstür zu tanzen. Neben ihrem glühte auch Duncans Gesicht vor lauter Vorfreude, und Izzy freute sich gleich doppelt, dass sie doch gekommen war.

«Bin schon lange nicht mehr bei einem Ceilidh gewesen», sagte Duncan und rieb sich die Hände.

Izzy blickte Ross an, brachte aber immer noch kaum ein Wort heraus. Der Mann sah einfach zu gut aus. Ihr Mund war ein wenig trocken, und sie schluckte beim

Blick auf die sich blähenden Falten seines Kilts, während er neben ihr herging. Seine kräftigen, muskulösen Beine waren mit dunklem, seidigem Haar bedeckt.

Wer hätte gedacht, dass wohlgeformte Waden so sexy sein konnten?

«Sie sind tatsächlich gekommen!», sagte Mrs. McPherson, die das Geld für die Eintrittskarten annahm.

«Aye», sagte Duncan.

Xanthe schob ihren Arm durch seinen und zog ihn mit sich durch die Tür, womit sie Izzy das Bezahlen überließ.

«Schön, Sie hier zu sehen, Miss McBride, und Sie auch, Professor Strathallan. Sie geben ein hübsches Paar ab.» Sie nickte zufrieden, als wäre sie selbst für diese Wendung der Ereignisse zuständig.

«Danke, Mrs. McPherson», antwortete Ross ihr liebenswürdig. Er korrigierte ihre Annahme nicht, dass sie ein Paar waren.

Beeindruckt von seiner Unerschütterlichkeit, lächelte Izzy ihm dankbar zu, dann gingen sie in die Haupthalle, wo bereits ein Dutzend Paare tanzten.

Duncan stand mit ein paar Männern an der Bar, während Xanthe mit wippendem Fuß den Tanzenden zusah, ihnen begeistert zujohlte und im Takt mitklatschte, wobei sie viele neugierige Blicke auf sich zog.

Vielleicht ist es der Hut, dachte Izzy mit schiefem Grinsen. Der kleine Zylinder aus blauem Samt thronte auf ihren leuchtend roten Locken.

«Oh, was für ein Spaß!», kreischte Xanthe, als Izzy zu ihr kam. «Es ist so lange her, dass ich mal aus war.»

«Willst du nicht erst mal etwas trinken?», fragte Izzy.

«Nein, Liebling, ich will jetzt tanzen.» Sie schaute sich um, und ihr Blick blieb an Duncan hängen, der sichtbar zusammenschrumpfte, als wollte er mit der Bar verschmelzen. Aber vergeblich.

«Duncan!», rief sie mit ihrer durchdringenden Stimme, nach der sich alle Köpfe drehten wie die Kompassnadeln Richtung Norden. «Komm und tanz mit mir!» Mit diesen Worten drängte sie sich durch die Gruppe von Männern, die ihn umringten.

Izzy sah, wie Duncan den Kopf einzog. Zum Glück trat einer seiner tapferen Freunde vor und bot Xanthe so galant seinen Arm, dass sie ihn ganz verzückt ansah.

Izzy seufzte erleichtert. Sie war daran gewöhnt, dass ihre Mutter die Aufmerksamkeit auf sich zog, auch wenn diese angeblich nie etwas davon mitbekam.

Duncan runzelte kurz die Stirn, dann wandte er sich wieder seinem Bier zu, offensichtlich erleichtert, dass er verschont worden war.

Izzy spürte Ross neben sich. «Weiß der arme Tropf eigentlich, worauf er sich da eingelassen hat?», murmelte er und sah Xanthe nach, die den Mann auf die Tanzfläche zog, auf der bereits eine größere Gruppe auf den nächsten Song wartete. Der Ausrufer – Mrs. McPherson's Sohn, wie Izzy sich erinnerte – stellte seinen Drink ab und begab sich zu den drei Musikern auf die provisorische Bühne, um die Anweisungen für einen Probedurchlauf zu geben.

«Die rechte Hand auf die Schultern der Ladys, die linke nach vorn.» Die meisten hier wussten genau, was er meinte, und stellten sich in Position. «Vier Schritte vor, dann die Drehung, sodass die Hand des Mannes auf der linken Schulter liegt und die Rechte vorn. Genau so, ganz richtig. Und jetzt wieder vier Schritte zurück.»

Noch einmal erklärte er den Tanzenden die Schrittfolgen, dann spielte die Band auf.

Xanthe setzte sich mit lautem Gejohle in Bewegung, drehte sich jedoch in die falsche Richtung und rempelte gegen ein anderes Paar. Sie lachte ihren Tanzpartner entschuldigend an, der sie sogleich in die richtige Richtung steuerte. Dann trennten sich die Paare voneinander und gingen in entgegengesetzter Richtung im Kreis herum, an ihrem Partner vorbei. Es war ein einfacher Hüpfschritt, doch Xanthe warf dabei die Arme in die Luft, als würde sie den Highland Fling tanzen.

Izzy verdrehte die Augen und murmelte: «Oh, lieber Gott.»

«Sie weiß auf jeden Fall, sich zu amüsieren», sagte Ross zu Izzys Überraschung.

«Und du? Weißt du dich auch zu amüsieren?», fragte sie plötzlich übermütig.

Er schaute sie etwas gekränkt an. «Natürlich tue ich das.»

«Hast du schon oft bei einem Ceilidh mitgetanzt? Oder gehörst du zu der Sorte Mann, der die ganze Zeit auf seine Füße schauen muss?»

«Willst du damit etwa andeuten, dass ich die Schritte nicht kenne?» Er sah sie mit leichter Belustigung an. «Willst du das?»

Sie zog herausfordernd die Augenbrauen in die Höhe. «Vor dir steht die Gewinnerin der Bute and Argyll Country Dance Championships der unter Sechzehnjährigen, Siebzehnjährigen und Achtzehnjährigen der Jahre 2007, 2008 und 2009!»

«Beeindruckend.»

Die Musik wurde unterbrochen, und der Ansager erklärte: «Also los, meine Damen und Herren, wählen Sie Ihre Tanzpartner.»

«Das ist unser Stichwort», sagte Ross, stieß sie leicht an und schob sie auf die Tanzfläche. Dabei murmelte er ihr ins Ohr: «Ich wurde beim Schulabschluss eher dafür ausgezeichnet, meiner Partnerin beim Ceilidh den Knöchel gebrochen zu haben.»

Izzy unterdrückte ein Lachen. «Und das erzählst du mir erst jetzt?»

«Du hast ja nicht gefragt», meinte er grinsend, und beim Anblick seiner Augenfältchen begannen die Schmetterlinge in ihrem Bauch wieder zu flattern.

«Okay, Leute, das ist ein Gay Gordons.» Der Ansager war jetzt in seinem Element. «Und ich warne euch, es wird ein schneller werden. Ihr werdet euch eure Drinks verdienen!»

Alle lachten. Dann begann die Musik, und die Tänzer nahmen ihre Positionen ein.

«Bereit?», fragte Ross, der links neben ihr stand und seine rechte Hand über ihrer Schulter mit ihrer rechten Hand verschränkte, während sich ihre linken Hände vor ihren Körpern umfassten.

Izzy streckte den Rücken durch und versuchte, sich nicht zu sehr auf die Wärme seines Körpers zu konzentrieren.

«Aye», sagte sie.

Sie kannte die Schrittfolge gut. Die ersten Schritte waren recht passabel, und Ross war sehr viel besser, als er behauptet hatte, erstaunlich leichtfüßig und versiert in den Bewegungen. Doch bei all den Drehungen und Richtungswechseln gab es immer wieder Zusammenstöße mit anderen, die vergaßen, sich rechtzeitig zu drehen.

«Du hast das doch schon mal gemacht», neckte Izzy ihn, als sie sich gleichzeitig drehten, vier Schritte tanzten und sich dann wieder drehten.

«Zugegeben, ich habe seit der Schule ein bisschen geübt. Jetzt bin ich Mädchen gegenüber auch nicht mehr so wortkarg.» Seine Augen funkelten, als er das sagte.

Izzy fand es schwer zu glauben, dass er jemals schüchtern gewesen sein sollte, so selbstsicher, wie er wirkte. Sie selbst war als Teenager sehr unabhängig gewesen und hatte im Gegensatz zu ihren Klassenkameraden viel mehr Freiheiten genossen. Sie waren alle davon beeindruckt gewesen, dass sie ihre Mutter beim Vornamen nannte, und kamen gern zu ihr nach Hause, wo es so viel weniger Regeln gab. Für die anderen sah es nach der perfekten Erziehung aus, aber Izzy wusste es besser. Nicht, dass sie sich beschwert hätte. Sie genoss durchaus ihren Ruf, das Mädchen zu sein, das tun konnte, was immer es wollte.

Izzy drehte sich gerade unter Ross' Arm im Kreis herum, als sie plötzlich nervös wurde, weil sie an den nächsten Tanzschritt dachte, bei dem sie dicht voreinanderstehen würden. Ihr Herz machte einen kleinen Satz, als sie sich dafür in Position brachten: Ross legte seine rechte Hand um ihre Hüfte, hielt mit der anderen ihre Hand. Izzy versuchte, nicht zu verkrampfen, sondern ihn freundlich anzulächeln. Aber es war extrem schwierig, ihm so nah zu sein, wo all ihre Sinne auf die Berührung seiner Finger reagierten, genauso wie auf seinen leicht moschusartigen Duft, den Anblick der glatten Haut über seiner Kinnpartie – und auf das Bedürfnis, den Blick über sein Gesicht wandern zu lassen.

Schau nicht auf seine Lippen, schau nicht auf seine Lippen, skandierte sie in ihrem Kopf.

Dann standen sie zum Glück wieder nebeneinander und begannen die Figurenabfolge von Neuem. Izzy atmete aus. Sie würde es schaffen. Es war bloß ein Tanz. Und sie liebte es zu tanzen.

Sie hüpften eine weitere Schrittfolge über die Tanzfläche, dann zog das Tempo der Geige an. Auch die Finger des Akkordeonspielers flogen jetzt über die Tasten, während die Schritte der Tänzer über die alten Holzdielen donnerten. Immer schneller und schneller wurden die Tanzschritte, und Izzy klammerte ihre Hand beinahe atemlos an die von Ross. Schon schwang er sie erneut herum, wobei der schwere Stoff seines Kilts ihre Beine streifte, dann tanzten sie wieder voreinander. Ihre Augen trafen sich mitten in den wilden Tanzschritten, und plötzlich wirbelten sie allein auf der Tanzfläche herum. Alles um sie herum verschwamm, bis es nur noch Ross gab. Seine blauen Augen hielten ihren Blick, ihr Herz holperte in ihrer Brust, und ihre Wangen erröteten, als sie auf seine Lippen sah. Sein Mund zuckte, und er hielt sie fester. Keiner von ihnen sprach. Dann wichen sie wieder voneinander, und Izzy wagte nicht, ihn anzuschauen. Ihr Herz dröhnte in ihrer Brust, während sie versuchte, wieder zu Atem zu kommen, und es war beinahe eine Erleichterung, als sie wieder in seinen Armen war und sich seine blauen Augen mit aufmerksamem Blick, aber auch mit diesem leichten Lächeln auf sie richteten. Diese Funken zwischen ihnen bildete sie sich nicht ein. Nein, trotz der Geschwindigkeit des Tanzes tauschten sie einen langen, durchdringenden Blick – es war das Erotischste, was Izzy je gefühlt hatte.

Umso größer war der Schock, als die Musik plötzlich abbrach und sich der Rest der Welt wieder in ihr Blickfeld schob.

Sie öffnete den Mund, doch kein Wort kam heraus. Ross schien ähnlich sprachlos, und einen Moment lang standen sie einfach nur da und schauten sich an.

«Was für ein Spaß!», kreischte Xanthe und warf die Arme um sie beide. «Und was für ein hübsches Paar ihr beide seid! Ihr könnt ja so gut tanzen! Besonders Sie, Ross. Wer hätte gedacht, dass ein großer Kerl wie Sie so leichtfüßig sein könnte?» Mit einer dramatischen Geste fasste sie sich an die Stirn. «Und habt ihr mich und Gregory gesehen? Meine Güte, das ist mal ein Tänzer. Ich bin ganz erledigt. Jetzt könnte ich eine Erfrischung gebrauchen.»

Ross spannte den Kiefer an und beugte sich zu ihr vor. «Möchten Sie gern etwas zu trinken, Xanthe?»

Sie strahlte ihn an. «Ich dachte schon, Sie würden nie fragen.»

Izzy schüttelte den Kopf, weil ihre Mutter offenbar erwartete, dass Ross ihr Getränk nicht nur holte, sondern auch bezahlte. «Mum, du weißt schon, dass wir uns im einundzwanzigsten Jahrhundert befinden und Frauen durchaus in der Lage sind, sich selbst etwas zu trinken zu kaufen?», sagte sie streng zu ihrer Mutter. Dann berührte sie Ross am Arm. «Ich mache das.»

Aber er wischte ihre Bedenken mit einem charmanten Lächeln weg und sagte: «Es wäre mir eine Freude. Ich brauche ebenfalls einen Drink nach dieser» – er machte eine klitzekleine Pause – «Aufregung.»

Xanthe, die die Spannung zwischen ihnen gar nicht zu bemerken schien, mischte sich sogleich ein: «Also, ich nehme einen Gin Tonic, und die sollen nicht zu viel Tonic reingießen!»

Er nickte. «Und du, Izzy?»

«Ich hätte gern ein River-Leven-Pils. John hat mir alles davon erzählt, als ich in seinem Hofladen war.»

Bildete sie sich das ein, oder zogen sich Ross' Augen bei Johns Namen kurz zusammen?

«River Leven ist eine Mikrobrauerei», erklärte sie ihrer Mutter. «Ich will ein paar ihrer Flaschenbiere für unsere Gäste einkaufen. Da muss ich es doch selbst mal probieren.»

«Ich hoffe, Ross hat sein Geld in seiner Kilttasche», sagte Xanthe spöttisch, als er davonmarschierte.

Izzy verdrehte nur die Augen, doch dann schaute sie dem Schwingen seines Kilts ebenfalls nach.

«Ach, Schätzchen, an deiner Stelle würde ich schnell zugreifen. Hier sind so einige Damen, die ihn schon in Augenschein genommen haben.»

«Xanthe, er ist unser Gast.»

«Tsss, er ist ein gut aussehender Mann, und nach meiner Einschätzung hast du die besten Chancen. Auch wenn mir aufgefallen ist, dass dich so einige Männer anschauen. Du hast also die freie Auswahl.»

Izzy schüttelte lachend den Kopf. Man konnte Xanthe einfach nicht böse sein. «Ich denke drüber nach. Amüsierst du dich gut?»

«Ich amüsiere mich königlich. Auch wenn ich glaube, dass Mrs. McPherson mich nicht besonders mag. Hat vermutlich mit ihren Zähnen zu tun.»

Izzy blinzelte verwirrt. «Ihren Zähnen?»

«Ja, ich hatte sie bloß gefragt, zu welchem Zahnarzt sie geht. Damit ich da auf keinen Fall hingehe. Wegen meiner Füllung, du weißt schon.»

Izzy starrte ihre Mutter mit aufgerissenen Augen an, die sogleich in schallendes Gelächter ausbrach.

«Den letzten Teil habe ich ihr natürlich nicht gesagt. Das wäre unfreundlich gewesen.»

«Puh.»

«Ehrlich, Izzy, warum vertraust du mir nicht?»

Aus gutem Grund, dachte Izzy. Laut sagte sie: «Und was hat sie geantwortet?»

«Dass sie seit Jahren nicht beim Zahnarzt war.»

Izzy schluckte. «Und was hast du darauf geantwortet?» Sie konnte sich nicht vorstellen, dass ihre Mutter sich zurückgehalten hatte.

«Nichts Schlimmes. Ich habe bloß gesagt, dass ich das sehe. Was ist daran falsch? Es war nur eine Beobachtung. Aber die Leute können manchmal so empfindlich sein! Ich meine, wenn Mrs. McPherson das so stört, dann kann sie ja zum Zahnarzt gehen, oder nicht?» Sie zuckte lässig mit den Schultern, und damit war das Thema für sie abgehakt. «Oh, schau, da kommt Ross mit unseren Getränken.»

Xanthe schmachtete ihn an, als er ihr ihren Drink reichte, was er geflissentlich ignorierte. Er nahm einen Schluck von seinem Bier – ein schottisches, natürlich – und schaute sich um. Der Saal hatte sich seit ihrer Ankunft gefüllt, und es herrschte ein fröhliches Durcheinander von Menschen, die sich unterhielten oder lachten. Überall strahlende Gesichter, mit Ausnahme von Mrs. McPherson, die alle Gäste im Auge zu behalten schien, als wollte sie sich Notizen machen, um die Neuigkeiten morgen der ersten Person zu verkünden, die die Post betrat.

«Ooh, da ist Gregory», sagte Xanthe und drängte sich durch die Menge zu ihrem Tanzpartner.

Plötzlich erstarrte Izzy. «Das glaube ich jetzt nicht», murmelte sie.

Ross folgte ihrem Blick zu dem Mann, der gerade den Saal betreten hatte. Seine Hand lag sanft auf dem unteren Rücken einer sehr hübschen blonden Frau, die zu ihm auflachte.

«John?», fragte Ross hellsichtig.

Izzy nickte, während sich ihr Magen zusammenzog. Was für eine Kränkung. Der Mann hatte sie eindeutig wegen einer besseren Begleitung sitzen lassen.

Die Röte stieg ihr ins Gesicht.

«Du solltest dich deswegen nicht mies fühlen, Izzy»,

sagte Ross und trat näher zu ihr, als wollte er sie beschützen.

Trotz seiner Worte schämte Izzy sich nur noch mehr, denn unfreiwillig traten ihr die Tränen in die Augen. Wieso passierte ihr das immer wieder? Dabei machte sie sich eigentlich gar nichts aus John, sie kannte ihn ja nicht einmal richtig, aber es verletzte sie, dass ein Kerl sie wieder einmal wegen einer anderen versetzt hatte.

«Hey», sagte Ross und strich mit einem Finger sanft eine Träne fort.

Sie schluckte hart und schaute in seine sorgenvollen blauen Augen. «Ist schon gut. Es ist bloß ein unangenehmes Gefühl, wenn man so versetzt wird. Also, noch vor dem ersten Date mit jemandem.»

«Es ist sein Schaden.» Ross legte einen Arm um ihre Schulter, wobei seine Finger die nackte Haut ihres Nackens streiften. «Der Mann ist ein Idiot. Komm, stell deinen Drink ab. Wir tanzen.» Er nahm ihr das Glas ab und führte sie quasi direkt in Johns Richtung, der gerade auf dem Weg zur Bar war.

«Als preisgekrönte Tänzerin willst du natürlich nur mit dem Besten tanzen», sagte Ross im Plauderton. Er hielt ihre Hand noch fester, als sich ihre Wege mit dem des anderen Paars kreuzten, und er nickte John und seiner Begleitung freundlich zu.

«'n Abend», sagte er und sprach dann weiter mit Izzy, als wäre gar nichts weiter passiert.

Izzy hätte ihn auf der Stelle küssen mögen. Aus dem Augenwinkel sah sie, dass John bei ihrem Anblick erstarrte, und Izzy war froh, dass sie ihm sogar fröhlich zulächeln konnte, bevor sie wieder zu Ross schaute, als hinge sie an jedem seiner Worte.

Schon waren sie auf der Tanzfläche, als der Ausrufer den nächsten Tanz ankündigte. Ross' Finger verschränkten sich mit ihren, und seine blauen Augen hielten ihren Blick, während sie die Schrittfolge abgingen. Izzy konnte die Augen nicht abwenden, es lag etwas Hypnotisches in seinem Blick, und sie fragte sich, an was er wohl gerade dachte.

Als die Musik einsetzte, tanzten sie die ersten Schritte zusammen. Sein Ausdruck wurde weich, als er ihr Lächeln erwiderte. Dann jedoch wurden sie zu ihrer Enttäuschung getrennt. Izzys neuer Tanzpartner packte sie mit eisernem Griff und machte viel größere Schritte als sie, sodass sie sich enorm konzentrieren musste. Dann wechselten die Tanzpartner erneut, denn die Frauen gingen in der einen Richtung im Kreis herum und die Männer in der anderen. Auf der Hälfte schaute sie hinüber zu Ross und stellte fest, dass auch er sie ansah. Er nickte ihr zu. Ein winziges Lächeln umspielte seine Lippen. Sie konnte einfach nicht wegschauen, und er offenbar auch nicht.

Endlich standen sie wieder voreinander. «Wie nett, dich hier zu treffen», flüsterte er mit heiserer Stimme, die durch ihren Körper vibrierte, während sie aufeinander zutraten.

«Ja, sehr nett», gab sie zurück.

Und wieder versanken sie in den Augen des anderen, und diesmal hielten sie ihren Blick während der gesamten Schrittfolge.

Als sie sich erneut trennen mussten, drehte Izzy den

Kopf, um ihm über die Schulter nachzusehen, und in diesem Moment schaute Ross ebenfalls zu ihr. Sie lächelten sich beide sehnsüchtig zu.

«Ist das nicht ein Spaß?», sagte Xanthe und packte Izzy am Arm, als sie wenig später an ihrer Tochter vorbeitanzte. Bevor Izzy antworten konnte, war ihre Mutter schon eine Position weiter und rief: «Ich amüsiere mich köstlich! Oh, schau, da ist Fraser.» Und schon war sie wieder in der Menge verschwunden.

Eine Weile schaute Izzy ihrer Mutter zu, wie sie sich wortwörtlich auf die Tanzfläche stürzte. Ihre ungebrochene Begeisterung kam bei Männern und Frauen gleichermaßen gut an, und schnell war Xanthe von anderen Tanzenden umringt. Im Gegensatz zu ihrer Mutter fühlte Izzy sich beinahe wie ein Mauerblümchen.

Sie selbst bemühte sich, Ross nicht zu sehr anzustarren, dessen Kilt beim Tanz flatterte, während er sich mit seiner aktuellen Partnerin unterhielt, doch es war unmöglich. Sie konnte einfach nichts dagegen tun. Zum Glück war der Tanz bald vorbei, und er kam zu ihr herüber.

«Xanthe kommt gut an», sagte er.

«Genau wie du», erwiderte Izzy und hoffte, dass es nicht eifersüchtig klang.

«Ich bin bloß der Neue, das ist alles. Und du hattest auch nicht gerade einen Mangel an Tanzpartnern.»

Sie grinste ihn an. «Frisches Blut ...»

«Ich glaube, es ist doch ein bisschen mehr als das. Dieser steife Kerl dort drüben, der eben so an deinen Lippen hing, scheint sich gerade verliebt zu haben.»

«Er ist Teppichleger. Und ich bin eine potenzielle Kundin.»

«Das glaubst aber nur du, Herzchen», neckte Ross sie.

Izzy wollte gerade etwas erwidern, als sie merkte, wie die Menge sich um ihre Mutter lichtete. Ein kahlköpfiger Mann mit buschigem weißem Schnauzbart, einem beeindruckenden Bierbauch und einem schwarz-gelben Kilt war vor Xanthe auf die Knie gegangen und streckte seine Hand nach ihr aus. Mit lauter Stimme und mit sehr britischem Akzent sagte er: «Holde Dame, habt Mitleid mit einem armen Kerl wie mir und reicht mir Eure Hand zum Tanze.»

Ross schnaubte. «Oh Gott», murmelte er. «Wieso müssen manche Leute bloß so ein Tamtam veranstalten? Merken die denn gar nicht, wie sehr sie sich dabei zum Idioten machen? Und die arme Xanthe kann jetzt natürlich nicht ablehnen. Das ist derartig manipulativ.»

Doch Xanthes Augen glitzerten vor Vergnügen, und sie lächelte würdevoll auf den Mann hinab.

Izzy schaute fragend in Ross' missbilligendes Gesicht.

«Ich hasse dieses dramatische Getue», fügte er entschuldigend hinzu.

«Ach, manchmal ist es doch ganz nett», meinte Izzy, auch wenn sie zugeben musste, dass es ein bisschen übertrieben war.

«Ich kann mir keine Situation vorstellen, wo ich mich vor allen Leuten so zum Vollidioten machen wollte.»

«Er will damit doch nur ausdrücken, wie gern er einen Tanz mit ihr möchte. Ich finde es eigentlich ganz süß.»

«Und du denkst nicht, dass das praktisch Nötigung ist?»

Izzy schüttelte den Kopf. «Sie kann doch immer noch Nein sagen.»

«Kann sie das?», fragte Ross skeptisch. Es war ziemlich eindeutig, dass er anders darüber dachte.

Währenddessen half Xanthe ihrem Verehrer auf die Füße und nahm seine Aufforderung zum Tanz voller Begeisterung an.

«Siehst du?», sagte Izzy und wandte sich Ross zu, doch der war verschwunden. Sie schaute sich um und sah, wie er sich durch die Menge Richtung Notausgang schob und die Halle verließ.

Izzy starrte ihm nach und überlegte kurz, ob sie ihm folgen sollte. Doch etwas an seinem entschlossenen Gang sagte ihr, dass er gerade keine Gesellschaft wollte.

Bald darauf wurde der letzte Tanz des Abends aufgerufen. Danach lichteten sich die Reihen.

Als Izzy mit Duncan und Xanthe zum Auto kam, saß Ross bereits auf dem Fahrersitz. Die leicht beschwipste Xanthe bestand darauf, neben ihm vorne zu sitzen, also kletterte Izzy mit Duncan auf den Rücksitz, wo dieser prompt einschlief. Xanthe hingegen plapperte die ganze Fahrt über von dem Abend und erinnerte Izzy damit sehr an Mrs. Bennet aus Jane Austens «Stolz und Vorurteil».

Als sie am Schloss ankamen, setzte Ross sie vor der Haustür ab und fuhr das Auto auf die Rückseite des Gebäudes. Izzy verabschiedete sich von dem verschlafenen Duncan und half ihrer Mutter die Treppe hinauf. Nachdem sie Xanthes kichernden Beobachtungen des Abends gelauscht hatte, ging sie noch mal nach unten. Aber Ross hatte sich bereits für die Nacht zurückgezogen. Seufzend löschte Izzy das Licht. Sie fühlte sich ein wenig wie Aschenputtel, die auf dem Ball gewesen war, aber dabei total versagt hatte.

KAPITEL 9

Dezember

*D*u siehst so energisch aus. Alles in Ordnung?»
Izzy fuhr erschrocken zusammen und fiel fast von der Leiter, von der aus sie gerade die Decke in einem der Gästezimmer säuberte. Sie zog ihre Kopfhörer aus den Ohren.

«Ah, Ross. Hallo. Ich denke nur gerade darüber nach, wie ich alles noch rechtzeitig vor Weihnachten schaffen soll.»

Die letzten zwei Wochen seit dem Ceilidh hatte sie ihn nur zu den Mahlzeiten mit den anderen zu Gesicht bekommen. Und da hatten sie kaum ein Wort miteinander gewechselt. Vielleicht war das aber auch gut so gewesen, denn sie fühlte eine seltsame Enttäuschung in seiner Nähe. Männer, die sich wie ein Rühr-mich-nicht-an zurückzogen, kannte sie leider nur zu gut.

Er griff nach der Leiter, um sie zu stützen, blieb dort stehen und schaute mit seinen blauen Augen amüsiert zu ihr hoch. «Und ich dachte schon, diese Spinnweben hätten dich irgendwie geärgert.»

«Ich glaube, hier hat seit Jahrhunderten keiner mehr geputzt», seufzte sie.

«Wo soll ich denn die Kiste hinstellen?» Er zeigte auf

einen Karton, den er an der Tür deponiert hatte. «Xanthe hat gerade versucht, den die Treppe runterzutragen. Ich hatte Sorge, dass sie sich den Hals brechen könnte.»

«Oh Gott», machte Izzy. «Sie ist wirklich in Fahrt. Kannst du ihn irgendwo in der Ecke abstellen?» Sie schüttelte den Kopf. «Immer wenn ich ein Zimmer leer geräumt habe, schleppt sie neue Sachen an.» Ihre Mutter war nicht aufzuhalten, eher ließe sich eine Horde Nashörner abbremsen.

«Ja, sie wirkte eben wirklich ziemlich ehrgeizig.» Er trat zur Kiste und hob sie an. «Aber sobald ich ihr das Ding hier abgenommen habe, ist sie gleich wieder nach oben gelaufen. Sie macht da oben einen ganz schönen Lärm ... Aber ich brauchte sowieso eine Pause.» Er rieb sich Hals und Schultern und schaute sich im Zimmer um. «Sieht nach einem großen Projekt aus.»

«Stimmt», erwiderte Izzy düster. «Aber Xanthe wollte schon gestern fertig sein. Sie stopft einfach alles mit Antiquitäten und Deko voll, bevor ich mit dem Streichen fertig bin.»

«Mmmm, sie ist wirklich sehr ... begeisterungsfähig.»

«Außer, wenn es um echte körperliche Arbeit geht», antwortete Izzy. Dies hier war das dritte Gästezimmer, das sie diese Woche strich. Selbst mit der Hilfe von Jim und Jeanette war es ein Wettrennen gegen die Zeit, denn sie hatten nur noch wenige Wochen, um alles fertigzustellen. Die Arbeit schien einfach nicht weniger zu werden.

«Ich könnte dir helfen, wenn du willst. Ich habe zwar nicht ewig Zeit, aber eine gute Stunde sollte drin sein.»

Izzy schaute ihn an. «Meinst du das ernst? Ich dachte, du wärst zu beschäftigt.»

Er zog die Schultern hoch. «Bin ich auch, aber im Moment kann ich nicht viel machen, weil mein Agent mich ständig mit Marketingthemen nervt. Eine Tätigkeit wie Streichen, bei der ich den Kopf abschalten kann, hilft mir vielleicht sogar beim Pl –... Äh, hilft mir, meine Gedanken zu sortieren. Entspannt mein Hirn. Außerdem herrscht heute so viel Lärm, da kann ich mich sowieso nicht konzentrieren.»

«Tut mir leid. Ich weiß, du brauchst Ruhe. Jim muss nur leider im Badezimmer neben deinem Zimmer arbeiten. Aber er wird diese Woche fertig.»

«Alles in Ordnung. Wenn ich ehrlich bin, finde ich die Aussicht auf ein bisschen Abwechslung sogar ganz inspirierend, dadurch komme ich auf andere Gedanken. Und interessanterweise hat die Anwesenheit von anderen bei mir zurzeit den gleichen Effekt.» Er schwieg einen Moment. «Solange ich mich jederzeit wieder zurückziehen kann.»

Ross war ja richtig gesprächig heute, dachte Izzy. Ihr sollte es recht sein. Hauptsache, er hielt sie nicht zu lange auf, sie wollte heute noch mit dem Streichen fertig werden.

«Jim ist bald durch mit dem Bad, versprochen», sagte sie. «Er muss nur noch die Kacheln von der Wand schlagen und eine neue Dusche einbauen, das war's.»

«Er ist wirklich praktisch veranlagt.»

«Allerdings.»

Er rieb sich die Hände. «Also, hast du eine Farbrolle übrig?», fragte er.

Izzy merkte, dass er es wirklich ernst meinte, und grinste ihn an. «Da drüben. Danke – freiwillige Hilfe nehme ich gern an.»

«Noch hast du meine Malkünste ja nicht gesehen.»

«Vor mir musst du dich nicht rechtfertigen, sondern vor Jim ... Nein, vermutlich eher vor Xanthe, und die ist ziemlich pingelig.» Leider gehörte ihre Mutter auch nicht zu den Menschen, die sich mit Kritik zurückhielten, wenn ihnen etwas nicht gefiel. Aus diesem Grund war Izzy im Laufe der Jahre sehr vorsichtig mit Menschen geworden und weniger geneigt, intensive Gefühle zuzulassen. Wahrscheinlich hatte sie deswegen auch Philips Zurückhaltung ihr gegenüber so lange ertragen. Sein «Lass uns nichts überstürzen» hatte sie dahingehend gedeutet, dass er bedacht war und die Dinge ernst nahm. Aber diesen Fehler würde sie nicht noch einmal machen.

«Schöne Farbe», meinte Ross und durchbrach damit ihre Gedanken.

«Ich hätte die niemals ausgesucht – ich hätte Angst gehabt, dass es hier zu dunkel wird, aber Xanthe hat ein gutes Auge.»

«Mmm, sie hat Talent, das ist mal sicher.» Es klang nicht gerade wie ein Kompliment, aber Izzy wusste, dass ihre Mutter nicht jedermanns Sache war. Sie war für viele einfach zu laut und melodramatisch.

«Möchtest du die kleinteiligen Dinge übernehmen oder lieber eine Wand streichen?»

«Ich bin eher für das Großflächige. Für Ecken und Leisten habe ich keine Geduld. Und wenn es dich nicht stört, rede ich auch nicht bei der Arbeit, dann kann ich besser nachdenken.»

«Kein Problem», sagte Izzy. «Ich höre ohnehin ein Hörbuch, und da wird es gerade spannend.»

«Oh, was ist es denn?»

«Ach, bloß so ein Thriller. Ich habe erst heute damit angefangen, aber es ist eine gute Geschichte.»

«Wieso denn ‹bloß›? Jeder sollte lesen, was er will. Ich kann diesen literarischen Snobismus nicht ausstehen, ehrlich. Also, ich bin zum Beispiel ein großer Fan von Ian Rankins Figur Rebus.»

«Oh, den mag ich auch! Aber gerade höre ich Ross Adairs *Knochenlos*. Das ist eine tolle Reihe, kennst du die?»

«Mmm», machte er vage und nahm eine Malerrolle. «Soll ich hier anfangen?»

«Ja, danke, das wäre toll.»

«Du bist hier ja schon richtig gut vorangekommen.» Er betrachtete eine der Wände und ließ seine Hand über die glatte Oberfläche gleiten.

«Danke.» Sie nickte zufrieden und sah sich mit einem gewissen Stolz um. In den letzten Tagen hatte sie die Wände mit Lauge gesäubert, Löcher und Risse aufgefüllt und die Holzflächen erst geschliffen, dann gewachst und poliert. Das Zimmer erwachte so langsam wieder zum Leben, und sie freute sich schon darauf, es fertig zu sehen. Xanthe war immer mal wieder mit einem Maßband hereingeschneit, hatte die Fenster und den Kamin ausgemessen und hilfreiche Anmerkungen gemacht oder konstruktive Kritik zu Izzys Arbeit abgegeben. Von jemand anderem gelobt zu werden, war ein willkommener Energieschub.

Izzy nahm ihren Pinsel zur Hand, und als klar war, dass Ross sich wirklich nicht unterhalten wollte, schob sie sich wieder die Kopfhörer in die Ohren und begann, vorsichtig zu streichen, indem sie die Farbe langsam an der Wischleiste entlangstrich, die sie vorher sorgfältig abgeklebt hatte, um das Holz zu schützen.

So arbeiteten sie schweigend vor sich hin, und auch wenn Ross nicht sprach, so kam ihr seine Gegenwart doch seltsam beruhigend vor, besonders, wenn er sie anlächelte, sobald sich ihre Blicke trafen.

Sie hatten ungefähr eine Stunde lang so gewerkelt – irgendwie hatten sie beide wohl das Zeitgefühl verloren –, und der erste Anstrich war fast fertig, als sie merkte, dass Ross an der Leiter stand. Sie nahm ihre Kopfhörer heraus.

«Möchtest du eine Tasse Tee?»

«Das wäre toll», sagte sie und drückte ihren schmerzenden Rücken durch.

«Dann bringe ich dir eine, und danach muss ich wieder an den Schreibtisch. Ich – oh, Mist.» Das Handy in seiner Jeanstasche klingelte. Er zog es heraus. «Hi, Bethany», sagte er mit genervter Stimme, nickte Izzy zum Abschied kurz zu und verschwand durch die Tür.

Zehn Minuten später – als sie schon wieder in ihr Hörbuch vertieft war, in dem der Detektiv gerade nach Hause hastete, weil ihm gesteckt worden war, dass der Polizist, der eigentlich auf seine Freundin aufpassen sollte, nicht da war und der Bösewicht immer näher rückte – kam Ross mit einem Becher Tee zurück. Er reichte ihn ihr, während er sich mit der anderen Hand immer noch das Handy ans Ohr hielt, und verließ wieder das Zimmer.

Auch wenn sie ihre Malerarbeit schweigend nebeneinander ausgeführt hatten, fühlte Izzy sich jetzt, wo er gegangen war, irgendwie einsam. Seine Anwesenheit hatte sie in gewisser Weise motiviert, auch wenn sie nicht sagen konnte, warum. Ross schien genau wie Jim, Jeanette und Duncan bereits zum Haushalt zu gehören. Wie würde sie sich erst fühlen, wenn er irgendwann abreiste?

«Sie wollen Weihnachtsstrümpfe!», gab Xanthe am nächsten Morgen bekannt, als sie ins Gästezimmer kam, wo Jeanette gerade die Fenster putzte und Izzy das Bett mit den frisch gemangelten weißen Laken bezog, die am Vortag angekommen waren.

«Wer will Strümpfe?» Izzy klopfte ein Kissen auf und betrachtete dann ihr Werk, wobei sie das starke Bedürfnis verspürte, selbst ins Bett zu kriechen. Sie zupfte die Bettdecke zurecht und bückte sich, um den weichen Überwurf aus smaragdgrüner Kaschmirwolle hochzuheben, den Xanthe ausgewählt hatte, weil er zu den Details der phänomenal teuren Tapete passte. Und sie musste zugeben, dass die Einrichtung ihr Geld wert gewesen war. Das Zimmer sah unglaublich opulent aus, weil die drei frisch gestrichenen Wände die Tapete der vierten Seite erst richtig in Szene setzten, ebenso wie die Raffvorhänge, die Xanthe genäht hatte.

«Die Carter-Jones», sagte ihre Mutter und hüpfte seitwärts in Richtung Kaminsims.

Izzy blinzelte sie an. «Was meinst du denn damit, ‹Sie wollen Strümpfe›?»

«Sie wollen ein traditionelles Weihnachten in einem schottischen Schloss feiern mit allem Drum und Dran, und Mrs. Carter-Jones sagte, dazu gehört, dass jeder von ihnen einen Weihnachtsstrumpf bekommt.» Xanthe ließ sich mit dem Rücken gegen eine holzgetäfelte Wand fallen, was die weißen Federn ihrer Boa zum Zittern brachte.

Sie sieht aus wie ein aufgebrachter Schwan, dachte Izzy.

«Ich meine, ich kenne diese Leute ja nicht einmal!», rief ihre Mutter dann.

Izzy fühlte mit ihr. Wie sollte sie bloß Weihnachtsstrümpfe für fremde Leute füllen? Das war doch etwas Persönliches. Jedes Geschenk musste mit Sorgfalt ausgesucht werden. Ihre Oma – Xanthes Mutter – hatte immer ein Thema dafür gewählt: In einem Jahr waren nur Haushaltsartikel in ihrem Strumpf gewesen, in einem anderen Jahr Make-up-Artikel von Nagellack und Lidschatten bis zu Wattepads und Rougepinsel. In dem Jahr, in dem Izzy mit dem Studium begonnen hatte, war ihr Strumpf mit lauter nützlichen Dingen wie Schraubenzieher, einem Schweizer Taschenmesser, einem Korkenzieher und sogar einer Packung Kondome gefüllt gewesen.

«Aber gut, sie hat mir Anweisungen geschickt», sagte Xanthe und wirkte schon wieder etwas unbekümmerter. «Oh, und es kommen übrigens noch zwei weitere Gäste.» Sie lächelte Izzy etwas zu breit an.

«Also sind es jetzt insgesamt acht Personen.»

«Im Moment, ja.»

Izzy starrte ihre Mutter an. «Was soll das heißen, *im Moment?*»

«Nun, vielleicht werden es noch zwei mehr.» Die Finger ihrer Mutter strichen über die Wand und klopften an der Holztäfelung.

«*Zwei mehr*», wiederholte Izzy und blickte zu Jeanette hinüber, die vergeblich versuchte, ein Grinsen zu unterdrücken.

«Was machen schon zwei Gäste mehr?», trällerte ihre Mutter fröhlich.

Izzy verdrehte die Augen. «Na, das wären dann ja vier mehr, oder nicht?»

«Sie zahlen aber auch sehr ordentlich.» Sie wirbelte einmal um die eigene Achse. «Apropos, ich habe den wundervollsten Teewagen für die Bibliothek bestellt. Ich dachte, das ist der perfekte Ort für einen Whisky oder Gin Tonic vor dem Essen. Es wird göttlich aussehen. Mach dir keine Sorgen», fügte Xanthe schnell hinzu, bevor Izzy etwas erwidern konnte. «Deinen Gesichtsausdruck müsstest du jetzt mal sehen. Der Wagen kommt aus dem Antikladen im Dorf, und er hat fast nichts gekostet.»

«Mum!» Die Vorstellung ihrer Mutter von ‹fast nichts› passte so gar nicht zu der von Izzy. Es war wie der Unterschied zwischen einem Kurztrip nach Irland und einem Flug nach Australien.

«Ehrlich, Izzy, du bist so eine Spielverderberin.»

Jeanette widmete sich schnell wieder den Fenstern und fing hastig an, die Scheiben zu polieren.

Zum Glück bezahlten die Carter-Jones wirklich viel, auch wenn die Anzahlung von siebentausend Pfund ziemlich schnell schmolz.

«Denk bitte dran, Mum, dass wir auch etwas von dem Geld benötigen, um das Dach zu bezahlen», erinnerte Izzy ihre Mutter.

«Du könntest ja mehr Gäste aufnehmen. Erst heute hatte ich wieder eine Anfrage ...»

«Nein, Xanthe!», sagte Izzy und hielt ihren Zeigefinger mahnend in die Höhe. «Wir werden bereits jetzt ein weiteres Gästezimmer renovieren müssen, und vergiss nicht, dass ich für all diese Leute auch noch kochen muss. Vermutlich erwarten sie eine Sterneküche, da bin ich nervös genug.»

«Ach, du machst das schon», sagte ihre Mutter und wedelte mit der Hand durch die Luft.

«Keine weiteren Gäste!» Izzy funkelte sie an, während Xanthe sich mit einem wenig überzeugenden Gähnen streckte und dabei die Finger über die Holztäfelung gleiten ließ. «Was machst du da eigentlich?»

«Ich schaue nur, ob wir Holzwürmer haben, Liebling. Du kennst ja diese alten Häuser. Schlimm, wenn da Würmer drin sind.»

«Und du willst sie mit deinem Tippen rausklopfen, oder was?» Izzy wusste genau, wenn ihre Mutter etwas ausheckte – und jetzt hatte sie definitiv etwas im Sinn. Da war dieser Jagdblick in ihren Augen, wie ein Fuchs, der ein Huhn aufgespürt hat – gerissen und leicht blasiert.

«Du suchst doch nicht nach den Saphiren, oder?»

«Nein, nein», meinte Xanthe mit falscher Unschuld, doch Izzy fiel keine Sekunde darauf herein.

«Welche Saphire?», fragte Jeanette.

«Ach, das ist bloß so eine alte Legende», sagte Izzy und warf ihrer Mutter einen strengen Blick zu. «Es gibt absolut keinen Beweis dafür, dass sie jemals existiert haben.»

«Papperlapapp», erwiderte Xanthe und schwebte aus dem Zimmer.

Jeanette und Izzy widmeten sich wieder ihrer Arbeit.

Gott sei Dank hatten sich Jim und Jeanette so gut eingearbeitet, denn in den letzten Wochen vor Weihnachten konnte Izzy wirklich jede Hilfe gebrauchen. Die jungen Leute waren beide sehr fleißig, und nach ihrer einwöchigen Probezeit konnte Izzy sich nicht vorstellen, wie sie je ohne die beiden ausgekommen war. Jim schien einfach alles reparieren und flicken zu können. Und er war brillant im Tapezieren und ein wahrer Zauberer mit dem Malpinsel. Jeanette war hilfsbereit und äußerst fähig in allem, was man von ihr verlangte, außer Kochen. Das beherrschte sie wirklich nicht.

Wenn Izzy überhaupt einen Kritikpunkt gehabt hätte, dann den, dass die beiden leicht abzulenken waren. Aber sie waren eben jung und verliebt, und was wusste Izzy schon von diesem Zustand? Sie hatte sich so lange nach diesem verdammten Philip verzehrt, dass sie zu einer vertrockneten alten Zynikerin geworden war.

Einige Stunden später ging Izzy in ihr ruhiges kleines Arbeitszimmer und nahm ihr Handy zur Hand.

Hallo, ihr lieben Kochschul-Leute. Die Neue in der Küche muss jetzt also ein Weihnachtsessen für …

Wie viele würden sie sein? Die Carter-Jones waren acht bis zehn Personen, dann Duncan, Xanthe, Jim und Jeanette, vielleicht Ross und sie selbst.

… sechzehn Personen vorbereiten. Inklusive Gourmet-Frühstück, Mittag- und Abendessen für acht bis zehn zahlende Gäste, und das für fünf Tage. Irgendwelche Vorschläge für festliche Menüs, die nicht zu kompliziert sind, aber viel hermachen? Mein Kopf ist komplett leer, und ich habe Angst, dass ich mir da zu viel aufgeladen habe. Habt ihr einen Rat, wie ich das alles schaffen soll? Hilfe!!!

Hoffentlich würde ihr die Killorgally-Truppe helfen und ein paar tolle Tipps liefern, ansonsten wäre sie ganz auf sich allein gestellt. Xanthe war in der Küche nicht zu gebrauchen, ihre Aufmerksamkeitsspanne war zu kurz, um etwas zu übernehmen.

Es klopfte leise an der Tür, dann wurde sie einen Spalt weit geöffnet.

«Entschuldige die Störung.» Es war Ross. «Ich wollte dir bloß sagen, dass wir fast keinen Kaffee mehr haben. Nur falls jemand die letzten paar Löffel nimmt und sich dann beschwert, dass keiner mehr da ist.»

Izzy lächelte über Ross' Umsicht. «Danke. Ich habe für solche Fälle eine Packung in der Speisekammer versteckt, aber ich schreibe mir auf, dass ich welchen kaufen muss.»

«Super. Ich brauche nämlich meinen Kaffee, um mich aufzuwärmen. Wenn man den ganzen Tag nur sitzt, friert man schnell.»

«Oh, möchtest du vielleicht ein Feuer in deinem Zimmer?»

«Bloß nicht, dann schlafe ich nur ein. Ich ziehe mir lieber noch einen Pulli über. Die Kälte ist eigentlich sogar gut für meine Konzentration. Außerdem wird mir heute Nachmittag sicher warm, denn ich habe Jim versprochen, dass ich ihm beim Tapezieren helfe.»

«Aber was ist mit deinem Buch?»

«Ich habe meiner Lektorin Bethany gestern was geschickt. Jetzt warte ich auf ihr Feedback. Und ich dachte, ihr könnt vielleicht noch ein bisschen Hilfe gebrauchen. Auch wenn Jim beim Tapezieren magische Fähigkeiten zu haben scheint.»

«Ja, er ist wirklich sehr gut in allem», sagte Izzy und schickte ein kurzes Stoßgebet zum Himmel.

«Wenn er sich auf die Arbeit konzentriert, schon», sagte Ross und verdrehte die Augen. «Aber er kann ja seine Hände nicht von der hübschen Jeanette lassen.»

«Das ist dir auch schon aufgefallen?», kicherte Izzy.

«Schwer zu übersehen. Ich habe mir angewöhnt zu pfeifen, wenn ich irgendeinen Flur entlanggehe, denn gestern habe ich sie ziemlich atemlos aus einem der Badezimmer kommen sehen.»

Izzy nickte. «Ich weiß, aber ... sie sind sehr fleißig, also kann ich mich nicht beschweren. Und ich zahle ihnen nicht sehr viel.»

«Wie entwickeln sich denn deine Weihnachtspläne?»

Er deutete mit dem Kopf auf die Zettel auf dem Schreibtisch. Offenbar wollte er sich mit ihr unterhalten, wie Izzy überrascht feststellte.

«Es geht voran. Meine Hauptsorge sind ehrlich gesagt die Erwartungen der neuen Gäste. Ob sie eine Dreisterneküche und einen Sechssterneservice erwarten. Ich hoffe jedenfalls, dass sie ein herzliches Willkommen überzeugt. Sie scheinen recht anspruchsvoll zu sein.»

«Du machst das schon.» Er lehnte sich gegen die Wand und schaute sie an.

«Du hast leicht reden. Weißt du denn schon, was du vorhast?»

«Das war tatsächlich der zweite Grund, weshalb ich dich sprechen wollte. Ich habe beschlossen, dass ich gern hierbleiben würde.» Er machte eine Pause. «Ich könnte dir auch zur Hand gehen.»

«Du?»

«Wieso klingst du überrascht?» Er schmunzelte. «Ich werde mir ein paar Tage freinehmen und kann also gut mit anpacken. Ich könnte zum Beispiel servieren. Als Student in Edinburgh habe ich in etlichen Restaurants gekellnert.»

«Und was ist mit deinem Bedürfnis nach Ruhe und Frieden?»

«Das brauche ich nur, wenn ich arbeite. Ich kann einigermaßen umgänglich sein, wenn ich will, weißt du?»

Sie schaute dankbar zu ihm hoch. «Also, ich werde sicher keine Hilfe ablehnen.»

In diesem Moment klingelte sein Handy. Ross warf einen Blick darauf und rümpfte die Nase. «Sorry, da muss ich rangehen.» Er lächelte sie kurz an. «Und wenn in der Küche alles schiefgeht, gibt es immer noch die Alternative von Bohnen auf Toast.»

Sie schüttelte amüsiert den Kopf, während er zur Tür hinausging. «Das kann nur jemand sagen, der keine Vorstellung davon hat, was ein Weihnachtsessen bedeutet.»

KAPITEL 10

*I*zzy! Izzy! Izzy!» Xanthes laute Rufe hallten die Treppen hinab.

Was ist denn jetzt wieder los?

Izzy schaute von dem großen Kaminrost auf, den sie gerade zusammen mit dem verzierten Kamingitter schwärzte, um die Rostflecken zu übertünchen. Der Kamin war riesig, aber das musste er auch sein, um die Eingangshalle und das Treppenhaus zu beheizen. Aber das arme Ding sah so aus, als hätte man es jahrhundertelang nicht beachtet, und sie wollte, dass der Kamin die Gäste bei ihrer Ankunft sofort willkommen hieß. Sie plante außerdem, Jim in einen Kilt zu stecken (er wusste noch nichts von seinem Glück), in dem er die Gäste mit einem Tablett voller Maltwhiskys vor dem lodernden Holzfeuer begrüßen sollte.

«Izzy!» Die Rufe ihrer Mutter wurden immer lauter, je näher ihre Schritte kamen. «Ich habe was gefunden! Einen Beweis. Die Saphire gibt es wirklich!» Plötzlich tauchte Xanthe oben auf dem ersten Treppenabsatz auf. Sie hielt ein Bild in den Händen, das beinahe so groß war wie sie selbst.

«Vorsicht!», rief Izzy und sprang auf, denn sie fürchtete, dass ihre verrückte Mutter gleich die Treppe herunterfallen und sich den Hals brechen könnte.

Xanthe stand auf der obersten Stufe und schwankte bedrohlich. Izzy blieb beinahe das Herz stehen. Sie rannte die Treppen hinauf und konnte ihre Mutter gerade noch festhalten, bevor sie stürzte.

Xanthe hüpfte aufgeregt von einem Fuß auf den anderen, als hätte sie die Gefahr gar nicht bemerkt. «Schau! Schau, was ich gefunden habe.»

«Mum!», bat Izzy mit klopfendem Herzen. «Beruhig dich, um Himmels willen.»

«Aber siehst du es nicht?» Xanthe riss die Augen auf. Sie hatten einen leicht fiebrigen Ausdruck.

Izzy hätte ihre Mutter am liebsten geschüttelt, doch stattdessen nahm sie ihr den großen vergoldeten Bilderrahmen ab und stellte ihn ächzend auf den Treppenabsatz. Dass ihre Mutter das Ding überhaupt so weit hatte tragen können! «Deinetwegen hatte ich fast einen Herzinfarkt.»

«Sei nicht albern, Liebling, es bestand keinerlei Gefahr. Aber schau, was ich gefunden habe.» Sie deutete auf das Bild.

Izzy zog es am Rahmen herum, lehnte es gegen die Wand und beugte sich vor, um das Gemälde in Augenschein zu nehmen.

«Das ist Isabella, und sie trägt die Saphire.» Xanthe tippte mit dem Finger gegen die Leinwand. Das Bild zeigte eine junge Frau, die mit einem Mona-Lisa-Lächeln an einem Schminktisch saß, den Hals mit einem herrlichen goldenen Collier aus drei Reihen Saphiren im Cabochon-Schliff geschmückt. Dem Künstler war es gelungen, das tiefe Blau und das sich darin schimmernde Licht einzufangen.

Izzy hatte das Bild schon im Schloss gesehen, das Collier jedoch nicht wahrgenommen, geschweige denn die Formen der Saphire.

«Das sind Cabochons! Du weißt schon, diese wundervoll glatten, oval geformten Steine», sagte Xanthe. «Natürlich sind sie das. Ich habe immer gedacht, sie wären wie moderne Steine geschliffen, aber sie wurden poliert. Sind sie nicht wunderschön? Und jetzt wissen wir, dass es sie gibt!»

«Ja, aber das Bild ist ziemlich alt. Sie können längst verkauft oder vererbt worden sein.»

«Nein, sie sind hier irgendwo, das spüre ich in meinen Knochen.»

Izzy verzichtete darauf, die Augen zu verdrehen. Xanthes mystische Wahrsageknochen waren ziemlich widersprüchlich und sandten immer nur dann Schwingungen aus, wenn es ihrer Mum in den Kram passte.

«Was kann ich jetzt machen?», fragte Jeanette und trocknete sich die Hände an einem Geschirrhandtuch ab.

Izzy hatte die Arbeit am Kamingitter beendet, um sich an die Vorbereitung der Mince Pies zu machen, und trotz ihrer Bedenken hatte sie Jeanette für den heutigen Küchendienst abkommandiert.

«Kannst du den Pastetenteig ausrollen? Er steht schon im Kühlschrank. Und dann Kreise für die Deckel ausstechen?», bat Izzy, während sie die Schale einer Orange abrieb und den köstlichen Duft einatmete. Sie würde die Füllung jeder Pastete mit diesem Abrieb versehen und ein paar Tropfen Whisky daufträufeln, um den Pies einen besonderen schottischen Pfiff zu verleihen. Die Idee dazu war allerdings nicht auf ihrem Mist gewachsen, es war ein Tipp von Fliss aus der WhatsApp-Gruppe gewesen.

Als sie ein paar Minuten später aufschaute, sah sie, wie Jeanette versuchte, einen Teil des Teigs auf einer unbemehlten Fläche auszurollen – wodurch die Masse schnell in einem desolaten Zustand war und sowohl auf der Oberfläche als auch am Nudelholz klebte.

«Entschuldigung, ich bin nicht besonders gut in der Küche», sagte Jeanette und pulte mühsam den Teig von der Arbeitsfläche. Dabei fiel der Rest des intakten Teigs auf den Boden.

«Huch. Sorry.»

Izzy blickte sie mitfühlend an, denn sie wusste, dass jeder mal klein anfing. «Du hättest mich in meinem Kochkurs erleben sollen. Meine Freundin Hannah und ich, wir waren anfangs zu nichts zu gebrauchen. Aber es ist alles bloß Übung.»

«Ich habe so was noch nie gemacht. Meine Mum kauft die Pasteten immer im Supermarkt.»

«Dann kannst du dich auf etwas freuen, denn diese hier werden viel besser schmecken. Komm, ich zeige es dir.»

Eine Stunde später zog der Duft von Gewürzen und buttrigem Teig von zwei Blechen mit auskühlenden Mince Pies durch die Küche.

«Mmm, da komme ich ja gerade richtig», sagte Ross, als er in den Raum trat. Er warf einen letzten Blick auf sein Handy und schob es dann in seine Tasche. Izzy fiel auf, dass er in letzter Zeit ziemlich viele Anrufe bekam.

«Du bekommst nur einen Mince Pie, wenn du uns eine

Tasse Tee kochst», meinte sie zu ihm und wedelte mit dem Nudelholz, das sie gerade abschrubbte.

«Das mache ich. Ich liebe Mince Pies.»

«Diese hier sind richtig fancy», sagte Jeanette. Dann wandte sie sich an Izzy: «Darf ich Jim einen bringen? Oder vielleicht zwei? Ich kann gar nicht abwarten, ihm zu erzählen, dass ich Mince Pies gebacken habe!» Sie kicherte. «Jedenfalls beim zweiten Versuch.»

Wie aufs Stichwort kam auch Xanthe herein. Ihre Lieblings-Federboa schwebte hinter ihr her wie eine weiße Rauchschwade.

«Habe ich Mince Pie gehört? Ooooh, wunderbar! Allein der Geruch weckt so viele Erinnerungen.» Sie nahm sich eine Pastete und verschwand, bevor Izzy protestieren konnte, wobei sie eine Spur aus Krümeln hinter sich zurückließ.

Auch Jeanette schnappte sich einen Pie und machte sich auf die Suche nach Jim, der oben eines der Gästezimmer tapezierte.

Ross reichte Izzy einen Becher.

«Wieder einen Punkt von der Liste abgearbeitet?», fragte er und biss in die Pastete, die sie ihm reichte. «Wow, die sind ja umwerfend. So lecker.» Anerkennend sah er sie an. «Richtig gut.»

Izzy freute sich über seine Reaktion. Bisher hatte sie in der Küche nichts Besonderes gezeigt – jeder mochte frisch gebackenes Brot und Überbackenes aus dem Ofen, und Suppe war auch nicht gerade Gourmetküche. Aber sie konnte es kaum erwarten, mit ihren in Irland erworbenen Fähigkeiten zu beeindrucken.

«Danke. Das müssen die geheimen Zutaten sein ...»
Am wichtigsten war allerdings, dass man alles mit Liebe zubereitete. Mince Pies symbolisierten für sie Weihnachten, mehr als alle anderen Festspeisen, und sie wollte, dass dieses erste Weihnachten im Schloss perfekt würde. Sie wollte ganz besondere Gerichte zaubern, die allen in Erinnerung blieben und dadurch weiterlebten. Xanthe und sie hatten Weihnachten immer zusammen mit der Oma verbracht, die jedes Jahr Mince Pies gebacken hatte.

Sie setzte sich an den Tisch, trank ihren Tee und biss nun ebenfalls von einer der Pasteten ab. Sie schloss die Augen und genoss den Zitrusgeschmack, die milde Wärme des Whiskys und den knusprigen, butterigen Teig. Sie lächelte, und ihr Herz wurde ganz leicht. Dieses Weihnachten würden alle genießen, dafür würde sie sorgen.

«Wie geht's mit deiner Arbeit voran?», fragte sie Ross.

Er hatte sich angewöhnt, vormittags eine Pause in der Küche einzulegen, und trotz seiner vorigen Behauptungen, dass er sich nicht auf eine bestimmte Essenszeit festlegen lassen wollte, aß er fast täglich um halb eins mit Duncan, Jeanette, Jim und ihr zu Mittag.

«Wie es vorangeht? Langsam! Ich würde deutlich schneller vorankommen, wenn meine Lektorin mich nicht alle fünf Minuten anrufen würde. Leider muss ich nächste Woche zu ihr nach Edinburgh.»

«Wirst du länger weg sein?»

«Nein, ich will das an einem Tag erledigen. Ich reise sehr früh ab und komme abends zurück, mehr Zeit will ich nicht verschwenden.»

«Das wird ein langer Tag für dich», überlegte Izzy. Und ohne weiter darüber nachzudenken, fragte sie: «Ich könnte wohl nicht vielleicht eine Mitfahrgelegenheit bei dir ergattern? Ich muss nämlich ein paar Weihnachtseinkäufe machen, ich brauche noch Geschenke für die Weihnachtsstrümpfe der Gäste, und auch für Xanthe, Jeanette, Jim und Duncan. Wenn du nur für einen Tag hinfährst, wäre das für mich perfekt.»

Ross sagte eine Weile nichts, und je mehr Zeit verstrich, desto klarer wurde Izzy, dass sie offenbar zu viel verlangt hatte.

Er zögerte. «Nun, vielleicht entscheide ich mich doch noch, da zu übernachten. Meine Pläne sind noch nicht endgültig. Und wie gesagt, ich fahre sehr früh los.»

Izzy spürte seine Reserviertheit. Als er einen langen Schluck von seinem Tee nahm, sah sie, wie sein Adamsapfel sich senkte, während er aus dem Fenster starrte.

«Okay», sagte sie, ein wenig verletzt über sein offensichtliches Zögern. Sie hatte gedacht, dass sie zumindest so etwas wie Freunde wären. «Tut mir leid, dass ich gefragt habe. Ich wäre sicher eine Zumutung für dich.» Sie drehte ihm den Rücken zu, denn sie spürte, wie sich ihre Wangen vor Scham gerötet hatten. Sich jemandem aufzudrängen, der einen offenbar nicht um sich haben wollte, das hatte sie schon bei Philip getan. Und als er mit ihr Schluss machte, hatte er geradeheraus gesagt, sie sei ihm einfach «zu viel» gewesen. Izzy hatte sich daraufhin Sorgen gemacht, dass sie ihrer Mutter vielleicht ein wenig zu ähnlich war, auch wenn sie immer ihr Bestes tat, um so liebenswert und umgänglich wie möglich zu wirken. Es war ihr mit den Jahren zur Gewohnheit geworden, die Unkomplizierte zu sein, weil ihre Mutter eben oft die Schwierige war.

Sie nahm Handbesen und Schaufel zur Hand und fegte das heruntergerieselte Mehl auf dem Fußboden zusammen. Als sie aufstand, stieß Ross einen tiefen Seufzer aus.

«McBride, du bist keine Zumutung», sagte er. Doch sein schuldbewusster Gesichtsausdruck sprach eine andere Sprache.

Izzy murmelte etwas davon, dass sie noch viel zu tun habe, und flüchtete aus der Küche.

KAPITEL 11

*D*ie kalte Morgenluft biss Izzy in die Wangen und die Lungen, während sie mit knirschenden Schritten über die Kiesauffahrt ging. Atemwolken stiegen aus ihrem Mund auf, und sie wickelte sich den Schal fester um den Hals und schob die Enden in ihren Mantel, um die Kälte fernzuhalten.

«McBride!»

Überrascht drehte sie sich um.

Es war Ross, er musste kurz vor ihr aus dem Haus getreten sein. Sie begrüßte ihn mit gezwungenem Lächeln. Zum Glück war sie ihm in den letzten beiden Tagen kaum begegnet, denn sie hatte das Gefühl der Enttäuschung nicht ganz abschütteln können, nachdem er ziemlich deutlich gemacht hatte, dass er sie nicht mit nach Edinburgh nehmen wollte.

«Wo gehst du hin?»

«Runter ins Dorf, ich will ein paar Sachen fürs Abendessen einkaufen. Es scheint mir so ein Tag für Würstchen zu sein, Würstchen mit selbst gemachtem Kartoffelbrei.» Dazu wollte sie eine leckere Rotwein-Zwiebel-Soße zubereiten.

«Was dagegen, wenn ich mitkomme?», fragte er. «Ich will zur Bibliothek. Brauche mal eine Pause.»

Es wäre sehr unfreundlich gewesen, wenn sie jetzt abgelehnt hätte – aber hatte er vor zwei Tagen nicht dasselbe mit ihr getan? Er hatte unmissverständlich klargemacht, dass er ihre Gesellschaft nicht wollte. Nicht mal bei einer Autofahrt. Lag es daran, dass man in einem Auto nicht flüchten konnte?

Sie zuckte leicht mit den Achseln und ignorierte dabei ihren schneller werdenden Puls sowie ihr eigensinniges Unterbewusstsein, das ihn mehr als willkommen hieß.

Ross passte sich ihrem schnellen Schritt an, denn der Morgen war zu kalt, um zu schlendern.

Eine bleiche Wintersonne schien am geistergrauen Himmel und warf ihr blasses Licht über die Landschaft. Ihre Schritte auf der gefrorenen Erde wurden nur vom harschen Krächzen einer einsamen Krähe übertönt, die auf dem Ast einer Esche zwischen vielen zerrupften Nestern hockte.

Izzy holte tief Luft, seufzte und lockerte ihren Nacken, als könnte sie nicht weiter schweigen und ihn ignorieren, obwohl sie eigentlich vorgehabt hatte, die Unterhaltung ihm zu überlassen. «Das habe ich gebraucht: klare, frische Morgenluft.»

«Ich auch», sagte er.

«Was ist denn mit dem Schreiben?»

Er legte das Gesicht in Falten. «Es zieht sich gerade. Ich bin an einem schwierigen Punkt angekommen und kaue schon viel zu lange daran herum – bevor ich dann zum tödlichen Schlag aushole.» Er lachte.

«Klingt ja eher so, als würdest du einen Thriller schreiben und keine historische Abhandlung.»

Ross stolperte beinahe, bevor er antwortete: «Äh ...
Tja, die Geschichte ist eine ziemlich blutige Angelegenheit, weißt du?»

«Besonders die schottische Geschichte», ergänzte sie
spöttisch. Denn mittlerweile war sie ziemlich sicher, dass
er gar kein Geschichtsbuch schrieb, wie er behauptete –
er hatte sich schon zu oft verhaspelt, wenn er über den
Inhalt sprach. Aber offenbar wollte er es ihr nicht erzählen, also würde sie auch nicht nachbohren.

«Warst du schon mal in Culloden?», fragte sie.

«Ja. Unheimlicher Ort. Voller Geister der verstorbenen
Clansmänner», sagte Ross mit einem Schaudern. «Ein
trauriges Ende für die Clans.»

Izzy nickte. Der berühmte Jakobitenaufstand war 1746
mit der Schlacht von Culloden beendet worden, ebenso
wie die Lebensweise der Highlander sowie das Erbrecht
der Clans, über ihre eigenen Ländereien zu bestimmen.

Sie umrandeten die stillen Ausläufer des Loch und
folgten dem Pfad hinunter zum Dorf. Er führte durch ein
schmales Tal, das zu beiden Seiten mit Bäumen bewach-
sen war: Lärchen, kaledonische Kiefern, Birken, Eschen
und Eichen standen vom Wind gebeugt, ganz im Gegensatz zu den hohen, geraden Kiefern der Forstplantagen,
die einen Großteil der schottischen Landschaft prägten.
Izzy liebte die Wildheit der krummen, knorrigen Formen, die versuchten, dem Wind zu trotzen. Bei ihrem
Anblick spürte sie stets ein Gefühl von Freiheit und Le-
bensprallheit. Es war, als würde die Kraft der Bäume im
Angesicht der Stürme der Natur auch ihre eigenen Batterien immer wieder aufladen und sie daran erinnern, dass

es mehr im Leben gab als den von Menschen gemachten Alltagstrott.

«Es muss wunderbar sein, hier draußen zu leben», sagte Ross, als sie wenig später durch rostrotes Heidekraut und zwischen Blaubeerpflanzen hindurchstapften. Ihre Stiefel federten auf dem Boden, und ihre Atemzüge kamen in schnellen, sichtbaren Zügen.

Izzy blieb stehen und blickte auf den Loch, der vor ihnen lag und wie geschmolzenes Silber schimmerte. Dann schaute sie zurück Richtung Schloss. Es ragte über das Wasser, wie um die Landschaft zu bewachen und zu beschützen.

«Ja, das ist es», sagte sie endlich und setzte ihren Weg fort. «Besser, als ich erwartet habe. Ich hatte Sorge, Xanthe und ich würden uns in dem zugigen alten Schloss irgendwie verloren fühlen. Aber es fühlt sich jetzt schon an wie ein Zuhause.»

«Du bewirkst wahre Wunder darin, das ist mal sicher», sagte er anerkennend. Sie gingen jetzt nebeneinander her. «Wie lange arbeitest du schon für Xanthe? Und wie lautet eigentlich dein offizieller Titel: Managerin? Verwalterin? Haushälterin?»

Izzy sah ihn irritiert an, als ihr Fuß in ein Kaninchenloch geriet. Sie stolperte und fiel beinahe hin.

«Vorsicht!» Ross griff nach ihrem Arm und zog sie hoch.

«Xanthe ist meine ...», begann sie, doch die Worte erstarben in ihrer Kehle, als sie aufschaute und seinen besorgten Gesichtsausdruck sah.

«Alles in Ordnung?», fragte er mit ernster, leiser Stimme und suchte mit den Augen in ihrem Gesicht, als erwarte er die Antwort auf eine ganz andere Frage. Sein Kopf war jetzt ganz nah an ihrem.

Ihr Herz machte einen Satz, und sie nickte, konnte aber den Blick nicht von ihm abwenden.

«Ja», flüsterte sie.

Gleich würde er sie küssen. Sie atmete ein, spürte bereits das Gefühl seiner Lippen auf ihren und wartete nur darauf, dass er den Abstand zwischen ihnen schloss, während ihr Herz in ihrer Brust hämmerte.

Die Enttäuschung darüber, dass er sich schließlich doch abwandte und weiterging, brachte sie beinahe wieder ins Straucheln. Sie starrte auf seinen Rücken und wäre am liebsten im Erdboden versunken.

Hatte sie sich gerade vollkommen lächerlich gemacht, weil sie sich eine romantische Szene einbildete? Die Röte schoss ihr in die Wangen. Izzy schluckte schwer, dann marschierte sie los, bis sie ihn eingeholt hatte. Einige Minuten gingen sie schweigend weiter, und Izzy fragte sich, was er wohl dachte.

Es war eine Erleichterung, als er schließlich sagte: «Was wolltest du noch mal im Dorf besorgen?»

«Würstchen», antwortete sie. «Und Magazine.» Sie merkte, dass das etwas dämlich klang, darum fügte sie schnell hinzu: «Ich will mir ein paar Inspirationen für Weihnachtsrezepte holen, weil ich vier Abendessen, drei Mittagessen und natürlich das Festessen zu Weihnachten kochen muss, und alles muss richtig fein werden. Ich mache mir einfach Sorgen, wie fordernd Mrs. Carter-Jones ist. Heute Morgen hat sie eine E-Mail geschickt und um Bestätigung gebeten, dass die Handtücher alle mindestens eine Grammatur von 600 g/m^2 haben. Ich wusste bis dahin nicht mal, was ‹Grammatur› bedeutet.» Sie plapperte einfach drauflos, um zu verhindern, dass sich zwischen ihnen wieder dieses unangenehme Schweigen ausbreitete.

Als sie den Rand des Dorfes erreichten, verlief die Unterhaltung zum Glück wieder in normalen Bahnen, und Izzy lachte gerade über Ross' Beschreibung einiger seiner Studenten.

Dann trennten sich ihre Wege.

«Ich werde ungefähr eine Stunde in der Bibliothek sein. Soll ich für den Rückweg dann hier auf dich warten?», fragte Ross.

Sie starrte ihn an. «Äh, klar. Ja. Gerne.»

Stirnrunzelnd sah sie ihm nach, als er davonging. Sie wurde einfach nicht schlau aus ihm.

«Guten Morgen, Mrs. McPherson», sagte Izzy, als sie sich ein paar Kochmagazine ausgesucht hatte und sie über den Tresen des Postamts reichte, das gleichzeitig auch als Kiosk und Touristentreffpunkt fungierte.

Mrs. McPherson schaute jedes einzelne Heft aufmerksam an, bevor sie es einscannte. «Ist das alles, was Sie kaufen wollen?»

«Äh, im Moment, ja.»

«Ich habe gehört, Sie bekommen Gäste. Diesen Boxershorts-Mann.»

Woher wusste sie das nun wieder?

Izzy nickte.

«Und brauchen Sie noch was zur Unterhaltung?»,

fragte Mrs. McPherson. «Wir haben sehr schöne Puzzles, die sind gut, wenn es regnet. Sie wollen ja nicht, dass Ihre Gäste sich langweilen. Außerdem ist es immer gut, die ortsansässigen Läden zu unterstützen.» Ihre Knopfaugen sahen sie erwartungsvoll an, und Izzy sah sich gezwungen, die Puzzles zu betrachten, die in einer Ecke aufgetürmt waren.

«Dieses hier ist sehr beliebt bei den Touristen.» Mrs. McPherson deutete auf einen Dudelsackspieler im Schottenrock, der auf einem einsamen Hügel stand, dann drückte sie ihr den Karton in die Hand. «Und die Burg Edinburgh Castle steht auch hoch im Kurs.» Und schon hatte Izzy zwei Puzzlespiele unter dem Arm.

«Bestimmt wollen Sie auch noch Seife für das Gäste-WC, nehme ich doch an. Wildnessel und Heide? Alle handgemacht. Davon gibt es übrigens auch eine Handcreme. Das sind schöne Sachen für die Weihnachtsstrümpfe. Wollen Sie ein paar mitnehmen?»

Izzy nickte wie hypnotisiert und konnte nur zuschauen, wie Mrs. McPherson vier Seifen und vier Handcremes in einen Korb legte.

Zum Glück ging in diesem Moment die Türklingel des Postamts und gewährte Izzy eine Atempause.

«Ich lasse Sie in Ruhe weiterschauen», erklärte die Postbotin. «Wir haben nämlich auch hübsche Weihnachtskarten, davon wollen Sie bestimmt welche haben.»

Mrs. McPherson schenkte ihr ein haifischartiges Lächeln, bevor sie davoneilte, um sich auf ihr nächstes Opfer zu stürzen.

Ross zog beim Anblick ihrer ausgebeulten Einkaufstasche die Augenbrauen in die Höhe, als sie sich zwanzig Minuten später trafen. «Soll ich dir das abnehmen? Ich dachte, du wolltest nur ein paar Sachen einkaufen.»

«Ich wurde McPhersonotisiert.» Izzy schüttelte den Kopf. «Als würde sie einen mit einem Bann belegen, sodass man alles kauft, was sie nur vorschlägt. Ich konnte nicht Nein sagen, weil ich sie ja auch noch als Verbündete brauche.»

«Ja, ich habe auch das Gefühl, sie ist das inoffizielle Herzstück des Dorfes. Wenn man sie ärgert, ärgert man alle.»

«Und das kann ich mir nicht leisten. Im Gegenteil, ich hoffe, dass sie mir in Zukunft Gäste schickt.»

Er spähte in ihre Tüte. «Puzzlespiele?»

«Ja, das lieben Gäste angeblich. Ich habe gar nicht an Beschäftigungen gedacht. Sie hat mich auch noch genötigt, ein paar Kartenspiele zu kaufen, vor allem Pokerkarten und ein dazu passendes Cribbage-Brett.»

«Sie hat dich *genötigt*?», neckte Ross.

«Ehrlich, sie ist beängstigend gut.» Izzy lachte und war erleichtert, dass sie sich wieder ganz normal mit Ross unterhalten konnte.

Den Rückweg verbrachten sie im lockeren Gespräch, und als sie in die Schlossauffahrt einbogen, klopfte Izzy sich innerlich auf die Schulter. Zum Glück hatte sie auf dem Hinweg ihrer erotischen Fantasie noch rechtzeitig Einhalt geboten und Ross nicht ihren Mund zum Kuss angeboten, da hätte sie sich ja schön lächerlich gemacht. Sie waren Freunde, sonst nichts.

«Izzy?»

Ross war stehen geblieben, und sie drehte sich überrascht von der plötzlichen Unsicherheit in seiner Stimme zu ihm um.

«Ich ... ich habe mich gefragt, ob du vielleicht immer noch gern mit nach Edinburgh kommen willst», sagte er verlegen.

Sie errötete leicht bei der Erinnerung an ihre merkwürdige Unterhaltung.

«Äh, ja, wenn das für dich passt?»

«Natürlich passt das.» Er schenkte ihr ein kurzes Lächeln. «Es tut mir leid, wenn ich neulich den Eindruck vermittelt habe, dass ich deine Gesellschaft nicht wollte. Es war nur ...» Sein Blick wurde weich. «Na ja, ich ... ich habe nicht richtig nachgedacht.»

«Also, wenn es dich wirklich nicht stört, wäre das eine große Hilfe für mich.»

«Toll. Also abgemacht.» Er berührte ihre Hand. «Es tut mir wirklich leid, wenn ich dich gekränkt habe.»

«Nein, nein, alles in Ordnung», sagte Izzy etwas zu fröhlich.

Er beugte sich zu ihr, und sie hielt den Atem an, als sich ihre Blicke trafen. Doch in diesem Moment wurden sie vom Motorengeräusch eines Autos unterbrochen. Ein Taxi fuhr auf der einspurigen Auffahrt rumpelnd an ihnen vorbei.

Izzy runzelte die Stirn und schaute den roten Rücklichtern hinterher.

«Besuch?», fragte Ross. «Gäste?»

«Keine Ahnung, ich erwarte niemanden.»

KAPITEL 12

*N*eben dem Kamin in der Eingangshalle standen ein zerbeulter Koffer, eine Laptoptasche und ein rechteckiger schwarzer Kasten aus Hartplastik. Izzy stieß einen Seufzer aus und eilte in den Salon, aus dem sie Stimmen hörte. Ross folgte ihr, was sich irgendwie ganz normal anfühlte. Schließlich war er mittlerweile Teil des Haushalts geworden.

«Izzy, Darling, das hier ist Godfrey. Du weißt doch, der Freund, von dem ich dir erzählt habe.» Xanthe streckte schwungvoll einen Arm aus und deutete auf einen ernst wirkenden Mann mittleren Alters im Kilt. Er trug eine randlose Brille, die ihm einen Hauch von rücksichtsloser Effizienz verlieh, und strich sich über seinen ordentlichen Ziegenbart, während er gedankenverloren das Bild von Isabella mit dem Saphir-Collier betrachtete.

«Godfrey ist gekommen, um uns zu unterstützen. Er ist Experte in schottischer Geschichte und wird uns bei der Suche nach den Saphiren helfen. Als professioneller Schatzsucher. Er bleibt bis übermorgen bei uns.»

Izzy setzte ein falsches Lächeln auf, während sie gleichzeitig wütende Blicke auf ihre Mutter richtete.

«Hallo, Godfrey. Herzlich willkommen!»

Er hob den Kopf, als würde er gerade aus tiefstem Nachdenken gerissen, was Izzy sehr gespielt erschien, dann kam er mit wehendem Kilt auf sie zu. Als er vor ihr stand, nahm er ihre Hand zwischen seine trockenen, kalten Finger in einer Geste übermäßiger Vertrautheit, die als herzlich hätte gedeutet werden können, aber stattdessen nur umso künstlicher wirkte.

«Danke dir, meine Liebe.» Er schaute zu Xanthe. «Das Bild ist mit Sicherheit echt. Ich glaube, der Maler gehörte zur George-Jameson-Schule, eine der Koryphäen auf dem Gebiet der Porträtmalerei des siebzehnten Jahrhunderts. Es könnte sogar ein echter Jameson sein, aber um das zu bestätigen, müsste ich das Bild näher untersuchen.» Er wandte sich wieder Izzy zu. «Sehr erfreut, dich kennenzulernen. Das ist hier ja ein beeindruckender, geschichtsträchtiger Ort.»

Dann fiel sein Blick auf Ross, der hinter Izzy stand – und er erstarrte.

«Ross Strathallan.» Seine Mundwinkel zogen sich in offensichtlichem Missbehagen herab. «Ich hätte mir denken können, dass ich Sie hier antreffe.»

«Godfrey, freut mich auch, Sie zu sehen», sagte Ross gedehnt, und auch sein Ausdruck zeigte wenig Begeisterung.

Godfrey drehte sich zu Xanthe. «Ich wusste nicht, dass ich hier einen Konkurrenten antreffe. Normalerweise arbeite ich allein.»

«Oh, Mr. Strathallan ist nicht in offizieller Funktion hier», flötete Xanthe und tätschelte Godfreys Arm. «Oh nein. Er hat ein Zimmer gemietet, um zu schreiben. Er wird dich nicht stören.»

Godfrey schürzte die Lippen und verzog das Gesicht, als hätte er akute Schmerzen.

166

«Keine Sorge, Godfrey», sagte Ross. «Die Schatzsuche überlasse ich Ihnen. Wenn Sie mich jetzt entschuldigen würden, ich muss arbeiten.» Mit überraschender Geschwindigkeit drehte er sich um und verließ das Zimmer, als ob seine Hemdzipfel in Flammen stünden.

«Hmpf.» Godfrey schüttelte den Kopf. «Diese Akademiker! Glauben immer, sie wüssten alles besser. Ich bin schon seit über vierzig Jahren in diesem Geschäft, und die denken trotzdem, sie hätten ein göttliches Recht auf Wissen. Aber er hat ja anscheinend noch keine Saphire gefunden.»

«Ich bin mir nicht sicher, ob er je danach gesucht hat», sagte Izzy und warf ihrer Mutter einen scharfen Blick zu. «Nicht alle von uns sind nämlich davon überzeugt, dass diese Edelsteine wirklich existieren.»

«Oh, ich bin sicher, dass es sie gibt, mein liebes Kind.» Godfrey nickte wie zur Betonung. «Man redet schon seit vielen Jahren von ihnen, aber Bill McBride wollte nie, dass man hier nach ihnen suchte.» Er hob das Kinn und lockerte seine Schultern, womit er Izzy an ein empörtes, aufgeschrecktes Huhn erinnerte. «Aber Geschichte geht uns alle an, nicht nur die Akademiker.» Er sagte die Worte mit einem spöttischen, offenbar geübten Schniefen, das wohl andeuten sollte, dass ihm Wissenschaftler allgemein ein Dorn im Auge waren. «Ihr wisst ja, was man über Lehrer sagt: Die, die was taugen, arbeiten, und die, die nichts taugen, unterrichten.» Er schloss seinen Sermon mit einem selbstgefälligen Lächeln.

Izzy hätte ihre Mutter am liebsten umgebracht. Wo zur Hölle hatte sie diesen angeberischen Trottel aufgerissen?

«So, jetzt brauche ich etwas zu trinken», erklärte Godfrey. «Dürfte ich um einen Tee bitten? Und vielleicht auch ein paar Kekse. Es war eine lange Reise von St. Andrews hierher.» Er streckte sich. «Danach richte ich mich ein. Ich gehe doch davon aus, dass ihr ein Zimmer für mich vorbereitet habt?»

«Natürlich, Godfrey», sagte Xanthe und eilte zu ihm. «Ich dachte an das blaue Zimmer – eines unserer besten. Und sicher kann Izzy dir ihr kleines Arbeitszimmer überlassen, während du hier bist.» Die Mutter warf ihr einen warnenden Blick zu. «Es ist ja nur für ein paar Tage.»

Izzy wirbelte herum und stürmte aus dem Zimmer. Sie fühlte sich von ihrer Mutter vollkommen übergangen. Vermutlich würde Godfrey für seinen Aufenthalt nicht mal bezahlen.

Ihre Mutter eilte ihr nach. «Izzy, sei nett. Wir zahlen ihm nichts, er tut es nur aus reinem Gefallen.»

«Gefallen für wen?», knurrte Izzy frustriert, als sie bei Godfreys Gepäckstücken stehen blieb.

«Für mich, natürlich.» Xanthe tätschelte sich das Haar und lächelte einfältig. «Sei nicht so kompliziert. Er wird uns nicht zur Last fallen. Und wenn er die Saphire findet, sind wir reich. Dann wirst du anders darüber denken.»

«Ja, Xanthe», sagte Izzy. «Aber in der Zwischenzeit muss ich Abendessen kochen, also könntest du dich vielleicht selbst um die Erfrischungen für seine *Lordschaft* kümmern?»

«Ein sehr schönes Claymore-Schwert, das ihr da an der Wand habt.»

Izzy fuhr zusammen. Godfrey stand direkt hinter ihr.

«Äh, ja», sagte sie. «Entschuldigen Sie mich, ich muss –»

«Ein exzellentes Beispiel für die Handwerkskunst des sechzehnten Jahrhunderts. Solinger Stahl aus Deutschland, wenn ich mich nicht irre. Die beste Schwertschmiede Europas, wisst ihr? Es ist ein Zweihänder. Ich schätze es auf mindestens einen Meter dreißig. Ein sehr schönes Exemplar. Ihr solltet darüber nachdenken, es einem Museum zu überlassen, damit die ganze schottische Nation sich daran erfreuen kann.»

Izzy warf ihm ein dünnes Lächeln zu. «Wissen Sie, mein Großonkel war ziemlich genau mit seinen letzten Wünschen, und er hat bestimmt, dass das Claymore immer in der Familie bleiben muss.» Der Anwalt hatte diesen Punkt sehr deutlich gemacht. Erstaunlicherweise war diese Bedingung bezüglich des Langschwerts die einzige, die ihr Großonkel verfügt hatte.

«Hmpf», machte Godfrey, und seine Lippen kräuselten sich wie eine Dörrpflaume. «Das ist ein nationales Kulturgut. Und sollte der Bevölkerung zurückgegeben werden. Ich würde es mir irgendwann gern einmal gründlicher anschauen.»

«Wenn Sie mich jetzt entschuldigen», sagte Izzy ausweichend, «ich habe zu tun.» Und damit eilte sie in die Küche und hoffte inbrünstig, dass er ihr nicht auch noch dahin folgen würde, obwohl sie ziemlich sicher war, dass er trotz seines demonstrativen ‹Für das Volk›-Gehabes keinen Fuß in die sogenannten Dienstbotenbereiche setzen würde.

Das konnte ja lustig werden. Oder auch nicht.

«Wer ist denn dieser eingebildete Schaumschläger?», fragte Jeanette, als sie in die Küche kam und ihren Putzkasten abstellte. Ihr schmaler, drahtiger Körper steckte in einem weiten, verdreckten Sweatshirt und Leggins voller Spinnweben.

«Und was macht er im blauen Zimmer?», wollte Jim wissen, der hinter ihr eintrat, gefolgt von Ross und Duncan.

«Er ist ein Freund von Xanthe, und er bleibt nicht lange», erklärte Izzy.

«Hoffentlich», meinte Ross. «Der Mann ist ein Idiot.»

Izzy lachte. «Er schien dich auch nicht gerade besonders zu mögen.»

«Er glaubt, dass alle historischen Gegenstände dem Volk gehören und dass jeder das Recht hat, überall zu buddeln. Er und ein paar seiner Freunde haben eine Ausgrabungsstelle beschädigt, weil sie mitten in der Nacht mit ihren Metalldetektoren herumgerannt sind und nicht besonders fachmännisch gegraben haben. Er ist Kommunist und bezeichnet sich selbst als ‹Historiker des Volkes›. Aus jeder Legende und jeder Halbwahrheit macht er eine große Geschichte, egal ob es Belege dafür gibt oder nicht. Wie gesagt, der Mann ist ein kompletter Idiot. Er kann eine Antiquität nicht von TK-Maxx-Ware unterscheiden.»

«Also, er ist auf jeden Fall sehr unfreundlich», sagte Jeanette und bürstete sich Spinnweben von ihren Leggins.

Izzy seufzte. «Hoffen wir mal, dass er bei seiner unsinnigen Suche bald die Lust verliert und –» Sie stockte.

«Wo bist du eigentlich gewesen?», platzte sie mit Blick auf Jeanettes schmutzige Kleidung heraus.

«Ich habe mal mit einem der Zimmer auf dem Dachboden begonnen. Ich dachte ...» Jim trat neben sie, als wollte er sie unterstützen. «Ich dachte, dass Jim und ich vielleicht nach oben in die Wohnung ziehen könnten, wenn die Gäste kommen. Da gibt es ein Schlafzimmer und ein Wohnzimmer mit einem Kamin und auch ein Badezimmer. Wenn du nichts dagegen hast, dass wir da ein bisschen renovieren, könnten wir uns da unsere eigene Bedienstetenwohnung herrichten.»

Izzy war ebenso amüsiert wie angetan. «Das ist ja sehr umsichtig von euch. Du und Jim, ihr wollt also bleiben?»

«Ja, gerne», antwortete Jeanette und fügte mit keckem Grinsen hinzu: «Aber du willst uns bestimmt nicht ewig in einem der Gästezimmer unterbringen, oder? Ich meine natürlich, wenn du uns überhaupt behalten willst.»

«Ich würde mich sehr freuen, wenn ihr bleibt, aber ich will euch nicht aus dem Zimmer vertreiben, in dem ihr seid. Ich könnte einfach selbst in die Wohnung oben ziehen und sie nach und nach herrichten.»

«Auf keinen Fall, Izzy McBride», sagte Duncan. «Das hier ist doch jetzt dein Zuhause. Du hast jedes Recht, in einem schönen Zimmer zu wohnen. Und Xanthe gibt ihres ganz sicher nicht her, oder?»

Ross verschränkte die Arme und lehnte sich gegen den Tisch. «Er hat recht, finde ich.»

«Wir werden sehen», sagte Izzy, leicht überwältigt von der allgemeinen Unterstützung.

«Du musst!» Jeanette stemmte die Hände in die Hüften und bemühte sich um einen strengen Blick. Sie schob das Kinn vor. «Du bist einer der nettesten Menschen, die ich je getroffen habe. Du tust immer alles für andere. Du machst die ganze Arbeit, und dann solltest du auch schön wohnen.»

Gerührt beugte Izzy sich vor und drückte Jeanette kurz an sich. «Das ist nett von dir, aber ich bin sehr glücklich. Und wenn ich mal umziehen muss, dann ist das nicht das Ende der Welt. Aber wenn ihr unbedingt auf die Wohnung oben besteht, dann nur zu.»

Jeanette erwiderte Izzys Umarmung. «Du bist wirklich toll. Vielen Dank, dass wir bleiben dürfen.»

«Ihr arbeitet ja auch dafür.»

«Ja, aber nicht so hart wie du», meinte Jim.

Jetzt mischte sich auch Duncan ein. «Du arbeitest dir noch einen Wolf, Kleines.»

«Glaubt ihr, wir schaffen alles rechtzeitig zu Weihnachten?», fragte Izzy. «Ich hoffe es so sehr.»

Es ging ihr gar nicht so sehr darum, alles vor der Ankunft der Gäste fertig zu haben, sondern eher darum, die Gäste während ihres Aufenthaltes rundum zu versorgen und ihre sicherlich hohen Ansprüche zu erfüllen.

«Ich habe schon an Uniformen gedacht», sagte Jeanette vorsichtig.

«Was?» Izzy sah sie überrascht an.

«Ja, für mich und Jim. Wir könnten uns doch ein bisschen verkleiden, während die Gäste da sind. Ich trage vielleicht eine Schärpe und Jim einen Kilt – es gibt ein paar oben auf dem Dachboden. Und dann können wir darin servieren und so.»

Izzy lachte. Jeanette hatte ähnliche Gedanken wie sie selbst. «Wollt ihr über Weihnachten nicht zu euren Familien nach Hause?»

Erneut stemmte Jeanette die Hände in die Hüften. «Sicher nicht.»

«Aber solltest du deiner Mutter nicht mal sagen, wo du bist?» Izzy hatte der jungen Frau diese Frage schon einmal gestellt, in der Hoffnung, dass Jeanette sich mit ihrer Mutter in Verbindung setzte und die Wunden zwischen ihnen wieder heilen konnte.

«Sie weiß, dass es mir gut geht.» Jeanettes Mund formte sich zu einem bockigen Strich. «Und dass ich bei Jim bin. Also bleiben wir über Weihnachten und helfen.»

«Das müsst ihr wirklich nicht. So viel zahle ich euch ja auch nicht.» Obwohl sie bereits vorhatte, den beiden einen Bonus zu zahlen, wenn sie erst einmal das Geld der Carter-Jones bekommen hatte.

«Wir haben schon darüber gesprochen, wir wollen dir helfen, also keine Widerrede. Und Ross und Duncan können auch beide ihre Kilts anziehen.»

«Aye, Kleines!» Duncan stimmte nickend zu. «Ross wird der beste Kellner sein, den die Gäste jemals hatten.»

Ross hob ein unsichtbares Weinglas und tat, als proste er ihnen zu.

Izzy musste schlucken. In ihrem Leben hatte sie sich die meiste Zeit selbst um alles kümmern müssen, und obwohl sie zum großen Teil stolz auf ihre Unabhängigkeit und ihre Fähigkeiten war, fühlte sie sich manchmal ziemlich allein. Die ganze Verantwortung zermürbte sie. Aber immer alles entscheiden zu müssen, gehörte für sie schon so lange zur Normalität ... Daher wäre es schön, zur Abwechslung zumindest einen Teil der Last abzugeben.

Einen Moment lang starrte sie mit Tränen in den Augen auf den Tisch. Dann sah sie auf. «Das ist sehr nett von dir, Jeanette. Von euch allen», verbesserte sie sich.

«Jetzt ist aber Schluss, du Heulsuse», sagte Jeanette und legte ihre Arme um sie. «Sonst muss ich gleich mitweinen. Aber ich wüsste wirklich nicht, was Jim und ich getan hätten, wenn du uns kein Dach über dem Kopf gegeben hättest. Und du hast uns nie das Gefühl gegeben, dass wir dir was schuldig sind, oder uns wie deine Angestellten behandelt. Du bist immer so nett gewesen.»

Izzy schniefte.

«Also wollen wir auch mal etwas Nettes für dich tun.»

«Danke.» Das war alles, was Izzy sagen konnte.

Ross räusperte sich. «Ich setze dann mal einen Tee für uns auf. Und vielleicht können wir ein paar von diesen Mince Pies aus dem Tiefkühlfach bekommen?» Er schaute sie hoffnungsvoll an, beinahe wie ein freundlicher Labrador, den man noch nicht gefüttert hatte.

«Das wird ja immer schöner», sagte Izzy und schnäuzte sich. «Wenn das so weitergeht, haben wir Weihnachten keine Pasteten mehr.» Sie stand auf, um die Mince Pies zu holen. Sie sollte Ross wohl langsam auch etwas entlohnen.

Wenn alle mithalfen, dachte Izzy, könnte es vielleicht wirklich ein gelungenes Weihnachten werden.

KAPITEL 13

*U*m wie viel Uhr wird heute Abend das Essen serviert?», fragte Xanthe, die zwei Tage später in einem bodenlangen altrosa Samtumhang morgens in die Küche schwebte. «Ich finde, da es Godfreys letzter Abend ist, sollten wir das Esszimmer nutzen und etwas Größeres draus machen.»

«Okay. Wie wäre es mit sieben Uhr?», schlug Izzy vor.

«Perfekt, dann decke ich die lange Tafel schön ein.» Ihre Mum schaute sich in der Küche um, wo Jim, Jeanette, Duncan und Ross zur morgendlichen Kaffeepause versammelt waren. «Ich erwarte, dass sich jeder zum Essen umzieht.»

Damit verschwand sie in einer Wolke aus samtigen Falten.

«Meint sie das ernst?», fragte Jeanette. «Der Kerl ist doch ein totaler Aufschneider. Ständig taucht er unvermittelt neben einem auf und stellt dumme Fragen. Und ständig wuselt er überall herum, um diese Saphire zu finden.»

«Ja, ein absoluter Trottel», meinte auch Duncan. «Der Kerl kann seinen Hintern nicht von seinem Ellenbogen unterscheiden. Hat früher schon mal hier rumschnüffeln wollen, aber Bill hat ihn weggejagt. Bill hat immer gesagt, die Saphire seien für alle sichtbar und würden schon von scharfen Augen gefunden.»

«Das hast du vorher aber anders ausgedrückt», erwiderte Izzy und drehte sich zu Duncan um. «Du meintest doch, sie existieren gar nicht.»

Er setzte einen unschuldigen Gesichtsausdruck auf. «Habe ich?» Dann klappte er den Mund wie eine Auster zu.

Was wusste er also?

«Wegen heute Abend ...», begann Jim. «Jeanette und ich wollten nach der Arbeit in den Pub. Dann musst du auch nur für weniger Leute kochen.»

«Netter Versuch», erwiderte Izzy. «Aber wenn ich leiden muss, dann sollt ihr das auch.»

«Also, für mich gilt das doch sicher nicht», sagte Ross. «Ich bin schließlich Gast hier.»

«Umso mehr», sagte Izzy. «Du sollst schließlich als Gast behandelt werden.» Sie lächelte ihn flehend an. «Bitte, Ross. Nach dem Essen darfst du auch gleich wieder verschwinden. Und es wird ein sehr leckeres Essen!»

«Ach ja?», fragte Ross und kniff misstrauisch die Augen zusammen. «Und wieso glaubst du, ich würde mich davon bestechen lassen?»

Izzy überlegte hektisch, was sie in der Kühltruhe hatte und was sie noch im Hofladen besorgen könnte.

«Hirschsteaks», sagte sie, «mit Röstkartoffeln, knackigem Grünkohl und Mohrrüben.»

Er betrachtete sie mit abwägendem Blick. «Hirschsteaks mag ich schon sehr gern. Na gut, aber mach mir keine Vorwürfe, wenn wir uns über seine lächerlichen Ansichten zerhacken.»

Nachdem Izzy in der Küche ein paar schottische Rezeptbücher gewälzt und einen schnellen Abstecher in den Hofladen gemacht hatte, begann sie mit den Vorbereitungen für das Menü. Es dauerte mehrere Stunden. Aber als sie schließlich für den ersten Gang die große Suppenterrine aus englischem Porzellan mit passender Kelle ins Esszimmer zu ihren hungrigen Freunden trug, musste sie zugeben, dass der Tisch wirklich schön aussah, besonders mit dem einheitlichen viktorianischen Geschirr.

Mit der neuen Wandfarbe, den frisch lackierten Holzpaneelen und dem sorgfältig gedeckten Tisch sah das Zimmer absolut umwerfend aus, und Izzy fühlte sich gleich viel wohler, wenn sie an die Summe dachte, die sie von ihren Weihnachtsgästen verlangten. Alles wirkte stilvoll und authentisch mit dem Silberbesteck, dem Porzellan und den Gläsern, die Jeanette unter Xanthes Aufsicht sorgfältig gereinigt und poliert hatte.

«Was haben wir denn da?», fragte Godfrey.

«Das ist Partan Bree», sagte Izzy leichthin, als hätte sie diese Spezialität bereits ihr ganzes Leben lang zubereitet. Dank Adriennes Ausbildung in der Kochschule war die Herstellung des Fischsuds für die Krabbensuppe ganz einfach gewesen, und sie war mit dem Ergebnis ziemlich zufrieden.

«Ah, wunderbar!» Godfrey rieb sich die Hände, als könnte er ihr damit ein großes Kompliment machen.

Izzy verteilte die hellorangefarbene Suppe und garnierte die Portionen mit eingelegtem Fenchel, dessen säuerlicher Geschmack wunderbar zur Cremigkeit der

Suppe passte. Der Anblick der Teller gefiel ihr, denn das Anrichten war sonst nie ihre Stärke gewesen. Aber dieses kleine Topping sah toll aus und war erstaunlich einfach zuzubereiten.

Danke, Jason, für den kleinen Tipp, dachte Izzy. Sie hoffte nur, dass er und Fliss über Weihnachten ihre Handys eingeschaltet ließen.

«Oh, das ist ja köstlich, Izzy!» Xanthe klopfte mit ihrem Löffel lobend auf ihren Suppenteller. «Ich nehme alles zurück. Es hat sich wirklich gelohnt, dass du diesen Kochkurs besucht hast.»

Izzy verdrehte die Augen. Sie hatte schon mit vierzehn Jahren praktisch das Kochen im Haushalt übernommen, weil Xanthe die Angewohnheit hatte, beim Zubereiten plötzlich das Interesse zu verlieren und aus der Küche zu gehen – was regelmäßig dazu geführt hatte, dass der Rauchmelder losging und ein weiterer Topf weggeworfen werden musste.

«Ich würde mir, bevor ich wieder abreise, zu gern noch das Claymore genauer ansehen», sagte Godfrey, während er die Suppe schlürfte. Natürlich schlürfte er. Izzy wünschte inbrünstig, ihre Mutter hätte ihn nie eingeladen.

Eigentlich wollte sie nicht, dass Godfrey das Schwert in die Hand nahm, aber bevor sie etwas sagen konnte, rief Xanthe bereits: «Natürlich kannst du das. Es ist so nett von dir, dass du die weite Reise auf dich genommen hast, um mit uns nach den Saphiren zu suchen. Und es tut mir leid, dass es ganz umsonst war.»

Godfrey hatte den ganzen Tag lang das Schloss abge-

sucht, an Wände geklopft, Fächer und Täfelungen unter-
sucht und in Kamine geschaut, jedoch vergebens, worüber Izzy sich heimlich freute.

«Ah, man braucht Beharrlichkeit, meine Lieben. Das
ist immer so bei Familienschätzen. Natürlich wurden sie
an Orten versteckt, die nur die Familie kannte. Ich wusste
daher, dass es schwierig werden würde. Aber ich würde
gern mit einem zweiten Experten wiederkommen.»

Das kann ich mir vorstellen, dachte Izzy mürrisch, und
wer würde diesmal dafür bezahlen? Wenn sie daran
dachte, was Ross für seinen Aufenthalt hinblätterte, war
es ihr einfach unangenehm, dass Godfrey hier umsonst
wohnte.

«Das wäre schön», sagte Xanthe.

Izzy erhob sich und kaschierte ihren Ärger mit einem
abgeklärten Lächeln. «Ich kümmere mich mal um den
Hauptgang.»

«Ich helfe dir», sagte Jeanette und sammelte geübt
Teller und Bestecke ein.

Izzy trug die Suppenterrine in die Küche und schaute
nach dem nächsten Gericht. Sie hatte die Hirschsteaks
nach dem Braten ruhen lassen, sodass der Fleischsaft
austreten konnte. Die gerösteten Kartoffeln sahen herrlich golden und knusprig aus. Der Grünkohl glänzte von
Olivenöl, Salz und einer Prise Zucker, mit dem sie ihn
bestreut hatte. Und die Karotten, die sie in Butter und
Sternanis geschwenkt hatte, dufteten köstlich. Schnell
gab sie den Fleischsaft in einen Topf, in dem bereits
Fleischbrühe, gebratene Schalotten, Portwein, Rotwein
und ein Lorbeerblatt warteten, und ließ alles aufkochen,

um die Flüssigkeit zu reduzieren, während sie das Fleisch und das Gemüse anrichtete.

Just in dem Moment, in dem sie fertig war, kam Jeanette in die Küche.

«Liegt es an mir, oder ist dieser Mann ein kompletter Knallkopf?»

Izzy lachte. «Er redet wirklich nur Blödsinn, das ist mal sicher.»

Der Hauptgang kam bei allen sehr gut an, und Izzy war von den vielen Komplimenten ganz beglückt.

Vielleicht konnte sie es mit dem Weihnachtsmenü ja doch schaffen.

Nachdem sie den Brombeer-Apfelstrudel serviert hatte – eine Köstlichkeit aus dem Hofladen, weil sie keine Zeit gehabt hatte, über ein Dessert nachzudenken, geschweige denn, eines zuzubereiten –, ging sie kurz auf ihr Zimmer und zog sich einen neuen Pullover an, weil sie sich beim Abräumen bekleckert hatte. Das Aufräumen in der Küche würde sicher eine Weile dauern, aber als sie an den Herd zurückkehrte, hatte Jeanette die Teller bereits abgewaschen, und Ross hatte Töpfe, Pfannen und alle Gerätschaften gespült und weggestellt. Gerade räumte er die Spülmaschine mit den restlichen Sachen ein, während Jim die Oberflächen und den Herd abwischte. Er hatte außerdem bereits eine große Kanne Kaffee gekocht.

«Wow», sagte sie und sah sich überrascht um. «Danke, aber ihr hättet doch nicht –»

«Teamwork», sagte Ross. «Wenn alle mit anpacken, ist es ganz leicht.»

«Aber du bist doch –»

«... ein Gast», vervollständigte er den Satz, den sie bereits x-mal ausgesprochen hatte. «Ich weiß.» Ross zuckte mit den Schultern. «Ich würde mich aber nur langweilen, wenn ich rumsitze und diesem Schaumschläger lauschen müsste.»

Izzy war überwältigt. «Ihr seid alle so nett.» Beinahe wären ihr schon wieder die Tränen gekommen.

«Wir sind eben ein Team», sagte Jeanette, kam zu ihr und schob einen Arm durch ihren.

«Gruppenumarmung!», rief Jim und umschlang sie alle beide mit seinen langen, schlaksigen Armen. Er war wie ein Welpe, der noch viel wachsen musste.

Und als selbst Ross ihr einen Arm um die Schultern legte, musste Izzy unwillkürlich schlucken. «Ich weiß nicht, was ich ohne euch alle tun würde.»

«Darüber musst du dir keine Gedanken machen», erklärte Jim, «denn wir sind ja hier und gehen nirgendwo hin.»

«Und keine Sorge, Izzy», sagte Jeanette. «Das wird ein tolles Weihnachten. Die Carter-Jones werden ihr Glück nicht fassen können.»

Sie servierte den Kaffee in der Halle vor dem Kaminfeuer, das Jim schon früher am Abend angezündet hatte. Die Holzscheite knackten leise, und die Flammen züngelten um die glühende Holzkohle. Izzy hatte gehofft, dass Godfrey nach dem ausgiebigen Essen zu müde war, um das Claymore untersuchen zu wollen, doch da wurde sie enttäuscht.

«Also ...» Godfrey blieb vor dem Kamin stehen und zeigte auf das Schwert, das an der Wand darüber befestigt war. «Es ist wirklich prächtig, aber es sollte in einem Museum hängen. Darf ich es mal anfassen?»

Ohne eine Antwort abzuwarten, ging er hin. Doch er war nicht groß genug, um an das Schwert heranzureichen, was Izzy aus einem Grund, auf den sie nicht besonders stolz war, unendlich freute.

«Das ist doch bloß ein altes Schwert», meinte Xanthe. «Ich weiß gar nicht, was der ganze Wirbel darum soll. Es glänzt nicht mal besonders.»

Ross trat herbei, als wollte er seinem Kollegen helfen.

«Nein!», fauchte Godfrey ihn an. «Das schaffe ich schon allein.» Er drehte die Kohlenschütte um, die neben dem Kamin stand, wobei er überall schwarzen Kohlenstaub verteilte, und kletterte darauf. Er fasste den Schwertgriff mit einer Hand – selbst Izzy wusste, wie dumm das bei einem Zweihandschwert war – und hob es von den Haken, an denen es hing. Als er das volle Gewicht in der Hand hielt, schwankte er wie in einem Zeichentrickfilm, sodass alle zurückwichen.

«He!», rief Duncan, der am nächsten stand und dem Godfrey beinahe ein Ohr abgetrennt hätte.

Godfrey gelang es, das Schwert mit der anderen Hand zu packen. Er sprang von der Kohlenschütte und stand einen Moment lang schwankend da, bis er schließlich das Gleichgewicht wiedergefunden hatte.

«Ah!» Er seufzte mit vor Bewunderung glasigen Augen. «Ein Prachtexemplar. Die Herstellung muss ein Vermögen gekostet haben. Solinger Stahl aus Deutschland, wenn ich mich nicht irre. Das waren damals die besten Schwertmacher in Europa, wisst ihr?»

«Das sagten Sie bereits», meinte Ross.

Godfrey funkelte ihn an und schwang dann das Schwert durch die Luft, wobei er vom Gewicht beinahe umgerissen wurde.

«Langsam, langsam», meinte Ross, als Godfreys Arme bedenklich zitterten und die Spitze des Schwertes klirrend über den Boden fuhr.

Godfrey taumelte und umklammerte den Griff des Schwertes mit starr ausgestreckten Armen. Er erinnerte an einen kleinen Jungen, der mit einem Werkzeug seiner Eltern herumhantierte.

Kopfschüttelnd trat Ross heran, nahm Godfrey das Schwert aus den Händen und hob es mit scheinbarer Leichtigkeit hoch, auch wenn Izzy sah, wie sich seine Armmuskeln anspannten. In dem Moment dachte sie unpassenderweise, dass Ross mit wallendem Kilt und diesem Schwert in der Hand auch auf einem Schlachtfeld nicht fehl am Platz gewirkt hätte. Wie lässig er seine Stärke demonstrierte und das Schwert ohne einen Hauch von Drama oder Effekthascherei hielt, berührte sie und stimmte sie froh.

Mit gebührendem Respekt legte er das Schwert auf dem langen Eichentisch an der Wand ab.

Godfrey stakste ebenfalls hinüber. «Wie gesagt», höhnte er, «es ist ein exzellentes Beispiel der Handwerkskunst des siebzehnten Jahrhunderts. Ein Schwert, das vor Hunderten von Jahren geschmiedet wurde und immer noch so scharf ist wie am ersten Tag.»

«Das bezweifele ich», meinte Ross. «Wenn man sich die Kerben auf dem Schwertblatt anschaut, dann wurde es reichlich benutzt, und es sieht aus, als wäre es eine ganze Weile nicht geschliffen worden. Auch wenn es ganz sicher immer noch eine Menge Schaden anrichten kann.»

Godfrey ignorierte ihn und drehte sich zu Xanthe, die brennendes Interesse heuchelte. Geschichtsfakten langweilten sie zu Tode, wie Izzy nur zu gut wusste. «Es ist so faszinierend, eine Expertenmeinung zu hören», schwärmte sie.

«Ja. Dieses Claymore wurde vermutlich dazu benutzt, um das Schloss vor Überfällen zu schützen, zum Beispiel durch die Engländer.»

«Das bezweifle ich», wiederholte Ross. «Der Schlossherr und Lady Isabella waren George II. treu ergeben, und Lady Isabellas Bruder Richard war mit einer Tochter des königlichen Lieblingsgesandten verheiratet.»

«Das ist nur ein Gerücht.» Godfrey plusterte sich auf. «Die Familie hat diese Geschichte vermutlich später promulgiert, um es sich nicht mit der englischen Regierung zu verscherzen.»

«*Promulgiert* ...», flüsterte Jeanette Izzy zu. «Was soll das überhaupt heißen?»

Ross fuhr sich durch die Haare. «Nach dem Familienbuch ist der Stammbaum eindeutig, und das Kirchenregister der St. John's Kirk in Perth belegt die Vermählung von Sir Richard mit Lady Henrietta, der Tochter von Edmund Poley, dem Gesandten von Hannover.»

«Davon habe ich noch nie etwas gehört», winkte Godfrey ab.

«Nur weil Sie davon nichts wissen, heißt es nicht, dass es nicht stimmt. Es ist eine historische Tatsache, belegt durch eine Primärquelle.»

Xanthe warf Ross einen missbilligenden Blick zu, was Godfrey zu einem kleinen Grinsen veranlasste. Er tätschelte ihre Hand.

«Siehst du das?», fragte er. «Dieser lange Griff mit der ungewöhnlich dekorativen Verzierung ist ganz typisch für diese Region.»

Ross beugte sich vor und runzelte beim Anblick der groben Klumpen auf dem Griff die Stirn. «Die sind nicht typisch», sagte er mit ehrlich verwirrtem Blick. «So was habe ich überhaupt noch nie gesehen.»

Godfrey schnalzte mit der Zunge. «Wie sagten Sie noch gleich? Nur weil Sie etwas nicht kennen, bedeutet es nicht, dass es nicht existiert.» Er drehte sich mit einem schmierigen Lächeln zu Xanthe. «Man hat die Dekorationen hinzugefügt, um den Griff zu verbessern. Wenn die Schwerter bei einer Schlacht voller Blut waren, konnten sie dem Krieger leicht aus der Hand gleiten, also verstärkte man ihre Griffe auf diese Weise, so wie Tennis- oder Squashspieler heutzutage ihre Schläger mit Griffband ausstatten.»

Izzy hörte Ross husten und dabei leise «So ein Quark» sagen.

Xanthe hingegen schob eine Hand durch Godfreys Arm. «Möchtest du mit mir in den Salon gehen? Da kannst du mir dann alles erzählen. Bill hat eine schöne Sammlung Maltwhiskys hinterlassen, bestimmt möchtest du einen probieren.» Und damit zog sie ihn fort, während sie Izzy und Ross einen abschätzigen Blick zuwarf.

«Eingebildeter Affe», sagte Ross, sobald sie außer Hörweite waren.

«Ich dachte, er würde umfallen, als er das Schwert in die Hand nahm.» Sie fing an zu kichern.

«Und ich dachte, er würde mir den Kopf abschneiden», meinte Duncan.

«Es war wirklich knapp», stimmte Jim zu.

«Dieser dumme Kerl hat offensichtlich noch nie in seinem Leben ein Claymore in der Hand gehabt», ärgerte sich Ross. «Sie sind extrem schwer und dafür gemacht, mit zwei Händen geführt zu werden. Aber ein Claymore wie das hier müsste eigentlich einen einfachen Ledergriff haben.» Ross deutete auf den Griff. «Ich bin mir nicht sicher, was es damit auf sich hat, aber das hier ist eine viel spätere Ergänzung, und wer auch immer das gemacht hat, sollte bestraft werden. Man hat damit möglicherweise ein wirklich schönes Stück entwertet. Kein Wunder, dass dein Onkel nicht wollte, dass das Schwert woanders hinkommt.» Er nahm das Schwert auf und hängte es wieder an seinen rechtmäßigen Platz über dem Feuer. «Trotzdem lassen sich damit wahrscheinlich potenzielle Einbrecher abschrecken.»

«Das werde ich im Hinterkopf behalten», sagte Izzy amüsiert.

Ross nickte. «So, ich werde mich jetzt zurückziehen, ich muss noch etwas arbeiten. Danke für das wunderbare Essen.»

«Danke für deine Hilfe.»

Er winkte in die Runde. «Gute Nacht allerseits.»

Izzy sah ihm nach, wie er die Treppe hinaufstieg, sich dann noch mal umdrehte und das Claymore mit nachdenklichem Blick betrachtete. Als er ihren Blick bemerkte, hob er die Hand und verschwand.

Izzy seufzte. Je mehr Zeit sie mit Ross verbrachte, desto mehr mochte sie ihn. Er war wie ein Fels in der Brandung – ruhig, vernünftig und verlässlich. Und auch wenn das vielleicht keine wahnsinnig attraktiven Adjektive waren, wirkten sie auf Izzy nach einem Leben mit Xanthes sprunghafter Art wie eine Wohltat. Doch dann dachte sie wieder an diese heiße Welle körperlicher Anziehung, die sie in seiner Gegenwart gespürt hatte, und die war gar nicht gut. Schließlich wusste sie besser als die meisten Menschen, dass körperliche Anziehung nicht immer ein gutes Ende nahm.

KAPITEL 14

*I*zzy stapfte über den gefrorenen Boden zu Ross'
schickem grünem Range Rover hinüber, dessen lau-
fender Motor weiße Wolken in die kalte Morgenluft blies.
Hinter ihr lag das Schloss dunkel und still da, abgesehen
von dem einzelnen Licht der Außenbeleuchtung neben
dem Eingangsportal. Halb sieben Uhr war wirklich früh,
aber auf diese Weise hatten sie einen ganzen Tag in Edinburgh, bevor sie am Abend wieder zurückfahren würden.

«Guten Morgen», sagte sie, als sie die Beifahrertür
öffnete. «Ich habe dir einen Kaffee mitgebracht.» Sie
schwenkte eine kleine Proviantasche.

«Du bist ein Engel. Abfahrbereit?»

Sie ignorierte das Kribbeln, das ihr bei dem Wort ‹Engel› durch den Körper lief. Er wollte nur nett sein, es bedeutete gar nichts.

«Ja.»

«Dann steig ein. Hier ist es warm.»

Das stimmte. Seufzend kuschelte sie sich in den be-
heizten Ledersitz. Es war ein sehr nobles Auto, vermutlich sogar das schickste, in dem sie je gesessen hatte.
Wer hätte geahnt, dass Geschichtsprofessoren so viel
verdienten?

Ihr Weg führte sie hinab ins Tal und durch Kinlochleven. Der Ort erwachte eben erst, vereinzelt gingen be-

reits Lichter hinter den Fenstern an. Dann umfing sie wieder Dunkelheit, und nur das Licht der Scheinwerfer durchdrang die Schwärze der Landschaft und spiegelte sich hier und da in den glühenden gelben Augen eines Tieres, das hastig in Sicherheit huschte. Izzy lehnte sich warm und zufrieden in ihrem Sitz zurück. Es war schön, ihren Kopf einmal abstellen zu können.

«Das war eine gute Idee», sagte sie und spürte, wie die Anspannung in ihren Schultern nachließ.

«Ja», sagte Ross. «Wieso schläfst du nicht noch ein bisschen? Also, ich meine das nicht unhöflich, aber du siehst aus, als müsstest du dich mal ausruhen.» Er strich über ihren Arm. «Gönn dir ruhig eine Pause, du hast in letzter Zeit wirklich viel gearbeitet.»

Die unerwartete Berührung ließ sie erschaudern.

«Danke», sagte sie bewegt. Dies war der erste Ausflug seit einer Ewigkeit, und es war noch länger her, dass sich jemand um sie Gedanken gemacht hatte.

Als sie eine Stunde später wieder erwachte, erklomm der Wagen gerade eine Hügelkuppe.

«Das wird ein herrlicher Sonnenaufgang», sagte sie.

Der Himmel breitete sich in leuchtendem Rosa vor ihnen aus, mit Schattierungen von Pfirsich und Blau, die sich über den Horizont verteilten und einen neuen Tag ankündigten.

«Sollen wir für einen Moment anhalten?», fragte Ross. «Da vorn ist ein Parkplatz, und ich könnte etwas von dem Kaffee gebrauchen, den du mir versprochen hast.»

Sie hielten an einem Rastplatz am Rande von Lochan

Lairig Cheile und stiegen aus dem Auto. Ohne ein Wort zu wechseln, als ob sie sich gleichermaßen zum Wasser hingezogen fühlten, gingen sie durch die lichten Pinienbäume und blieben am Rande des Sees stehen. Izzy nahm einen tiefen Atemzug und spürte, wie die kalte Luft ihre Lungen füllte, während sie zu den zerklüfteten Hügeln und den Nebelschwaden aufschaute, die über den dicht am Ufer wachsenden Kiefern tanzten. Sie holte eine Thermoskanne und zwei Becher aus ihrer Tasche und schenkte ihnen beiden einen starken, dunklen Kaffee ein. «Es gibt auch Milch, falls du welche willst.»

«Du bist wirklich gut organisiert. Hast du zufällig auch noch ein Sandwich in Butterbrotpapier dabei, wie meine Oma sie immer gemacht hat?»

Sie gab ihm einen leichten Klaps auf den Arm. «Frechdachs! Keine Sandwiches, aber du kannst einen Apfel haben, wenn du brav bist. Ich habe diese Fahrt schon ein paarmal gemacht, darum weiß ich, dass es keine Raststätten auf dem Weg gibt. Aber die Natur ist einfach wunderschön. Ich kann mich nie entscheiden, was mir am besten gefällt.» Sie seufzte und blickte auf die Hügelkette in der Ferne, die sich in Violett- und Grautönen gegen den Himmel abzeichnete. «Jedes Mal jubiliert mein Herz bei dieser Schönheit. Diese Landschaft hat in ihrer Größe schon so viel mehr erlebt und ertragen, als wir uns vorstellen können. Sie war vor uns da und wird noch lange nach uns da sein. Sie relativiert all unsere kleinen Probleme, findest du nicht auch? Es erfüllt mich immer wieder mit Ehrfurcht.»

Er drehte sich zu ihr, ein Lächeln breitete sich auf seinem Gesicht aus. «Genau das empfinde ich auch. Ich bin nicht sicher, ob ich je wieder in der Stadt leben kann.»

Sie nickten einträchtig, und Izzy fühlte, wie ihr Herz schneller klopfte. Schnell nahm sie einen Schluck Kaffee und schaute absichtlich weg und über das Wasser, das sich im leichten Wind wellte.

«Nur noch zwei Stunden bis Edinburgh», sagte sie. «Wann fängt dein Meeting an?»

«Ich muss um zehn da sein.» Er betrachtete sie mit diesem vorsichtigen Blick, als wüsste oder ahnte er, was in ihrem Kopf vorging, doch er akzeptierte den Themenwechsel. «Dem Navi nach gibt es einen Unfall auf der M9, also nehmen wir einen Umweg über die Kincardine Bridge, die führt uns über Dunfermline. Nicht ideal, aber wir haben genügend Zeit.»

Als sie sich der Forth Road Bridge näherten, kamen bereits die vertrauten, rostrot gestrichenen Träger der Brücke in Sicht. Es war zwar nicht die schönste Brücke, doch sie war ein Symbol für den Erfindungsreichtum und die Ingenieurskunst aus der Entstehungszeit der Stadt, und wann immer Izzy von Norden kam, war die Brücke ein Zeichen für sie, dass sie wieder zu Hause war.

«Wo in Edinburgh wohnst du eigentlich?»

«In Morningside», sagte Ross mit einem Blick auf seine Uhr.

«Oh! Ich liebe Morningside. All die hübschen Reihenhäuser. Ich habe Freunde, die wohnen in Braid Hill in einer supercharmanten Wohnung. Da sind auch sehr gute Cafés und –»

191

«Mmm.»

Sie warf Ross einen fragenden Blick zu. Er wirkte konzentriert, schaute starr auf die Straße vor sich, seine Bewegungen waren knapp und präzise, selbst den Blinker betätigte er scharf und bissig.

«Brauchst du lange, um morgens in die Stadt zu kommen?», fragte sie.

«Nicht sehr.» Er zuckte mit den Achseln.

«Wie lange dauert es?»

«Ungefähr eine halbe Stunde. Je nach Verkehr.» Diesmal klang er wirklich brüsk. Warum fühlte sich die Unterhaltung mit ihm plötzlich an wie beim Zahnarzt, der einem einen Zahn ziehen will? Warum war er mit einem Mal so unkommunikativ?

«Ist es ein wichtiges Meeting?», fragte sie mitfühlend. Vielleicht war er deshalb so gestresst.

«Was?» Er klang abgelenkt.

«Das Fakultätsmeeting, zu dem du musst.»

«Ähm ... ja. Schon.»

«Es wird bestimmt gut», sagte Izzy aufmunternd.

«Ja, bestimmt.» Er lächelte sie vage an, doch es war offensichtlich, dass er mit seinen Gedanken ganz woanders war.

Izzy beschloss, ihn nicht mit weiterem Geplauder zu nerven, und sank tiefer in ihren Sitz.

«Wo soll ich dich rauslassen?», fragte Ross.

«Parkst du bei der Universität?»

«Mmm.»

«Wo genau? Ich kann gern von dort aus zu Fuß gehen. Ich habe ja den ganzen Tag Zeit.»

Ross drehte sich zu ihr um. «Ich wollte im St. James Quarter parken. Beim Einkaufszentrum gibt es ein großes Parkhaus.»

«Aha, aber ist das nicht zu weit weg von der Universität?»

«Es ist ein ... Auswärtstreffen. Wir treffen uns außerhalb der Fakultät.»

Sie runzelte die Stirn über seine ausweichende Art. Wieso tat er so geheimnisvoll? Es sei denn, er hatte eigentlich ganz andere Pläne ... Traf er sich etwa mit einer verheirateten Geliebten oder so etwas? Wenn er ein heimliches Rendezvous hatte, würde das sein Verhalten erklären – auch wenn sie Ross nicht so einschätzte. Andererseits, was wusste sie schon darüber, wie Männer dachten? Bei Philip hatte sie jedenfalls schmerzhaft danebengelegen.

«Das passt mir gut», sagte sie knapp.

«Sicher? Es macht mir nichts aus, dich irgendwo anders abzusetzen.»

«Schon okay. Das liegt doch ziemlich zentral bei den meisten Geschäften.»

«Na, wenn du meinst. Ich hätte dich auch woanders hingefahren. Wolltest du nicht vielleicht in die Altstadt?»

Izzy hatte das verrückte Bedürfnis zu lachen. Sie wusste wie jeder in Edinburgh, dass die Royal Mile in der Altstadt voller Touristen sein würde und dass sich alles bis zum Holyrood Palace staute.

«Ich komme mit dir zum Parkhaus. Wie gesagt, das passt mir gut. Jeanette hat mir eine Liste der Gäste zusammengestellt, die zu Weihnachten kommen, damit ich für sie Geschenke besorgen kann. Ich dachte, ein paar Souvenirs wären vielleicht charmant. Und dann für jeden noch echtes Scottish Fudge und Shortbread. Und ein Kühlschrankmagnet aus einem dieser kleinen Touristenläden. Alles für die Weihnachtsstrümpfe.»

«Gute Idee.»

«Und vielleicht einen Mini-Whisky und etwas Dosen-Haggis.»

«Woher stammen die Gäste?»

«Mr. Carter-Jones ist aus den Midlands, seine Frau kommt aus Kanada, aber offenbar hat sie schottische Vorfahren, die das Land 1747 verlassen haben, nicht lange nach dem Jakobitenaufstand.»

«Und darum möchte sie jetzt zu ihren Wurzeln zurückkehren», überlegte er.

«Genau. Ich bin etwas nervös, was ihre Erwartungen angeht, obwohl Jeanette gesagt hat, sie habe in ihren E-Mails total nett geklungen.»

Mr. Carter-Jones hatte ein zusätzliches Budget von fünfzig Pfund pro Person für die Weihnachtsstrümpfe angekündigt sowie eine Kurzbeschreibung von allen geschickt. Er selbst und sein Schwager spielten leidenschaftlich gerne Golf, beide Söhne waren Whisky-Fans, die Tochter liebte Kosmetik, die Nichte war eine Leseratte, und Mrs. Carter-Jones und ihre Schwester kochten gern.

Izzy rieb sich die Hände. Es war schon länger her, dass sie mal richtig shoppen gegangen war, und sie freute sich darauf. Sie hoffte bloß, dass sie genügend Zeit haben würde, um alles zu erledigen, und dass ihre Arme stark genug waren für all die Tüten, die sie tragen würde.

«Ich höre praktisch, wie es in deinem Kopf arbeitet», sagte Ross. Es war das erste Mal seit mehreren Minuten, dass er freiwillig etwas sagte. Izzy wusste nicht, ob sie paranoid war oder nicht, aber es herrschte irgendwie eine merkwürdige Anspannung im Auto, wie eine Spirale, die sich fester und fester zog.

«Ist alles in Ordnung?», platzte es schließlich aus ihr heraus. Gleichzeitig hasste sie dieses Gefühl der Ohnmacht, das sie nötigte, ihn nach seiner Anspannung zu fragen.

Er mahlte mit dem Kiefer.

«Alles fein», sagte er schließlich barsch, ohne sie anzuschauen, und bewies damit, dass das Gegenteil der Fall war.

«*Fein*, soso», wiederholte sie spöttisch und entschied, dass sie so kurz vor dem Parkhaus nichts zu verlieren hatte. «Wenn jemand ‹fein› sagt, dann heißt das meist das Gegenteil.»

«Nun, bei mir nicht», sagte er mit einem Ton, der normalerweise jede Unterhaltung beendete. Aber Izzy war aus härterem Holz geschnitzt.

«Ich bilde mir den eisigen Ton also nur ein, der gerade in diesem Auto herrscht?»

«Tust du», sagte Ross schmallippig.

Nun, das bewies alles. Es fühlte sich an wie eine dieser Diskussionen, die sie mit Philip geführt hatte, wenn er sich mal wieder aufführte wie Dr. Jekyll und Mr. Hyde. In der Öffentlichkeit hatte er ihr bester Freund sein und ihr das Gefühl geben können, im Mittelpunkt seiner Welt zu stehen, doch im nächsten Moment konnte er völlig abweisend sein. Izzy biss die Zähne zusammen und schaute aus dem Beifahrerfenster. Pah! Ross konnte sich gehackt legen! Sie würde ihn nicht länger stören. Sie hatte ihn zwar mittlerweile als Freund betrachtet – und dämlicherweise war da vielleicht sogar etwas mehr –, aber offenbar wollte er außerhalb des Schlosses nichts mit ihr zu tun haben.

Als er vor dem Eingang zum Parkhaus anhielt und ihr anbot, dass sie hier aussteigen konnte, anstatt zu warten, bis er irgendwo geparkt hatte, stimmte sie sofort zu.

«Dann treffen wir uns um sieben Uhr abends wieder hier», fügte Ross hinzu.

«Ist gut», sagte Izzy kurz angebunden und zwang sich zu einem kurzen Lächeln.

Einen Augenblick glaubte sie, Reue in seinen Augen zu lesen. Vielleicht hatte sie es sich aber auch nur eingebildet. Denn im nächsten Moment war er wieder der kühle, distanzierte, von sich selbst eingenommene Ross Strathallan, den sie am ersten Tag im Schloss kennengelernt hatte, und das sollte sie besser nicht vergessen. Wieso hatte sie bloß den Eindruck, dass er sie unbedingt loswerden wollte?

«Also, bis später», sagte sie und winkte mit einer Unbekümmertheit, die sie nicht empfand, dann nahm sie ihre Handtasche, stieg aus und ging, so schnell sie konnte, davon. Dieser Idiot. Sie hatte wirklich genug von wankelmütigen Männern. Den Fehler, sich auf einen von ihnen einzulassen, würde sie ganz sicher nicht noch einmal begehen.

Nach den drei Stunden Autofahrt beschloss sie, erst ein-

mal ein bisschen zu Fuß zu gehen und den Kopf freizube-
kommen. Sie marschierte in Richtung Altstadt, wobei sie
den Verlockungen des Weihnachtsmarktes auf der Princes
Street widerstand. Dort würde sie später bummeln.

Ihr erster Stopp sollte Fabhatrix sein, ein großartiger
Hutladen auf dem Grassmarket. Dort gab es die schönste
Auswahl an modischem und originellem Kopfputz, und
Izzy war sicher, dass sie hier genau das richtige Weih-
nachtsgeschenk für Xanthe finden würde.

Von dort ging sie die steil ansteigende, mit Kopfstein
gepflasterte Candlemakers Row hinauf und betrat einen
Laden nach dem anderen, um zu stöbern und hier und
da etwas zu kaufen. Alle schienen in Weihnachtslaune.
Izzy schlängelte sich leichtfüßig durch die Menschen auf
den Gehwegen und genoss die wunderbare Stimmung
und die Auslagen in den Schaufenstern. Lichter funkelten, Lametta glitzerte, und aus den Ladeneingängen er-
tönten festliche Lieder.

Oben an der Straße überquerte sie den Kirchhof, um
der Statue von Greyfriars Bobby Hallo zu sagen – dem
legendären Hund, der dort begraben lag –, bevor sie sich
einen Coffee to go holte.

Sie blieb auf der Brücke stehen und schaute auf Cow-
gate hinunter, auf die alten Gebäude und die Mietskaser-
nen, die sich mit der großartigen Architektur vermisch-
ten. Edinburgh war einmalig, aber ihr Zuhause war jetzt
das Schloss, wo Izzy sich das erste Mal seit langer Zeit
wirklich angekommen fühlte. Sie hatte ihren Platz in
der Welt gefunden. Zugegeben, sie liebte das geschäftige
Treiben, die Kreativität und die Geschichte Edinburghs,

aber sie musste hier nicht mehr wohnen. Sie war weiter-gezogen, und jetzt, wo sie einen Ort hatte, den sie ihr Zuhause nennen durfte, konnte sie die Stadt mit Zuneigung betrachten statt mit der hoffnungslosen Liebe, die sie so lange mit ihr verbunden hatte.

Sie hatte sich vielmehr weiterentwickelt und sich ein eigenes Leben aufgebaut, und es fühlte sich gut an, die letzten Bande abzustreifen, die sie so lange an Philip gebunden hatten. Sie lächelte, fühlte sich erfrischt und erneuert. Mit leichtem Schritt machte sie kehrt und ging hinunter zu den Touristenläden auf der Royal Mile und Canongate, betrat Thistle Do Nicely, um weitere Dinge für die Weihnachtssstrümpfe zu kaufen, darunter einige Kühlschrankmagnete, ein paar Mini-Flaschen Whisky, Seifen von Arran Armotics und mehrere kleine Gläser Heidehonig. Weil ihre Taschen bereits schwer waren, gönnte sie sich in Clarinda's Tearoom eine Tasse Tee und einen Früchte-Scone mit Marmelade und Cream. Der ruhige Charme des Cafés mit seinen alten, bunt zusammengewürfelten Teetassen kam ihr nach dem Gedränge draußen vor wie eine Oase der Ruhe. Gedankenverloren betrachtete sie die Wände voller Schnickschnack, Stickrahmen, blau-weißen Tellern mit schottischen Seen und Regalen voller Nippes, bevor sie sich gestärkt für eine zweite Shoppingrunde fühlte.

Befeuert vom Zucker in ihrem Blut, fühlte sie sich bereit für das trubelige Treiben auf dem Weihnachtsmarkt der Princes Street, für die bezaubernden, von Lichterketten erhellten Holzhütten und die Menschenmassen, die gegen die kalte Luft in Mützen und Schals gehüllt waren.

Sie stöberte an den Ständen, bewunderte den handgefertigten Schmuck, die Gemälde, die hübschen Lesezeichen und Töpferwaren und atmete den Geruch von Glühwein und heißen Mince Pies ein, während die Kerzen an den Ständen den Duft von Kiefernholz und Preiselbeeren verströmten.

Bei all den schönen Waren war es schwer, sich zu entscheiden. Schließlich kaufte sie für Jeanette eine hübsche Schale zur Aufbewahrung ihres Schmucks, ein schickes Paar Ohrringe für Xanthe und Lesezeichen für alle Weihnachtsstrümpfe. Außerdem erstand sie ein paar weihnachtliche Servietten für die Damen sowie Gläser mit Whiskymarmelade von einer Firma aus Leith.

Schließlich hatte sie Lust, etwas zu essen, und beschloss, zur etwas ruhigeren Gegend um die George Street zu gehen. Nach einem Käsetoast in einem der vielen Cafés schlenderte sie wie jedes Jahr noch zu Jenners, dem großen Kaufhaus, um Baumschmuck für Xanthe zu besorgen. Lange schwankte sie zwischen einer kleinen Maus mit Dudelsack und einem dicken, fröhlichen Weihnachtsmann, der einen weißen Wattebauschbart trug.

Mittlerweile schmerzten ihre Arme von all ihren Einkaufstüten, aber ihr Tag war erfolgreich gewesen. Jetzt brauchte sie nur noch ein paar letzte Kleinigkeiten für die Weihnachtsstrümpfe, besonders für die lesewütige Nichte von Mrs. Carter-Jones.

Waterstones auf der Princes Street war eine große Buchhandlung, und sie wusste, dass man dort auch Geschenkartikel kaufen konnte. Als sie den geschäftigen Laden betrat, bemerkte sie eine Menschenschlange, die sich an den Buchregalen entlang erstreckte. Offenbar fand hier eine Signierstunde statt. Eher aus Neugierde als aus besonderem Interesse suchte Izzy nach der Ankündigung auf einem Plakat und erfuhr, dass Ross Adair heute sein neues Buch signierte. Sie spähte durch die Menge, um einen Blick auf den Mann werfen zu können. Sosehr sie seine Bücher mochte, war ihr eine Hardcoverausgabe momentan zu teuer. Aber sie war erpicht darauf, ihn endlich einmal zu sehen, denn in seinen Büchern war nie ein Foto von ihm abgedruckt.

Sie reckte den Hals, fand eine Lücke in der Menge und erhaschte schließlich einen Blick auf den Autor, der mit gesenktem Kopf ein Buch signierte. Plötzlich erfasste sie ein seltsamer Schauer, es war, als würde eine kalte Hand nach ihrem Herzen greifen. Das konnte doch nicht ... nein! Da saß Ross Strathallan! Ihr Mund öffnete sich, und ein merkwürdig ersticktes Quieken drang heraus, sodass sich eine Frau in der Nähe überrascht umdrehte. Genau in diesem Moment hob auch Ross seinen Kopf, und als würde er von ihrem Schock angezogen, schaute er genau zu ihr herüber. Ein erschrockener Ausdruck zog über sein Gesicht, bevor er sich der Dame zuwandte, deren Buch er gerade signiert hatte. Ihr leuchtend roter Mantel schützte ihn nun vor Izzys Blicken.

Ross Strathallan war also Ross Adair! Einen Augenblick lang stand Izzy wie ein aufgescheuchtes Kaninchen da und wusste nicht, was sie tun sollte. Wie war das möglich? Andererseits ... Jetzt ergab alles einen Sinn. Seine unvollendeten Sätze über seine Arbeit und wie er um ihre Fragen nach seinem Schreiben laviert war ...

Sie wich zurück und empfand eine Mischung aus Beschämung und Reue. Und vor allem Ärger. Ärger darüber, dass er ihr nicht vertraut hatte. Ärger über ihre eigene Enttäuschung.

Sie fühlte sich, als wäre sie auf etwas Verbotenes gestoßen. War er deshalb heute Morgen so verschlossen gewesen? Hatte er bereut, sie nach Edinburgh mitgenommen zu haben? Weil das Risiko damit größer wurde, dass sie herausfinden konnte, wer er wirklich war? Und wieso war es ihm überhaupt so wichtig, inkognito zu sein? Diese Fragen schossen ihr durch den Kopf, machten sie kribbelig und unruhig. Sollte sie gehen? Oder bleiben? Sollte sie warten, bis Ross sie begrüßte? Oder würde er etwa so tun, als ob er sie nicht kannte?

Sie ging in die Geschenkabteilung und versuchte, sich auf die Suche nach den passenden Geschenken zu konzentrieren, während sie die ganze Zeit einen weiteren Blick auf Ross werfen wollte. Doch sie wagte es nicht, aus Angst, er könne sie dabei ertappen.

«Izzy?»

Beim Klang der vertrauten Stimme fuhr sie herum. «Philip!» Ihre Stimme schraubte sich zu einem peinlichen Quieken, als sie plötzlich dem Mann gegenüberstand, den sie so viele Jahre lang hoffnungslos geliebt hatte. «Oh, hallo!», sagte sie in dem verzweifelten Versuch, cool zu klingen. Sie hatte sich seinetwegen derartig lächerlich gemacht, dass allein die Erinnerung daran absolut demütigend für sie war.

«Wie ist es dir ergangen?», fragte er. Dann fügte er mit leiser Stimme hinzu: «Ich habe dich vermisst.» Er schaute ihr in die Augen, versuchte, ihren Blick zu halten.

Sie schluckte. Und schon befand sie sich wieder auf der Gefühlsachterbahn: In ihrem Bauch kribbelte es genau wie früher, und ihr Herz machte wieder diesen dummen hoffnungsvollen Hüpfer. Philip hatte sie vermisst! Nach all der Zeit hatte er sie vermisst. Ein Teil von ihr hätte am liebsten triumphiert und gejubelt, während ein anderer Teil von ihr verzweifelte.

«Ach, gut», brachte sie schließlich heraus. «Und wie geht's dir?»

«Gott, es ist so schön, dich zu sehen, Izzy.» Er fuhr mit seinen warmen, braunen Augen über ihr Gesicht, als würde er ihren Anblick förmlich in sich aufsaugen. «Du siehst ... du siehst toll aus. Wohnst du jetzt wieder in Edinburgh? Oder stimmt es, dass du in die Highlands gezogen bist?» Er wiegte den Kopf hin und her.

«Ich bin nur für einen Tag hier. Und ja, ich wohne jetzt tatsächlich in den Highlands.»

«Nein!», rief er ungläubig. «Und für wie lange? Du kommst doch wieder zurück nach Edinburgh, oder?» Sein Bedauern klang schwindelerregend echt.

«Es ist ... eigentlich für immer. Xanthe und ich sind nach Kinlochleven gezogen.»

Sein Gesicht verfinsterte sich, und einen Moment lang hätte Izzy schwören können, dass er wirklich gequält aussah. Mit gesenkter Stimme fragte er: «Ist das meine Schuld?»

Sie presste die Lippen fest zusammen. In ihrem Kopf schrie die Stimme der Vernunft: *Nein, ist es nicht, du ein-*

gebildeter Idiot! Aber das Stimmchen hatte größte Mühe, gegen ihr dummes, verräterisches Herz anzukämpfen, das all das hier gierig aufsog.

«Es tut mir ja so leid, Iz! Aber das hier ist doch Schicksal, dass ich dich heute hier treffe. Ich habe einen schrecklichen Fehler gemacht. Antonia und ich haben uns getrennt, weißt du?»

Ihr Herz vollführte wieder einen dieser albernen Sprünge, obwohl die Stimme in ihrem Kopf lästerte: *Und schon geht es wieder los, du Dummerchen. Heiß. Kalt. Heiß. Kalt.*

«Das ... tut mir leid für euch.» Sie war ziemlich stolz auf sich, dass sie von diesen Nachrichten so unberührt klang. Im Gegensatz zu dem Abend, als er ihr erzählt hatte, dass er sich verlobt habe, wirkte sie jetzt ruhig und ausgeglichen – wenn auch im krassen Gegensatz zu dem Wirbelsturm an Emotionen, der durch ihr Inneres tobte.

«Nicht so wie mir, Iz. Ich vermisse dich schrecklich.» Er griff mit beiden Händen nach ihrer Rechten und strich mit einem Finger sanft über ihren Handrücken. «Du warst meine beste Freundin. Aber das habe ich erst gemerkt, als du nicht mehr da warst.»

Die beharrliche Berührung auf ihrer Haut brachte sie völlig durcheinander.

Da hörte sie plötzlich eine Stimme hinter sich rufen: «McBride!» Sie wirbelte herum, wobei sie Philip ihre Hand entzog.

«Ross!», sagte sie, wobei sie klang wie ein gewürgtes Meerschweinchen. «Hi!»

Das war alles, was sie sagen konnte. Sie würde wirklich noch mal herausfinden müssen, warum es ihr so gefiel, dass er sie McBride nannte! In diesem Moment lag es vielleicht auch an der Überraschung auf Philips Gesicht, die auf diese Bezeichnung folgte.

Sie schaute zu ihm hoch und dann hinüber zum Tisch, wo er seine Bücher signiert hatte. Er lächelte sie schief an. «Ich erkläre das alles später, aber meine Pläne haben sich geändert, und deshalb wollte ich kurz mit dir reden. Ich werde früher fertig als geplant. Also ... möchtest du vielleicht noch etwas essen gehen, bevor wir zurückfahren? Ich habe in der White Horse Oyster Bar auf der Canongate einen Tisch reserviert. Wir könnten uns dort treffen ...»

Er verstummte, als sein Blick auf Philip und dann auf die Einkaufstüten zu ihren Füßen fiel. «Erfolgreicher Einkauf?»

«Ja, sehr», sagte sie. «Auch wenn meine Arme schon schmerzen. Aber ich bin noch immer nicht fertig.»

«Warum lässt du die Tüten nicht einfach hier bei mir? Ich frage die Buchhändlerin, ob sie die Sachen in einen Lagerraum stellen kann.»

Izzy lächelte ihn dankbar an. «Das wäre toll. Danke.»

Philip räusperte sich, und sie drehte sich zu ihm um und wollte sich schon dafür entschuldigen, dass sie ihn ignoriert hatte. Aber dann erinnerte sie sich daran, wie oft er sie in Gegenwart anderer Leute plötzlich vergessen hatte. «Ross, das hier ist ein alter Freund, Philip.» Jetzt hatte ihr Kopf die Oberhand, und sie würde einen Teufel tun und Philips unverhohlener Neugierde nachgeben. Ausnahmsweise würde sie *ihn* mal im Unklaren lassen. «Und Abendessen klingt großartig.»

Ross hob den Kopf und fing ein hektisches Zeichen von einer jungen Dame auf, von der Izzy annahm, dass sie die Buchhändlerin sein musste.

«Die Pflicht ruft», erklärte er. «Ich bin in etwa einer halben Stunde fertig. Wir sehen uns dann nachher im Restaurant.» Er bückte sich, um ihre Einkaufstaschen aufzuheben, und bevor sie noch etwas sagen konnte, ging er davon und drückte die Tüten der verwirrten Frau am Tisch in die Arme.

«Woher kennst du denn Ross Adair?», fragte Philip und klang beinahe enttäuscht, so als hätte er etwas über Izzy erfahren, von dem er nichts wusste und was ihm gar nicht gefiel.

«Er ist nur ein guter Freund.» Sie lächelte Philip fröhlich an, denn sie wusste, dass er genau das Gleiche zu Antonia gesagt hatte, als Izzy sie zum ersten Mal gesehen und ihre scharf geflüsterte Frage gehört hatte: «*Wer ist denn die Frau da, und wieso tut sie so vertraut mit dir?*» Philip hatte Antonia auf die Wange geküsst und gelacht. «*Izzy, sei nicht albern. Sie ist nur eine gute Freundin. Wir sind seit Teenagerzeiten befreundet. Sie ist wie eine Schwester für mich.*» In jenem Moment war Izzy damals alles klar geworden.

Sie biss die Zähne zusammen und schob die schmerzhafte Erinnerung beiseite.

«Kennst du ihn schon lange?», fragte Philip. Und als Izzy den Kopf schüttelte, ergänzte er: «Ich wollte dich nämlich auch fragen, ob wir etwas trinken gehen. Auf die alten Zeiten anstoßen. Wir könnten auch zusammen essen. Das könnten wir immer noch tun.»

Izzy war sprachlos. Es hatte Zeiten gegeben, da hätte sie alles stehen und liegen lassen, um mit ihm zusammen zu sein.

Mit einem strahlenden Lächeln, das ihren inneren Aufruhr verbarg, sagte sie: «Ein anderes Mal vielleicht. Aber es war schön, dich wiederzusehen.»

«Izzy, bitte», drängte er. «Es gibt so viel, worüber wir reden müssen. Ich habe einen schrecklichen Fehler begangen. Ich erkenne es jetzt erst mit ganzer Klarheit. Als ich dich gesehen habe ... da ... wurde es mir auf einmal klar.»

Izzy schluckte. Jetzt war sie vollends verwirrt. Sie hatte sich eingeredet, dass sie über ihn hinweg war, und sie hatte mittlerweile so viel anderes, an das sie denken musste. Sie trug Verantwortung für das Schloss und konnte Xanthe nicht im Stich lassen. Trotz all der Fehler ihrer Mutter war sie Familie, und sie war alles, was sie hatte.

«Ich kann nicht. Ich muss zurück nach Hause.»

Nach Hause. Der Gedanke an ihr neues Zuhause fühlte sich warm an, und sie lächelte. Auch wenn sehr viel Arbeit auf sie wartete, freute sie sich darauf, mit all ihren Päckchen zurück zum Schloss zu kommen, die Weihnachtsbäume zu schmücken und Jim, Jeanette und Duncan wiederzusehen, deren Freundschaft sie nicht für selbstverständlich nahm.

«Wir könnten doch jetzt etwas trinken gehen?»

Izzy konnte ihn bloß anstarren. «Es geht nicht, ich muss noch einkaufen.»

«Ich könnte dich begleiten.»

Jetzt musste Izzy lachen. «Da brauche ich doch nur länger, denn nach fünf Minuten wirst du mich schon überreden wollen, einen Kaffee mit dir zu trinken.»

Er grinste sie an. «Darum habe ich dich ja so vermisst. Du kennst mich besser als jeder andere.»

«Das stimmt.» Ihr Herz bebte, und sie zögerte. *Vielleicht ein schneller Kaffee?*

Sein Handy piepte. Er schaute auf das Display, und ein Stirnrunzeln zog über sein Gesicht.

«Verdammt, ich muss los.» Er sah sie mit offensichtlichem Bedauern an und beugte sich vor, um sie auf die Wange zu küssen. «Aber ich gebe dich nicht auf, Izzy McBride, wir sind schon viel zu lange befreundet. Wie gesagt, du kennst mich besser als jeder andere.» Er sah sie fest an und lächelte mit langsamer, trauriger Intensität. «Und du wirst immer meine beste Freundin sein.»

Izzy griff nach ein paar Sachen in der Auslage vor ihr. «Ich muss das hier noch bezahlen», sagte sie und fühlte sich jetzt vollends durcheinander. Sie wünschte, Philip würde aufhören, sie so anzustarren. Er drohte, all ihre guten Vorsätze zum Einsturz zu bringen. Sie wollte nicht wieder auf diesen Philip-Zug aus Hoffnung und Verzweiflung aufspringen und tat ein paar Schritte rückwärts.

«Darf ich dich anrufen, Iz?», fragte er und starrte ihr wie ein tragisch-romantischer Held hinterher.

Ohne zu antworten, drehte sie sich um und eilte davon, wobei sie ihre Handtasche umklammerte, als wäre sie ein Rettungsring, der sie noch mit dem gesunden Menschenverstand verband.

KAPITEL 15

Auf dem Weg zurück durch die Altstadt wirbelten die Gedanken in Izzys Kopf herum. Sie spürte kaum den eisigen Biss des Windes an ihren Wangen, der um die Ecken pfiff.

Philip wollte mit ihr sprechen – aber bevor sie wieder auf dasselbe Muster hereinfallen würde, beschloss sie, ihn für den Moment aus ihren Gedanken zu verbannen und sich stattdessen auf ihre Umgebung und die offensichtlich gefallenen Temperaturen zu konzentrieren. Erste Schneeflocken fielen vom Himmel, und es fühlte sich ein bisschen so an wie das Einstimmen eines Orchesters vor dem großen Auftritt. Und wie es sich für ein jahrhundertealtes Fest gehörte, das Freude in den Winter brachte, wurde die Dunkelheit in der Stadt durch beinahe überschwängliche Lichtspiele vertrieben: von riesigen, leuchtenden Schneeflocken, die am Scott Monument auf und ab tanzten, über die Lasershow, die die Mauern von Edinburgh Castle beleuchtete, bis hin zum glitzernden Tunnel aus Licht vor St. Giles auf der Royal Mile.

Sobald sie das Restaurant betrat, sah sie Ross auf einem der Hocker, die an den rustikalen Holztischen im Barbereich standen. Allein wegen seiner Größe war er eine imposante Erscheinung, doch er hatte auch diese Selbstsicherheit an sich, die sie so attraktiv fand. Zu seinen Füßen standen ihre Einkaufstüten, und sie musste lächeln.

«Hi», sagte sie und spürte plötzlich eine große Schüchternheit, weil sie nicht wusste, ob sie nun Ross Strathallan oder Ross Adair gegenübertrat. Außerdem war ihr bewusst, dass ihr Gesicht glühte und ihre Nase vermutlich eine ziemlich gute Rentier-Rudolph-Nase abgab.

«Hi», sagte er mit einem Lächeln, das andeutete, dass er ihre Unsicherheit verstand.

Jetzt war er eben nicht mehr Ross Strathallan, der Geschichtsprofessor-Gast. Er war Ross Adair, der Bestsellerautor, der schon viele Bücher geschrieben hatte, von denen das erste erfolgreich als TV-Serie verfilmt worden war.

«Hi», sagte sie wieder, während sich ihre Zunge in einer Art Makramee verknotete. Wieso fiel ihr nichts anderes zu sagen ein? Schließlich entwirrte sich ihre Zunge, und sie platzte heraus: «Jetzt macht der Range Rover natürlich Sinn.»

Hätte er eine Brille getragen, hätte er sie jetzt bestimmt über den Rand hinweg angesehen.

Beschämt versuchte sie, sich zu erklären. «Also, ich dachte nicht, dass Geschichtsprofessoren so viel verdienen.»

«Ah.» Er nickte.

«Ross Adair ...»

Er verzog das Gesicht. «Sorry. Ich –»

«Oh Gott, ich habe mich neulich ja total blamiert, als ich so von deinem Buch geschwärmt habe!» Izzy legte die Hände auf ihre Wangen und versuchte, sich daran zu erinnern, was sie über das Hörbuch gesagt hatte, als sie beide das Gästezimmer strichen. Hatte sie nicht auch davon geschwärmt, wie sehr sie seine Bücher liebte? «Wie peinlich. Ich meine, natürlich mag ich deine Bücher. Ich habe sie alle gelesen. Äh, das wollte ich gar nicht sagen. Es ist nur … na ja, ich mag deine Bücher wirklich.» Sie spürte, wie ihr die Röte den Hals hinaufkroch. «Sorry, ich mache mich hier gerade zum Volltrottel. Ich verstehe, warum du niemandem davon erzählst.»

Er griff über den Tisch und legte eine Hand auf ihre. «McBride. Alles ist gut. Wirklich. Möchtest du gern etwas trinken?»

«Oh ja, einen dreifachen Whisky. Den brauche ich jetzt.»

Er zog eine Augenbraue hoch.

«Okay. Vielleicht reicht auch ein Glas Wein. Ja, ein Glas Wein wäre gut.» Warum nur war sie plötzlich so durcheinander? Es war doch nur Ross. Er hatte sich nicht verändert. Aber er hatte sich eben doch verändert. Jetzt war er so eine Art Superstar.

Sie musterte ihn heimlich, während er mit dem Kellner sprach und ein Glas Wein für sie und ein Wasser mit Kohlensäure für sich bestellte.

Dann wandte er sich wieder an sie, und als hätte er ihre Gedanken gelesen, sagte er: «Ich bin immer noch derselbe Mensch.»

Sie stieß einen Seufzer aus. «Ich weiß. Entschuldigung. Ich mache mich lächerlich. Es war ein … Warum hast du es nur verschwiegen? Du hättest es mir sagen –»
Sie schlug sich an die Stirn. «Na klar, genau deswegen

hast du es nicht gesagt. Weil sich dann alle so benehmen wie ich jetzt.»

«Nicht alle benehmen sich so», neckte er.

«Nur ich.»

«Aber bei dir ist es irgendwie niedlich.»

«Urgh. Ich war noch nie im Leben *niedlich*. Ich war immer zu groß. Und unbeholfen. So wie jetzt.»

Er lachte und drückte ihre Hand. «Du bist nicht unbeholfen.»

Sie presste ihre Lippen aufeinander. *Bloß nicht weiterplappern.* Stattdessen konzentrierte sie sich aufs Atmen. Aber er hielt nach wie vor ihre Hand. War ihm das bewusst? Die Wärme, das Gewicht seiner Finger – das war ziemlich schön, aber sie sollte nichts hineininterpretieren.

Obwohl er es abstritt, hatte sie sich zur kompletten Idiotin gemacht. Kein Wunder, dass er nicht darüber redete, was er beruflich tat. Bei der Vorstellung, wie Xanthe darauf reagieren würde, verzog Izzy das Gesicht. Ihre Mutter würde die Nachricht von den Dächern rufen. Gott, sie würde an diesem pikanten Leckerbissen eine Riesenfreude haben und daraus Kapital schlagen, wo es nur ging. Izzy konnte die laute Stimme ihrer Mutter förmlich hören, wie sie die Neuigkeiten überall herausposaunte: «Wussten Sie, dass der weltberühmte Autor Ross Adair momentan bei uns wohnt? Er schreibt seinen neuen Bestseller. Unter *unserem* Dach!»

Sie schüttelte sich leicht, während der Kellner ihre Getränke brachte. Ross nahm seine Hand weg, und sie prosteten sich zu.

«Cheers», sagte Izzy, hob ihr Glas und nahm einen großen Schluck von dem kalten Weißwein. «Ooh, der ist lecker.» Als der gekühlte Sauvignon Blanc aus Neuseeland ihr die Kehle herunterrann, spürte sie, wie sie langsam wieder ins Gleichgewicht kam.

Ross starrte gedankenverloren auf sein Mineralwasser.

«Du könntest auch ein Glas Wein trinken», meinte sie mit Blick auf die aufsteigenden Bläschen.

«Lieber nicht. Ich habe mir den Wetterbericht angesehen. Heute Morgen haben sie noch leichten Schneefall angesagt, aber mittlerweile ist daraus schwerer Schneefall geworden.»

Sie schauten aus dem Fenster. Die Schneeflocken tanzten wie kleine Ballerinen vor der Scheibe.

«Hier ist es nicht so schlimm», fuhr er fort, «aber ich denke, weiter oben steht uns ganz schön was bevor. Also will ich lieber nichts riskieren.»

Sie nickte. «Gut, dass du ein großes Auto hast.»

«Ja, das ist ein Plus.» Er schenkte ihr ein selbstironisches Lächeln. «Ich hätte mir nie träumen lassen, mal so erfolgreich zu sein. Ehrlich. Das ist auch einer der Gründe, weshalb ich nicht unter meinem richtigen Namen veröffentliche. Als ich endlich einen Buchvertrag bekam – es gibt diverse Manuskripte in meiner untersten Schublade, die das Licht der Welt niemals erblicken werden –, habe ich keinem davon erzählt. Ich wollte nicht damit angeben, falls das Buch ein kompletter Reinfall werden würde. Akademiker stehen ja immer sehr unter Konkurrenzdruck, was ihre Veröffentlichungen angeht, also wollte ich mich lieber bedeckt halten. Und als das

Debüt dann so gut lief, war es schwierig, in Gesprächen mal eben zu sagen: ‹Oh, übrigens, ich bin Ross Adair.›»

Izzy nickte. «Kann ich mir vorstellen. Vor allem, wenn alle ins Schwärmen kommen.»

«Nicht jeder liest gern.»

Izzy umklammerte mit einer Grimasse ihren Hals, und er lachte, dann schaute er wieder zum Fenster.

«Wir sollten lieber bestellen. Je eher wir wegkommen, desto besser, fürchte ich.»

Izzy nahm die Speisekarte und jauchzte begeistert. «Oh, Mann, da kann ich mich ja kaum entscheiden. Das klingt alles toll. Auf einmal habe ich einen Riesenhunger.» Nachdem sie die Karte ein paar Minuten lang gründlich studiert hatte, sagte sie: «Ich kann mich nicht entscheiden zwischen den schottischen Eiern mit Krabbenfleisch, die einfach himmlisch klingen, und dem Garnelen-Hummer-Toast mit Yuzu-Perlen und schwarzem Sesam. Oder ich nehme das Seeteufel-Satay. Oder den Scotch-Bonnet-Lachs.» Izzy kaute auf ihrer Lippe, weil sie sich nicht entschließen konnte.

«Oder du nimmst Austern.»

Sie rümpfte die Nase. «Ich weiß, das soll eine wunderbare Delikatesse sein, aber ...» Sie senkte ihre Stimme. «Ich habe sie noch nie probiert. Ich kann mich einfach nicht dazu durchringen.»

Ross beugte sich vor und sagte mit ebenfalls gesenkter Stimme: «Ich auch nicht. Sie sehen eklig aus, und ich denke immer, es muss so sein, wie schleimiges Meerwasser zu schlürfen.» Er verzog das Gesicht. «Ich halte sie für so etwas wie des Kaisers neue Kleider aus dem Meer. Ein

213

überbewertetes Nebenprodukt, nachdem man ihnen die Perlen geklaut hat.»

Izzy lachte. «Dann bestellen wir also schon mal keine Austern. Ich glaube, wir sollten unbedingt den Hummertoast und die schottischen Eier nehmen. Und vielleicht sollte ich die traditionellen Eier für die Carter-Jones zubereiten.» Sie zog ihr Notizbuch hervor und schrieb schnell etwas hinein.

«Nimmst du das überallhin mit?»

«Im Moment ja. Hier steht mein Masterplan für Weihnachten drin. Es gibt noch so viel zu tun. Ich habe massenhaft Listen.» Sie zeigte ihm eine der Seiten, die mit verschiedenfarbigen Notizen bedeckt war. Das Notizbuch war voller Eselsohren, die sie daran erinnerten, was sie noch erledigen musste, voller Pfeile und durchgestrichener Wörter sowie gelber Post-its an den Seiten.

«Machst du dir wirklich solche Sorgen um Weihnachten?», fragte Ross, nachdem sie beim Kellner bestellt hatten.

Izzy schluckte. «Nur um das Essen. Neulich habe ich geträumt, dass die Gäste zum Abendessen runterkamen, aber es gab gar kein Esszimmer, sondern das Schloss sah aus wie ein Arbeiterhaus aus Oliver Twist. Serviert wurde Haferschleimsuppe mit Stechpalmenblättern, und als die Gäste die Knallbonbons aufrissen, sprangen riesige Ratten heraus.»

«Na, dann kann es doch nur besser werden», witzelte Ross.

Als der köstliche Garnelen-Hummer-Toast kam, nahm Izzy einen großen Bissen. Und als der Geschmack der köstlichen Meeresfrüchte in Kombination mit dem kräftigen Zitrusgeschmack und der nussigen Bitterkeit des schwarzen Sesams in ihrem Mund explodierte, seufzte sie zufrieden. «Göttlich! Das musst du probieren.»

Etwas unkoordiniert hielt sie ihm ein Stück Toastbrot vor den Mund, als wäre er ein kleiner Vogel, der gefüttert werden müsste. Ross öffnete brav den Mund und nahm einen Bissen, wobei seine Lippen ihre Finger streiften. Erschrocken starrten sie sich an, es war einer dieser besonders langen Blicke, und Izzy merkte, dass es vielleicht eine etwas zu intime und persönliche Handlung war, jemanden so zu füttern.

«Ich muss ein Foto machen», sagte sie hastig, zog ihre Hand weg und nahm ihr Handy. «Für meine Whats-App-Gruppe. Darin sind meine Freunde aus der Kochschule in Irland. Sie sind alle vom Essen besessen und werden das hier lieben.» Sie spürte, wie ihre sommersprossigen Wangen brannten und ihre Haut kribbelte.

Schau nicht auf seine Lippen, ermahnte sie sich. *Schau nicht hin. Du bist bloß ein bisschen verliebt in ihn, weil er nett ist und gut aussieht.* Sie unterdrückte ein Schnauben. *Bitte was? Weil er gut aussieht? Er ist ein Superstar-Bestseller-Hottie, der deine Hormone durcheinanderbringt. Und er ist eine Nummer zu groß für dich.*

Sie machte ein paar Fotos und legte dann ihr Handy wieder zur Seite. Zum Glück hatte Ross ihren inneren Aufruhr nicht bemerkt, oder er ignorierte ihn. Izzy betete, dass es Ersteres war.

In Anbetracht des herannahenden Unwetters trödelten sie nicht beim Essen, obwohl Izzy darauf bestand, sich den Rest einpacken zu lassen, den sie nicht geschafft hatte.

Auf dem Weg Richtung Norden wurde das Wetter tatsächlich schlimmer. Doch trotz der hypnotisierenden Schneeflocken, die im Scheinwerferstrahl herumwirbelten, kamen sie gut voran. Die Schneeräumfahrzeuge hatten die Straßen gut gestreut.

Ross seufzte, als sie das Schild Crianlarich passierten, das sie aufforderte, die Landstraße zu verlassen. Sie waren jetzt fast drei Stunden unterwegs und hatten noch vierzig Meilen vor sich.

«Alles okay?», fragte Izzy. Sie hätte leicht einschlafen können, aber sie fand, sie sollte Ross moralisch unterstützen und ihm Gesellschaft leisten. Bisher schien ihn ihr Geplauder nicht zu langweilen, doch die letzten Meilen war auch sie stiller geworden, weil sie merkte, dass er sich konzentrieren musste. Abgesehen vom Motor, der durch den Schnee brummte, war die Welt draußen vollkommen still, und schon eine ganze Weile lang waren sie keinem anderen Auto begegnet. Die meisten Leute hatten es sich vermutlich vor einem brennenden Kamin gemütlich gemacht, wenn sie vernünftig waren.

«Ja. Nur etwas müde von dem anstrengenden Wetter.» Er gähnte und rieb sich die Augen.

«Möchtest du anhalten und eine Pause machen?»

«Ich würde lieber weiterfahren. Zum Glück hast du deine Thermoskanne aufgefüllt.»

«Und wir haben noch Reste von den schottischen Eiern.» Izzy hielt die Papiertüte in die Höhe.

«Ich kann immer noch nicht glauben, dass du das getan hast.»

«Was, dass ich nach einer Doggybag gefragt habe?»

«Ja.» Er verdrehte amüsiert die Augen.

«Tja, spare in der Zeit, dann hast du in der Not.» Sie stellte die Tüte in den Fußraum. «Sie waren einfach köstlich, und ich wollte sie nicht übrig lassen. Außerdem wirst du dich noch darüber freuen, falls wir stecken bleiben.»

«Du hast wohl kein Vertrauen.»

«Das Wetter wird schlimmer, das sagst du doch selbst.»

«Das stimmt, aber ich habe Schaufel und Decken im Kofferraum. Und mein getreues Pferd hier», er klopfte aufs Armaturenbrett, «hat einen Vierradantrieb und ist für extreme Bedingungen gemacht. Das Modell spielt sogar in einigen Bond-Filmen eine größere Rolle und wird an ziemlich interessanten Orten gefahren.»

«Meist von den Bösewichten», lachte Izzy.

Er zog eine Grimasse, die wohl ein böses Gesicht sein sollte.

«Du erschreckst mich nicht.»

Sie verschränkte die Arme vor der Brust und spähte aus dem Fenster, doch abgesehen von dicken Schneeflocken, die wie aufgeschreckte Motten im Scheinwerferlicht flatterten, war nicht viel zu erkennen. Selbst die Straßenschilder, an denen sie vorbeifuhren, waren mittlerweile von einer Schneeschicht bedeckt. In der Ferne ragten Berghügel empor wie geisterhafte, wartende Riesen, die schwarzen, zerklüfteten Gesichter von schneegefüllten Spalten gekennzeichnet, was ihnen einen strengen Ausdruck verlieh.

Ross hatte die Geschwindigkeit gedrosselt, da sie nun einen besonders steilen Berg erklommen, und unten im Tal konnte Izzy das dünne, dunkle Band des Flusses ausmachen.

Selbst mit Allradantrieb rutschte das Auto seitwärts, während sie mit zwanzig Meilen die Stunde dahinkrochen. Die Reifen knirschten und quietschten auf dem frischen Schnee. Als sie den Hügel geschafft hatten, verringerte Ross die Geschwindigkeit auf der kurvenreichen Strecke hinunter ins Tal.

Die Sicht wurde immer schlechter, und Ross musste sich vorbeugen, um die Begrenzung der Straße richtig einschätzen zu können. Izzy schluckte und zog sich den Mantel auf ihrem Schoß bis zum Kinn. Obwohl die Sitzheizung schön wärmte, wurde ihr beim Blick nach draußen ganz kalt. Sie mochte in Schottland geboren und aufgewachsen sein, aber die meiste Zeit ihres Lebens hatte sie in der Stadt verbracht, und nun wurde ihr bewusst, dass nur wenig Menschen in dieser ländlichen Gegend wohnten.

An den Straßenrändern türmten sich Schneeverwehungen auf, sie verengten den dunklen Asphaltstreifen und verstärkten das Gefühl, eingeschlossen zu sein. Die Minuten schienen sich zu Stunden auszudehnen. Jedes Mal, wenn Izzy heimlich auf die Uhr schaute, fühlte es sich an, als seien sie so weit von zu Hause entfernt wie vorher. Es war jetzt fast ein Uhr nachts.

«Gleich kommt Glencoe», sagte Ross mit Blick auf ein

Straßenschild. «Danach sind es nur noch ein paar Meilen.»

Im Schneckentempo fuhren sie durch die kleine Stadt. Izzy merkte, dass Ross versuchte, nicht zu bremsen. Und doch rutschte das Auto ein paar Sekunden lang seitwärts weg, als sie von der Hauptstraße in eine schmalere Straße einbogen.

«Keine Sorge», sagte er, als er das Auto wieder unter Kontrolle hatte, und tätschelte ihre Hand. «Jetzt ist es nicht mehr weit, wir sind bald zu Hause.»

Nachdem sie die Lichter des Ortes hinter sich gelassen hatten, tauchten sie wieder in die Dunkelheit ein. Das schwarze Wasser von Loch Leven lag zu ihrer Linken und der Wald, der sich die Hügel hinabzog, zu ihrer Rechten.

Falls die Streuwagen hier schon durchgekommen waren, dann war davon nichts mehr zu merken. Die Straße nach Kinlochleven war vollkommen weiß. Izzy schauderte, als der Wagen wieder zur Seite rutschte und sich Ross' Hände um das Steuerrad krallten.

«Ich war noch nie bei so schlimmem Wetter unterwegs», sagte sie. «Vermutlich sollte ich mich dran gewöhnen.»

«Auf jeden Fall sollte man hier im Winter immer Decken, Schaufel und Taschenlampe dabeihaben. Und eine Thermoskanne mit einem heißen Getränk.»

«Späte Einsicht ist was Wunderbares», sagte Izzy und versuchte, fröhlich zu klingen, auch wenn sie sich viel lieber in ihrem Bett zusammengerollt hätte, als bei diesem Wetter unterwegs zu sein.

Ross warf ihr einen kurzen Blick zu. «Wir sollten etwas singen.»

«Singen?»

«Ja. Das hebt die Laune. Such dir was auf meinem Handy aus.» Er gab ihr seine PIN, und sie tippte sie ein und öffnete seinen Spotify-Account.

«Was hättest du denn gern?», fragte sie und studierte interessiert seinen Musikgeschmack. Es wirkte irgendwie sehr persönlich, so als hätte er ihr den Schlüssel zu einem Geheimversteck anvertraut.

«Irgendetwas, bei dem wir mitsingen können. Die Fahrt durch dieses Wetter fühlt sich irgendwie bedrückend an. Beinahe unwirklich.»

«Ja, ich sehe schon ständig Kelpies, diese pferdeartigen Wassergeister, die sich aus dem Loch erheben, um uns in den Tod zu locken.»

Ross schaute auf das kalte, schwarze Wasser, das durch den weißen Schnee noch dunkler wirkte, und Izzy sah ihn beim Anblick der Landschaft ebenfalls schaudern. Es fühlte sich an, als wären sie die einzigen Menschen auf der ganzen Welt.

«Ha! Ich hab was gefunden.» Sie drückte auf Play. «Ein bisschen Craig and Charlie werden die dunklen Geister vertreiben.»

Als der bekannte Beat einsetzte, drehte Ross die Lautstärke auf. «Ein Klassiker.»

«Die Proclaimers eignen sich am besten zum Mitsingen.»

«Du weißt schon, dass die beiden in Auchtermuchty gelebt haben?», sagte Ross mit breitem Grinsen. «Das ist

220

übrigens einer meiner Lieblingsortsnamen. Aus irgend-einem Grund muss ich dann immer grinsen.» Er wieder-holte den Namen und betonte die schottischen Vokale dabei. «Vielleicht, weil wir früher auf dem Weg zu meiner Oma in St. Andrews immer in Auchtermuchty angehal-ten haben, um Eis zu essen.»

Als der bekannte Refrain über die fünfhundert Mei-len erklang, die noch zu gehen waren, sangen sie beide lauthals mit, und Izzy fühlte sich gleich viel besser, so als würden sie den Elementen trotzen. Ihr fiel die unerwar-tete Begegnung vom Nachmittag ein. Philip hätte etwas so Verrücktes niemals getan.

Sie sangen sich durch mehrere Lieder, dann wechsel-ten sie zu Franz Ferdinand und schmetterten den Re-frain von «Take Me Out» mit, während das Auto vor-wärtsschlich.

Als sie nur noch eine Meile vom Schloss entfernt über eine leichte Steigung fuhren, sahen sie eine Schneewehe, die die halbe Straße blockierte. Instinktiv trat Ross auf die Bremse. Der Wagen rutschte durch das plötzliche Ab-bremsen seitlich auf den Fahrbahnrand zu. Ross kämpfte mit dem Lenkrad und versuchte, wieder auf die Spur zu kommen, doch die Schwerkraft hatte andere Ideen, und nachdem das Auto in den Schneehaufen geprallt war, rutschte es rückwärts auf den See zu.

«Festhalten, Izzy!», schrie Ross, als der Wagen über das unwegsame Gelände rumpelte. Er hielt das Lenk-rad mit beiden Händen fest und versuchte, wieder die Kontrolle zu erlangen, indem er mit aller Macht auf die Bremsen trat. Plötzlich gab es einen Ruck – und das Auto blieb in leichtem Winkel stehen, sodass Izzy und Ross nach unten schauten.

«Alles in Ordnung?», fragte Ross und griff nach ihrer Hand. Er blickte über seine Schulter. «Wir sind von einer Schneewehe aufgehalten worden, Gott sei Dank. Ich dachte schon, wir landen im See.»

«Ich auch», sagte Izzy mit heiserer Stimme. Ihre Knie fühlten sich an wie Wackelpudding, und ihr Herz klopfte so heftig wie ein erschrockener Vogel, der in einem Schornstein gefangen sitzt.

Einen Moment lang saßen sie regungslos da, als müssten sie erst einmal zu sich kommen, und ihr Atem klang laut im stillen Auto. Der See draußen schien viel zu nah.

«Und jetzt?», fragte sie, während das Auto mit laufendem Motor leicht schwankte.

Ross sah sich um. «Ich denke, wir steigen aus und lassen das Auto stehen. Selbst wenn ich aus dieser Verwehung rauskomme, weiß ich nicht, ob ich es wieder rauf auf die Straße schaffe, und ich möchte nicht in den Loch rollen.»

Izzy holte ein paarmal tief Luft. «Du hast recht, und es ist ja auch nicht mehr sehr weit.»

Er hob die Augenbrauen. «Auch wenn wir beide nicht für eine Polarexpedition angezogen sind.»

«Wir können auch hierbleiben, aber was wäre das Schlimmste, was passieren könnte? Ich glaube nicht, dass wir auf der einen Meile erfrieren, oder?»

«Es sollte gehen, wenn wir auf der Straße bleiben. Oder ich könnte den Gentleman geben und Hilfe holen.»

Izzy lachte. «Sei nicht albern. Ich bin kein zartes Pflänzchen. Außerdem, wer sollte uns um diese Uhrzeit helfen? Duncan? Und was sollte er tun? Dolly und Reba vor den Schlitten spannen?»

«Eine interessante Vorstellung ...» Ross lachte kurz auf.

«Also los. Es ist nicht weit.» Izzy drehte sich in ihrem Sitz und nahm Mütze und Schal von der Rückbank.

Ross nickte, aber als er aussteigen wollte, merkte er, dass seine Tür klemmte. «Oh, ich muss auf deiner Seite rausklettern, weil ich meine nicht aufkriege.»

Izzy öffnete ihre Tür und verzog bei der kalten Nachtluft das Gesicht. Ihre Füße versanken bis zum Knie im Schnee, und sie bereute, dass sie ihre geliebten Chelsea Boots angezogen hatte und nicht ihre festen Doc Martens und die dicken Socken, mit denen sie normalerweise herumlief.

Ross kämpfte sich zu ihrer Seite rüber und kletterte dann hinaus in den Schnee. «Kommen Sie, Captain Scott. Jetzt beginnt unser Abenteuer.»

«Ich hoffe, wir sind ein bisschen erfolgreicher als Scott bei seiner Polarforschung», meinte Izzy und stapfte ihm hinterher durch den Schnee hinauf zur Straße.

Wegen seiner Größe fiel Ross der Anstieg leichter, und er reichte ihr die Hand, um sie den Hügel hinaufzuziehen.

«Danke», keuchte sie, als sie die ebene Straße erreicht hatten. «Das war nicht einfach.»

Er schaute mit schiefem Grinsen auf sie herab.

«Was?»

«Unsere missliche Lage scheint dich nicht besonders aufzuregen.»

Sie zog die Schultern hoch. «Es ist ja sinnlos, sich aufzuregen, wenn man keine Kontrolle über die Situation hat. Man muss eben einfach weitermachen.»

«Nicht alle Frauen sind so.» Seine Worte wurden von seinem Lächeln gemildert.

«Und nicht alle Männer sind phlegmatisch oder so praktisch veranlagt, wie sie selbst immer glauben.»

«Touché. Aber ich bezog mich auf bestimmte Frauen, die ich kenne.»

«Oh», machte Izzy, seltsam erwärmt von der plötzlichen Bewunderung in seinen Augen.

«Du bist unabhängig, praktisch veranlagt und gibst nicht auf oder überlässt anderen Leuten das Ruder, aber gleichzeitig schätzt du den Wert von Unterstützung und Teamwork.»

«Danke – also, ich glaube, das ist ein Kompliment, oder?» Sie schaute ihn an.

Er schluckte, und sie sah, wie sich sein Adamsapfel senkte. «Das ist es in der Tat, McBride.»

Sie war verwirrt von dem seltsamen Kribbeln tief in ihrem Bauch.

«Komm, wir müssen weiter.» Wieder nahm er ihre Hand, und dann marschierten sie mit gesenktem Kopf los, kämpften gegen den Schnee, der ihnen ins Gesicht trieb. Izzy blinzelte immer wieder Flocken von ihren Wimpern.

Zum Glück konnten sie die Schneewehen, die den dunklen Asphalt bedeckten, leicht umgehen, und sie kamen gut voran. Bald tauchte das Schloss in ihrem Blickfeld auf.

«Wir können uns weiter an die Straße halten oder über dieses Feld gehen, was kürzer ist, aber bestimmt auch anstrengender.»

Izzy blickte stirnrunzelnd auf das Schloss vor ihnen und dann auf die Straße, die sich zunächst in die entgegengesetzte Richtung schlängelte und dem Hügel folgte, während der direkte Weg bedeutete, dass sie das Feld in einem ungünstigen Winkel hinab überqueren mussten. Aber Izzy wollte nur noch nach Hause, in die Küche, sich am Ofen aufwärmen und einen heißen Grog trinken.

«Lass uns abkürzen», beschloss sie. «Das Feld liegt ziemlich frei da. Hoffentlich ist der Schnee an die Ränder getrieben worden und noch nicht so tief.»

Es war tatsächlich nicht allzu schlimm, und sie konnten den größten Verwehungen ausweichen, obwohl Izzy ihre Füße kaum noch spürte. Sie stampfte bei jedem Schritt kräftig auf und versuchte vergeblich, sie wieder warm zu kriegen. Sie war damit so beschäftigt, dass sie gar nicht richtig hinschaute, wohin sie trat.

«Izzy, Vorsicht!»

Aber es war zu spät. Sie war direkt in eine tiefe Pfütze gelaufen, und das Wasser spülte über den Rand ihrer Stiefel.

Zum Glück war die Eingangstür des Schlosses nur noch etwa fünfhundert Meter entfernt.

«Gott, ist das kalt!» Sie atmete zitternd ein, und all ihre Muskeln verspannten sich. Obwohl sich ihre Füße so taub anfühlten, spürte sie das eisige Wasser wie Messerspitzen an ihren Zehen. Sie biss die Zähne aufeinander und ging weiter, während ihre Schuhe bei jedem Schritt vor Nässe quietschten und jede Bewegung eine Qual war.

Ross blieb stehen. «Hier, lehn dich an den Zaun und zieh die Stiefel aus.»

«Aber meine Füße werden erfrieren.»

«Nein. Zieh sie aus und auch die nassen Strümpfe. Ich wickle deine Füße in meinen Schal und trage dich.»

«Das kannst du nicht. Und es ist ja nicht mehr weit», sagte sie.

«Tu einfach mal, was man dir sagt.» Und bevor sie weiterprotestieren konnte, hatte er sich vorgebeugt und zog ihr die Stiefel und Strümpfe aus. Dann hob er sie hoch. «Nimm meinen Schal», befahl er.

Zu kalt und elend, um sich aufzulehnen, wickelte sie den Schal von seinem Hals und war sich überdeutlich bewusst, dass sich sein struppiges Kinn und seine geröteten Wangen in Kussweite befanden. Irgendwie schaffte sie es, sich die warme Wolle um ihre nackten Füße zu wickeln – ein Kunststück in ihrem dicken Mantel.

Jetzt, wo sie in seinen Armen lag, wusste sie nicht, wohin sie schauen sollte. Sein Gesicht war viel zu nahe. Er sah ganz anders aus als Philip mit seinen zarten, ebenmäßigen Gesichtszügen. Ross' Züge waren rauer, und Izzy stellte sich vor, wie sie mit den Fingern über sein Gesicht fuhr, über die kräftigen Wangenknochen, das feste Kinn, die glänzenden, dichten Augenbrauen ...

Er schaute sie an, und sie senkte den Blick, als hätte er sie erwischt.

226

«Ist nicht mehr weit.»

«Zum Glück.» Sie versuchte, ganz stillzuhalten, doch es war schwierig, vor allem, wo ihr so kalt war. «Ich hoffe, dein Rücken hält es aus.»

Er lächelte schwach. «Alles gut.»

Links von seiner Unterlippe befand sich eine verlockende, herzförmige Sommersprosse, die ihr vorher nicht aufgefallen war. Okay, das war eine glatte Lüge. Natürlich hatte sie die Stelle schon vorher bemerkt. Sogar sehr oft. Wenn es jemals ein Schönheitsmal gegeben hatte, dann dieses hier. Sie hielt die Luft an und zwang sich, nicht daran zu denken, ihn zu küssen, wobei sich ihr Körper verspannte.

«Schon gut, ich werde dich nicht fallen lassen», sagte er und sah ihr grinsend ins Gesicht, während er sie noch fester an sich presste.

«Ich ... Das habe ich auch nicht gedacht», brachte sie heraus und zwang sich, sich zu entspannen. Sie war sich aller Körperstellen bewusst, die er berührte. Sein Arm lag über der Unterseite ihrer Oberschenkel, ihre Brust an seinem Brustkorb. Oh Gott, sie würde gleich in Ohnmacht fallen wie eine Südstaatenschönheit. Unwillkürlich übermannte sie die Vorstellung, wie er sie ins Bett trug. Und wieder versteifte sie sich bei dem Gedanken, der sich da soeben eingeschlichen hatte.

«Gott, du bist wie ein verdammter Aal, McBride. Ich werde dich schon nicht fallen lassen.»

Bis zur Tür schien es eine Ewigkeit, aber schließlich schob er sie hindurch. Sie wollte sich am liebsten loswinden wie ein Kind, doch es gelang ihr, etwas Würde zu bewahren, bis er sie sanft zu Boden ließ. Ihr Körper glitt hinab, ihr Arm lag noch um seinen Hals, als sie schließlich voreinander standen.

«Danke», hauchte sie.

Ihre Blicke trafen sich, und es war, als würden die Funken sprühen. Izzy hielt den Atem an, überzeugt, dass er sie diesmal küssen würde.

«Ross», flüsterte sie und konnte das Flehen in ihren Augen nicht unterdrücken. *Küss mich.* Sie hob ihm das Gesicht entgegen. Er musste es doch auch spüren.

«Izzy.» Er legte eine Hand auf ihre Wange. Dann seufzte er, lächelte traurig und wich einen Schritt zurück, wobei er die Hand auf ihre Hüfte legte. «Wir müssen deine Füße aufwärmen. Auf diesem kalten Fußboden zu stehen, macht es nicht besser.»

Ihr Herz krampfte sich zusammen. Sie beging doch tatsächlich wieder denselben Fehler. Was war bloß mit ihr los?

«Wärmflaschen!» Izzy machte sich abrupt von ihm los.

Fragend sah er sie an.

«Wir brauchen Wärmflaschen», erklärte Izzy geschäftig. «Du musst dir deine nasse Hose ausziehen. Und die nassen Schuhe. Und die Strümpfe.»

Er nickte ernst.

«Willst du was Heißes zu trinken?» Sie zog sich ihre Hausschuhe an, hastete vor ihm her die Halle entlang Richtung Küche und ignorierte das Zwicken und Zwacken in ihren eiskalten Füßen.

Im Gegensatz zur Eingangshalle war es in der Küche

noch warm, jemand hatte sogar die Lichter angelassen und auf dem Tisch einen Zettel neben eine Flasche Whisky gelegt.

Hoffe, die Fahrt war nicht zu schlimm. Jim hat Suppe für morgen gekocht, und wir haben noch genug Brot, also brauchst du nicht früh aufzustehen. Wir haben in beiden Zimmern den Kamin eingeheizt. In der Thermoskanne ist heiße Schokolade, falls ihr mögt.
Bis morgen. J & J

«Gott, ich liebe die beiden», sagte Izzy mit gespielter Fröhlichkeit und schob Ross den Zettel hin, während sie zum Küchenschrank ging und zwei Becher herausholte. «Heiße Schokolade mit Whisky? Ich denke, das haben wir uns verdient, oder?» Sie konnte ihm nicht in die Augen schauen.

«Izzy …» Er streckte die Hand nach ihr aus, doch sie tat so, als hätte sie die Bewegung gar nicht bemerkt, und wandte sich ab, um die heiße Schokolade einzufüllen.

«Ich schlage vor, du schenkst dir selbst den Whisky ein», sagte sie und schob ihm den Becher zu, ohne ihn anzusehen. «Danke, dass du mich wie ein Held nach Hause getragen hast. Ich hoffe, Duncan kennt jemanden, der morgen das Auto holen kann. Aber bestimmt tut er das.» Sie merkte, dass sie plapperte, aber sie wollte nicht hören, wie Ross sie zurückwies, und das würde er ganz sicherlich. «Bitte sehr, deine heiße Schokolade.»

«Danke», sagte Ross. «Ich muss sagen, die letzte halbe Stunde Fahrt war wirklich haarig. Danke, dass du …» Er schaute sie an und lächelte schwach. «Dass du ruhig geblieben bist im Angesicht der Umstände.»

«Nun, weinen hätte wohl nicht geholfen.»

«Nein, aber du hast dich nicht einmal beschwert oder geklagt. Andere Menschen hätten ein Riesendrama daraus gemacht.»

Izzy zuckte mit den Schultern.

In der gemütlichen Wärme der Küche versanken sie in Schweigen. Verlegen standen sie herum und spielten mit ihren Bechern, als hätten sie etwas zu sagen, wüssten aber nicht, wie sie die Worte herausbringen sollten.

«Izzy ... wegen heute ...»

«Keine Sorge. Ich werde niemandem verraten, wer du bist.»

«Oh, gut. Danke. Wenn es dir nichts ausmacht.»

«Nein, kein Problem. Ich glaube, ich sollte jetzt nach oben gehen. Ich brauche dringend trockene Sachen.» Sie nahm ihren Becher und schaute ihm nicht direkt in die Augen, als sie ihn bat: «Kannst du dann die Lichter ausschalten?»

«Izzy ...», begann er wieder.

«Gute Nacht, Ross. Bis morgen.» Und damit floh sie aus der Küche. Sie hatte sich heute genug lächerlich gemacht. Wann würde sie endlich lernen?

KAPITEL 16

*A*ls Izzy am nächsten Morgen die schweren Samtvorhänge zur Seite zog, stand sie einen Moment vor dem Fenster und saugte den magischen Anblick in sich auf. Sie hatte gut und tief geschlafen, sodass sie die verschneite Landschaft mit Wohlwollen betrachten konnte. Sie bewegte ihre Füße in den dicken Wollsocken und verdrängte die Erinnerungen an die gestrige Heimfahrt. Die Wolken hatten sich verzogen und einem strahlend blauen Himmel Platz gemacht, unter dem der Schnee glitzerte.

Sie konnte meilenweit über den Loch schauen, bis zu den majestätischen Bergketten dahinter. Der Schnee hatte die Landschaft wie mit einem dicken weißen Tuch bedeckt und die scharfen Linien gemildert. Er kroch bis zum Rand des Loch, in dem sich das leuchtende Weiß und Blau des Himmels spiegelten.

Sie zog sich schnell an und lief die Treppe hinunter. In der Halle begrüßte sie Jeanette, die vor Freude von einem Fuß auf den anderen hüpfte. «Es hat geschneit. Es hat geschneit! Hast du es schon gesehen? Ach, natürlich hast du. Sorry.»

Izzy grinste sie an und legte einen Arm um ihre Schulter. «Möchtest du gern draußen spielen?»

«Schneetag?», fragte sie hoffnungsvoll.

Izzy erinnerte sich an Schneetage, an denen die Schule geschlossen hatte und alle den ganzen Tag nur Schlitten fuhren. Jim und Jeanette hatten einen freien Tag verdient, so hart, wie die beiden arbeiteten.

«Schneetag», nickte sie.

«Toll», sagte Jeanette und strahlte. «Schön, dass ihr heil zurückgekommen seid. Wie war die Fahrt?»

«Jetzt, wo ich wieder zu Hause bin, kann ich sagen, dass sie ganz gut war, aber wir mussten das Auto eine halbe Meile von hier stehen lassen, und das Laufen durch den Schnee war nicht so lustig. Ich kann gar nicht sagen, wie dankbar wir für die heiße Schokolade waren.»

«Gern geschehen. Um ehrlich zu sein, war es Jims Idee. Er ist der Praktische von uns beiden.»

«Was du nicht sagst», neckte Izzy.

«Er hat heute Morgen Porridge gemacht, mit ein bisschen Sahne und braunem Zucker. Seine Spezialität. Ich hoffe, das war okay. Es ist noch etwas für dich übrig.»

«Jeanette, das klingt wunderbar. Ich danke dir. Ich war so froh, dass ich heute Morgen ausschlafen konnte. Wir waren erst nach eins zurück.»

«Izzy! Du bist wieder da!» Xanthe warf ihre Arme um Izzy, und ihre schrille Stimme hallte durch den Flur. «Aber wo ist denn das Auto? Ich dachte, ihr wärt irgendwo im Schnee gestrandet und hättet im Auto geschlafen und euch womöglich den Tod geholt.»

Izzy lächelte in sich hinein. Typisch Xanthe, sich auf das Drama zu konzentrieren. Zum zweiten Mal erzählte sie, was passiert war.

«Gut», unterbrach Xanthe sie, als Izzy mit ihrem Bericht im Schloss angekommen war. «Und hast du mir ein paar Weihnachtsdekorationen mitgebracht?»

«Ja.»

«Wo sind sie?»

Izzy schüttelte ungläubig den Kopf. «Na, wo glaubst du?»

«Du hast sie doch wohl nicht im Auto gelassen, oder? Wenn sie nun jemand gestohlen hat?»

«Wenn jemand bei dem Wetter draußen war, dann viel Spaß damit.»

«Wann holst du sie?»

Izzy funkelte ihre Mutter an. «Wenn jemand das Auto abgeschleppt hat.»

«Puh. Wie gut, dass ich noch Baumschmuck bestellt habe. Ich hatte befürchtet, dass du nicht genug kaufst. Und ich habe gleich auch noch mehr Lichterketten gekauft.»

Izzy zog die Augenbrauen hoch. «Du meinst, du hast mir nicht vertraut, dass ich es richtig mache?»

Xanthe schob einen Arm durch ihren. «Also, Schatz, das stimmt doch gar nicht. Ich habe bloß online ein paar schöne Sachen gefunden, die die Basics abrunden, die du besorgen solltest. Du wirst mir danken, wenn du die Bäume siehst, sie werden einfach großartig aussehen. Wart's nur ab.» Sie überlegte kurz. «Und es wäre gut, wenn wir die Bäume heute holen könnten. Duncan hat die Ständer gefunden, also kann es direkt losgehen.»

«Wir werden sehen, Mum. Ross wird heute vermutlich nicht helfen können, weil er gestern einen Tag Arbeit verloren hat.»

«Aber es geht doch nur darum, ein paar Bäume zu schlagen, das dauert nicht lange», erwiderte Xanthe und warf den Kopf zurück.

Izzy wusste, dass es sinnlos war, mit ihr zu diskutieren, also schüttelte sie nur den Kopf und folgte Jeanette in die Küche.

Jim und Duncan waren da und tranken Tee, und die versprochene Schüssel Porridge wartete auf dem Herd.

«Guten Morgen!», sagte Izzy in die Runde. «Das riecht gut, Jim. Vielleicht solltest du das Kochen übernehmen?»

«Oh nein. Porridge ist so ziemlich alles, was ich kann. Meine Mum hat mir gezeigt, wie man das macht.»

«Also, ich freue mich jedenfalls darüber.»

«Morgen, Izzy», sagte Duncan und hob grüßend seinen Teebecher. «Ich glaube, heute wäre ein guter Tag, um die Bäume zu schlagen. Wir haben ein paar Schlitten, auf denen können wir sie bei all dem Schnee leicht zum Schloss transportieren.» Dann wandte er sich zur Tür, die gerade geöffnet wurde. «Ah, Ross, bist du beim Bäumeschlagen dabei?»

Ross trat ein und nickte in die Runde. «Nachdem ich einen Kaffee getrunken habe ...»

«Sicher?», fragte Izzy, die das Gefühl hatte, dass sie bereits reichlich seiner Zeit in Anspruch genommen hatten.

«Ja. Meine Lektorin ist zufrieden mit dem, was ich geschrieben habe, und ruft mich nicht mehr ständig an, sodass ich vor meinem Abgabetermin ein bisschen Luft habe. Außerdem möchte ich das Bäumefällen auf keinen Fall verpassen», antwortete er. «Wer möchte schon an

234

einem Tag wie diesem drinnen hocken? Ich kann heute Nachmittag immer noch arbeiten. Nur mein Auto muss ich noch –»

«Keine Sorge», sagte Duncan. «Ich habe mit Alistair von der Highways Farm gesprochen. Er hat dein verunglücktes Auto heute Morgen schon gesehen. Und er sagt, er zieht es mit dem Traktor heute Nachmittag raus. Ich komme mit dir.»

«Toll, danke, Duncan.»

«Kein Problem. In der Zwischenzeit werde ich die Äxte schärfen. Xanthe will drei Bäume. Für Esszimmer und Salon sollen es zwei Bäume werden, beide zwei Meter hoch, und einen mindestens vier Meter hohen will sie für die große Halle.»

«Ihr habt übrigens großes Glück», grinste Jim und strich sich über seinen Bart. «Ich habe letztes Jahr bei einer Baumschule gearbeitet.»

«Ja, das stimmt», meinte Jeanette. «Und er hat am Ende einen Weihnachtsbaum umsonst bekommen, auch wenn es der hässlichste und schiefste Baum war, den man je gesehen hat.»

«Niemand wollte ihn haben», sagte Jim schulterzuckend. «Er hat mir leidgetan. Er brauchte doch auch ein Zuhause.»

Jeanette stellte sich auf die Zehenspitzen und gab ihm einen Kuss auf die Wange. «Du hast eben ein weiches Herz.»

Eine Stunde später waren Izzy, Jeanette, Jim und Ross warm eingepackt und bereit, dem eisigen Wetter zu trotzen. Zusammen machten sie sich auf den Weg zum Baumfällen, nachdem Duncan ihnen die Äxte und Schlitten an der Hintertür übergeben hatte. Abgesehen vom Knirschen ihrer Schuhe auf dem jungfräulichen Schnee, war das Krächzen der Krähen in der Ferne das einzige Geräusch. Jim ging fröhlich pfeifend mit einem der Schlitten voran, Jeanette marschierte plaudernd an seiner Seite. Izzy trabte neben Ross her. Der Schnee stob bei ihren Schritten durch die knöchelhohen Schneewehen in pudrigen Wolken auf.

«Besser als gestern Abend, oder?», sagte er. «Wie geht es deinen Füßen?»

«Sie sind zum Glück wieder warm.»

An einigen Stellen hatten sich die Schneeverwehungen an Mauern und Zäunen zu weichen, eleganten Bögen geformt. Die vier umrundeten den Loch und kreuzten dann die flache Ebene in Richtung Wald. Duncan hatte ihnen ein Gebiet genannt, in dem viele Douglastannen wuchsen.

Izzy betrachtete die Bäume, die ihr alle ziemlich ähnlich vorkamen, aber sie wusste, dass Xanthe nicht zögern würde, sie noch einmal loszuschicken, wenn sie mit den falschen zurückkamen.

«Wie wäre es mit dieser, Izzy?», fragte Jim und zeigte auf eine der Tannen. «Die ist ungefähr zwei Meter hoch.» Er stellte sich daneben und hielt die Hand über seinen Kopf.

«Sieht gut aus.» Es schien die einzige Tanne mit der angestrebten Höhe zu sein. Alle anderen waren kleiner.

«Komm, Ross, ich zeig dir, wie's geht.»

Jeanette beugte sich zu Izzy. «Höhlenmenschen unter sich», kicherte sie, als ihr Mann Ross eine Axt reichte. Dann zeigte Jim ihm, wo man den ersten Hieb ansetzte, und stützte den Baum, während Ross den Stamm durchschlug, wobei er die Axt mit überraschend zielsicherer Anmut schwang.

«Du hast das schon mal gemacht», meinte Jim. «Gib's zu.»

«Nein, aber ich habe in meinem Leben viel Holz gehackt. Wenn mein Dad Ruhe braucht, geht er immer Holz hacken.» Ross verzog seinen Mund zu einem betrübten Lächeln. «Als ich klein war, haben wir uns immer zum Schuppen geschlichen, und er hat mir gezeigt, wie es geht. Er hatte dort einen alten Lehnsessel und einen Petroleumofen stehen und immer eine Dose Kekse unter dem Sessel versteckt. Ich glaube, meine Mutter weiß gar nichts davon.» Er verfiel in nachdenkliches Schweigen.

Izzy überlegte, ob Ross seinem Vater sehr nahestand, denn es lag ein gewisses Bedauern in seinen Worten, wenn er von ihm sprach.

Mit einem Krachen und Knacken und einem letzten Schlag fiel der Baum, und Jim fing ihn auf. Er und Ross luden ihn auf den Schlitten, und Jeanette band ihn mit ein paar Spanngurten fest.

«Jetzt, wo du weißt, wie es geht, Ross, können wir uns doch aufteilen», schlug Jim vor. «Es ist kalt, und ich muss noch weiterstreichen.» Er schaute zu Jeanette, die ein wenig schmollte. «Keine Sorge, nach dem Mittagessen bauen wir deinen Schneemann.»

Ihr Gesicht hellte sich auf. «Bei all dem Schnee können wir eine ganze Schneefamilie bauen.»

Sie einigten sich darauf, dass Jim und Jeanette nach dem großen Baum suchen würden und Ross und Izzy nach einem weiteren kleinen.

«Duncan meinte, weiter den Berg rauf, bei der nächsten Anpflanzung, da sollte es noch größere geben», sagte Jim, und Izzy und Ross machten sich in die entgegengesetzte Richtung auf.

Als die Stimmen von Jeanette und Jim verklangen, waren nur noch das sanfte Knirschen ihrer Schritte im Schnee und das Rascheln ihrer dicken Jacken zu hören.

«Schwer zu glauben, dass wir gestern in den bunten Lichtern von Edinburgh unterwegs waren», meinte Ross. «Ich bin gern in die Stadt gefahren, aber das hier gefällt mir besser. So ruhig und friedlich.»

«Geht mir auch so. Es ist irgendwie belebend», sagte Izzy und nahm einen tiefen Atemzug der sauberen, klaren Luft. «Durch den Schnee fühlt sich alles wie neu an. Wie früher als Kind, wenn ich meinen ersten Fußabdruck hinterlassen habe. Als würde ich der Welt meinen Stempel aufdrücken. In der Stadt wird der Schnee jetzt schon grau und matschig sein.» Sie rümpfte die Nase.

«Ich weiß genau, was du meinst.» Ross hob die Axt und deutete auf eine Gruppe Tannen. «Komm, wir haben einen Baum zu fällen.»

«Du genießt den Auftrag ja richtig. Ich sehe schon einen Axtmörder in deinem nächsten Buch auftauchen.»

Er grinste. «Gute Idee. Ein blutiger Mord im Schnee,

in einem Kirchhof von Edinburgh. Eine mittelalterliche Axt ... oder vielleicht ein Claymore.»

«Denkst du oft über Mord nach?», fragte Izzy nicht ganz ernsthaft.

«Sehr oft. Mein Googleverlauf ist eine interessante Lektüre. Und wenn mich jemand richtig ärgert, wird er oft zu meinem nächsten Mordopfer verarbeitet.»

Izzy lachte. «Dann versuche ich, mich mal so gut wie möglich zu benehmen.»

Sie stiegen den Hügel zur nächsten Anpflanzung hinauf.

«Da sind wir. Welchen schlägst du vor?», fragte Ross. «Ich möchte es mir nämlich nicht mit Xanthe verderben.»

«Das Schloss wird so oder so schön aussehen.» Izzy hatte einen Baum ins Visier genommen und versuchte, ihn sich im Salon vorzustellen. Auf einmal spürte sie einen Schauder der Aufregung. Grinsend drehte sie sich zu Ross um. «Ich freue mich schon auf Weihnachten.»

«Das merkt man.»

«Also los, nehmen wir diesen hier.» Sie zeigte auf eine besonders schöne Tanne.

Dann sah sie zu, wie Ross den Baum fällte. Es ging erstaunlich schnell. Und als er die Axt weggelegt hatte und den Baum auf den Schlitten lud, formte sie eine Schneekugel und warf sie übermütig in seine Richtung. Der Schneeball traf sein Ziel: Er landete genau auf Ross' Hintern.

Ross fuhr herum, aber Izzy betrachtete unschuldig einen anderen Baum und versteckte ihre schneebe-

239

deckten, behandschuhten Hände hinter dem Rücken. Aus dem Augenwinkel sah sie, wie er die Augen zusammenkniff. Er sagte aber nichts, sondern beugte sich wieder über den Baum.

Die Versuchung war einfach zu groß, Izzy formte einen zweiten Schneeball und feuerte ihn ab. Wieder traf er das anvisierte Ziel. Ross richtete sich auf, sagte aber wieder nichts. Angestachelt von seiner kühlen Gleichgültigkeit, warf sie einen dritten Schneeball – und das war ihr Fehler. Diesmal sah Ross sie mit rachelüsternem Blick an, und plötzlich durchfuhr sie ein Schauder.

«McBride! Beim ersten Mal hätte ich es vielleicht noch für ein Eichhörnchen halten können, beim zweiten Mal vielleicht für einen glücklichen Treffer desselben Eichhörnchens, aber beim dritten Mal ...» Er schüttelte den Kopf, bückte sich schnell, nahm einen Schneeball und kam auf sie zu.

«Das wagst du nicht», sagte sie und bemühte sich, ganz sittsam zu wirken und zudem ganz und gar unschuldig.

«Ach nein?» Er machte einen weiteren Schritt, und mit einem kreischenden Lachen drehte sie sich um und rannte weg, während sein Schneeball an ihrem Kopf vorbeiflog.

«Daneben!», rief sie triumphierend und duckte sich schnell, um selbst einen neuen Schneeball zu formen, den sie in seine Richtung fliegen ließ. Mit süffisanter Genugtuung sah sie, wie die Kugel Ross an der Schulter traf und in einem Pulverschneegestöber explodierte. Jubelnd versteckte sie sich hinter einem Baum, während er eine

Handvoll Schnee nahm, um sich zu revanchieren. Mit zusammengekniffenen Augen kam er auf sie zu und drückte den Schneeball beim Gehen mit gespielter Drohgebärde fester zusammen. Schon lief Izzy los, rannte zwischen den Bäumen im Zickzack, bloß raus aus seiner Ziellinie. Er warf, und sie duckte sich gerade noch rechtzeitig, aber kaum hatte sie sich aufgerichtet, formte er bereits den nächsten Ball. Sie drehte sich wieder um und lief durch den tiefen Schnee weiter, doch ihre Muskeln protestierten gegen die unbekannte Anstrengung. Dann schlug das Schicksal zu: Ihr Fuß verhakte sich an einem unter dem Schnee verborgenen Ast, sie fiel hin und landete mit dem Gesicht im Schnee. Sie rappelte sich auf, kam auf alle viere, drehte sich um – und sah Ross triumphierend grinsend über ihr stehen, einen Schneeball in der Hand.

«Das wagst du nicht», sagte sie, noch immer etwas atemlos von ihrem Sturz, und schaute ihn flehend an, während sie auf den Rücken fiel.

«Ich hätte große Lust, aber es wäre wohl nicht sehr gentlemanlike, deine Lage auszunutzen, oder?» Sein schiefes Grinsen deutete an, dass er einem Gentleman-Verhalten momentan keine große Bedeutung zumaß.

«Nein, wäre es nicht», sagte sie, holte tief Luft und tat ihr Bestes, um halbwegs würdevoll auszusehen, obwohl sie wie ein gestrandeter Käfer auf dem Rücken lag.

Er reichte ihr die Hand, um ihr aufzuhelfen, aber als sie vor ihm stand, zerdrückte er den Schneeball auf ihrem Kopf.

Izzy kreischte, als ihr der kalte Schnee den Hals hinablief. «Das war …» Sie schubste ihn weg und lachte, weil er stolperte und ebenfalls in den Schnee zu fallen drohte. Im Taumeln griff er jedoch nach ihrem Arm und zog sie mit sich. Sie landete mit einem «Uff» auf ihm und beendete keuchend den Satz: «… gemein.»

Ihre Blicke trafen sich und verschmolzen ineinander. Es war einer dieser Momente, in denen die Zeit stillzustehen scheint. Sie war ihm so nah, dass sie die dunkelblauen Flecken in seinen Augen sehen konnte, den Schwung seiner Wimpern und das funkelnde Interesse, das in seinem Blick mitschwang. Abgesehen von ihrer schnellen Atmung, war kein Geräusch zu hören.

Izzy starrte jetzt auf seine Lippen. Sie wollte, dass er sie küsste, doch sie dachte an den gestrigen Abend, als sie so sicher gewesen war, dass er sie küssen würde. Und daran, wie er sich doch abgewandt hatte. Noch einmal würde sie sich nicht lächerlich machen. Obwohl die Worte *Willst du mich küssen?* ihr förmlich auf der Zunge lagen, sprach sie sie nicht aus. Er war dran, er würde den ersten Schritt machen müssen.

Ihr Herz hämmerte, und das Blut rauschte durch ihre Adern, während sie wartete und ihn schweigend und mit hoffnungsvoller Erwartung ansah.

Da endlich näherte er seine Lippen den ihren, und bei der sanften Berührung seines Mundes explodierte ein Adrenalinstoß in ihrem Bauch. Sie seufzte beinahe vor Erleichterung, verhielt sich ansonsten aber absolut ruhig, aus Angst, dass er doch wieder zurückweichen könnte. Sie wagte nicht zu glauben, dass er sie tatsächlich küsste. Doch dann rollte er sie beide auf die Seite, und diesmal ging er aufs Ganze. Mit langsamen, sanften

Berührungen fuhr er über ihre Lippen und schickte winzige Schauer durch ihren Körper. Sie entspannte sich, spürte die Wärme seines Körpers. Das Warten hatte sich gelohnt. Er küsste sie, feinfühlig und mit einer unerschütterlichen Zuversicht, als wäre sie es wert, dass er sich die Zeit nahm und sich durch nichts ablenken ließ. Dieser Mann wusste, wie man küsste – seine Berührung hatte nichts Zögerliches. Typisch Ross, er hatte auf seine ruhige, bedächtige Art alles unter Kontrolle.

Seine zielstrebige Aufmerksamkeit war berauschend. Izzy versank in diesem Kuss, und ihr Körper fühlte sich an, als sei er aus Gummi, sodass sie nur mit Mühe ihre Arme heben konnte, um sich die Handschuhe auszuziehen und mit den Fingern einer Hand durch seine weichen Haare zu fahren, während die andere seinen breiten Rücken umklammerte, als wollte sie sich in der Realität verankern.

Sie öffnete ihre Lippen, und der Kuss vertiefte sich. Ross stützte sich auf seine Ellenbogen, seine Hände streichelten ihr Gesicht. Es gab keine Eile, keine Zielgerade, nur einen langen, intensiven Kuss.

Als er sich schließlich von ihr löste, explodierte in ihrem Kopf ein ganzes Feuerwerk, begleitet von Pauken und Trompeten. Ein wissendes Leuchten lag in seinen Augen.

«Na, das war ja nett», murmelte er und strich erneut über ihre Wange.

«*Nett!?*», protestierte sie entrüstet. Es war einfach umwerfend gewesen, ihr wackelten noch immer die Knie, und sie hatte das Gefühl, dass ihr Slip gleich Feuer fangen

243

würde. Izzy hatte zwar schon drängendere Küsse erlebt, doch keiner ließ sich mit dieser langsamen, genüsslichen Eroberung ihrer Sinne vergleichen.

Langsam fand sie ihr Gleichgewicht wieder, weil sich die Kälte des Schnees an ihrem Hinterkopf bemerkbar machte.

«Für einen Autor sind das aber ziemlich lahme Worte», fügte sie spöttisch hinzu.

Ein herausforderndes Grinsen erhellte sein Gesicht. «Nennst du mich etwa lahm?»

«Nein, nur die Beschreibung.»

«Nun, es gibt nett, und es gibt *nett*.» Er senkte die Stimme, und sein intimer Ton vibrierte in ihrer Brust. «Und das hier war *nett*.»

«Hmmm», machte Izzy leicht benommen.

«Ich bin aber nicht sicher, ob unsere Lage hier dem Küssen besonders förderlich ist. Ich mache mir etwas Sorgen, dass gleich ein Grizzlybär auf uns herabschaut.»

«Soweit ich mich erinnern kann, laufen in den Highlands keine Grizzlys herum.» Ansonsten musste sie ihm aber recht geben, denn die Kälte drang langsam durch ihre Kleidung.

«Komm, lass uns unseren Preis nach Hause bringen. Ich fühle mich wie ein richtiger Jäger.» Er stand auf und zog sie hoch, dann gab er ihr einen weiteren Kuss, bevor er sich bückte, um die Seile vom Schlitten aufzunehmen.

Sie nahmen beide eines der Enden und zogen den Schlitten mit der geschlagenen Tanne hinter sich her durch den glitzernden Schnee, der aussah wie eine dicke Schicht Puderzuckerguss auf einem Weihnachtskuchen.

Winzige Vogelabdrücke zogen sich in zarten Spuren bis zum Loch, und die einzigen Geräusche, die zu hören waren, waren ihr Atem und das Gleiten des Schlittens auf dem Schnee hinter ihnen.

Als das Schloss in Sicht kam, blieben sie stehen, verzaubert vom Anblick des hellen Steins, der von der tief stehenden Sonne golden angeleuchtet wurde, und von dem diamantenen Glitzern der Schneedecke, die sich über das Dach zog.

«Wie schön es ist», seufzte Izzy mit einem gewissen Besitzerstolz. Sie würde nie genug bekommen von dem Anblick ihres Schlosses.

«Aye», sagte Ross. «Das ist es.»

Sie lächelten sich glücklich an und genossen die Tatsache, dass sie selbst ein kleiner Teil all dieser Schönheit waren.

In Izzy glomm ein goldener Funke des Glücks auf. Vielleicht, nur vielleicht, hatte sie es endlich richtig verstanden – und Ross fühlte sich ebenso zu ihr hingezogen wie sie sich zu ihm.

KAPITEL 17

Izzy hatte kaum ihre Stiefel abgestreift, als Xanthe schon auf sie zuhüpfte.

«Lass mal sehen», sagte sie und spähte durch das Fenster zu den drei gefällten Bäumen, die an der Wand eines der Nebengebäude angelehnt standen.

«Lass uns erst mal verschnaufen», sagte Izzy und rieb ihre Hände aneinander. Sie brauchte jetzt einen großen Becher Tee und einen heißen Mince Pie. Sie achtete nicht auf ihre Mutter, die sich bereits wegen der Größe der Bäume aufregte und Jim losschickte, um die Tannen in die schweren Baumständer zu stellen. Stattdessen schob Izzy ein Blech mit Mince Pies in den Herd. Nach ihren Anstrengungen am Morgen hatten sie alle eine Belohnung verdient, und Izzy hatte das Gefühl, sie würden Nahrung benötigen, um Xanthes Perfektionismus zu überstehen. Einmal hatte ihre Mutter über eine Stunde gebraucht, um sich für einen passenden Baum zu entscheiden.

«Herr im Himmel!», sagte Jim, als er zehn Minuten später zusammen mit Jeanette in die Küche schlurfte. «Die Frau ist die reinste Furie. Wir haben unseren Teil getan, das war's.»

Ross nahm sich schweigend einen Mince Pie.

Izzy erwiderte amüsiert: «Nein, das war's noch nicht ganz.»

Beide Männer starrten sie aus zusammengekniffenen Augen an. «Was meinst du?», fragte Jim. «Drei Bäume sind doch genug, oder?»

«Sie müssen aber noch geschmückt werden», sagte Izzy. «Und das machen wir nachher ganz feierlich.»

Jim zuckte mit den Schultern, als wolle er sagen, er hätte seinen Beitrag geleistet und wäre jetzt raus.

«Nein, ihr versteht nicht», sagte Izzy lächelnd. Ihre Mutter würde niemanden davonkommen lassen. «Das ist eine Familientradition bei uns.» Sie hob das Kinn bei der Erinnerung an vergangene Weihnachten. Sie und ihre Mutter hatten den Baum immer zusammen geschmückt. Sie waren vielleicht nur zu zweit, aber auch sie hatten ihre Familienrituale, und Izzy hatte für sich entschieden, dass es von nun an eine Tradition in Kinlochleven Castle werden würde. «Wir treffen uns alle um sechs Uhr in der Halle, um den großen Baum zu schmücken. Es gibt Whisky Cocktails zum Anstoßen.» Sie bedachte sie alle mit strengem Blick, um ihnen klarzumachen, dass sie es ernst meinte und sich niemand drücken durfte, auch wenn ihr Blick weich wurde, als sie Ross anschaute. «Das ist der offizielle Beginn der Weihnachtszeit, und alle im Haus müssen dabei sein.»

«Das klingt doch toll.» Jeanette schaute Jim an. «Wir müssen auch anfangen, unsere eigenen Traditionen zu finden, jetzt, wo wir verheiratet sind.»

«Wir können gern die von vorhin beibehalten, als wir den Baum geschlagen haben und dann ...»

Jeanette wurde rot, griff nach dem nächsten Geschirrhandtuch und schlug damit nach ihm.

«Zu viel Information», sagte Ross mit unschuldiger Miene. Nur Izzy sah das schelmische Grinsen in seinem Gesicht.

«Ich gehe nie wieder in den Wald», meinte Duncan spöttisch.

Jim nahm sich einen dritten Mince Pie, auch wenn Jeanette missbilligend den Kopf schüttelte.

«Ein Mann muss schließlich bei Kräften bleiben», sagte er mit breitem Grinsen.

Um sechs Uhr, als alle in der Halle versammelt waren, reichte Izzy ein Tablett mit Edinburgher Kristallgläsern herum, die mit dem Cocktail Winter Whisky Sour gefüllt waren.

«Izzy, die sehen ja großartig aus! Wie festlich. Ich liebe diese Goldfarbe des Cocktails!» Wie immer dröhnte Xanthes Stimme überlaut. Sie trug ein langes, tief ausgeschnittenes scharlachrotes Seidenkleid, dessen Saum mit weißen Marabufedern besetzt war. Sie sah aus wie eine Mischung aus Weihnachtsfrau und festlich aufgetakelter Fregatte.

«Die Cocktails sehen wirklich hübsch aus», sagte Jeanette, die sich offenbar zwingen musste, den Blick von Xanthes Kleid abzuwenden und auf die Gläser zu richten, deren Ränder mit essbarem Goldglitter verziert waren.

Dank eines Tipps von Fliss vor ein paar Wochen in ihrer WhatsApp-Gruppe hatte Izzy den Glitter frühzeitig bestellt und die Ränder der Gläser zunächst in Honig und dann in den Glitter getaucht. Der Cocktail selbst war leicht zuzubereiten und bestand aus je einem Teelöffel frischem Orangen- und Zitronensaft, etwas Whisky und einem halben Teelöffel Zuckersirup, den sie zwei Minuten lang aufgekocht hatte.

«Mmm, der ist gut», sagte Ross nach dem ersten Schluck, und in seiner Stimme lag mehr, während sein Blick auf Izzys Gesicht ruhte. Bei dem Gedanken an ihren Kuss wallte ein angenehmes Kribbeln in ihr auf.

Sie schenkte ihm ein Lächeln und hoffte, dass sie später einen Moment für sich haben würden. Und sie erwischte sich dabei, wie sie zum vierten Mal seit ihrer Rückkehr heute Vormittag ihren Mund berührte.

Er lächelte zurück, und der Anblick seiner geschwungenen Lippen wärmte sie ebenso wie ihr erster Schluck Whisky.

«Also, zuerst die Lichterkette», ordnete Xanthe an und drückte Jim eine lange Kette in die Hand. «Ross, Sie steigen auf die Leiter hier. Duncan, du gehst lieber auf der Treppe ein paar Stufen rauf, wir wollen ja nicht, dass du runterfällst.»

Dann begann sie, wie ein Oberfeldwebel weitere Befehle zu erteilen. «Nicht so hoch. Nein, Duncan, da nicht. Auf diesen Zweig, Ross. Da lang. Nein! Nein, nicht dorthin.»

Jeanette und Izzy grinsten sich amüsiert an, während Xanthe die drei Männer herumkommandierte, als wären es Kindergartenjungen, die zur Ordnung gerufen werden müssten. Sie hätte eine furchterregende Kommandantin abgegeben, denn wenn Xanthe etwas erreichen wollte, konnte sie sehr zielstrebig sein.

Izzy beobachtete, wie Ross sich streckte und vorbeugte, und es juckte sie in den Fingern, seine warme Haut zu spüren und zu fühlen, wie seine Muskeln sich unter ihren Händen entspannten und anspannten. Sie betete, dass niemand ihre Gedanken lesen konnte oder merkte, wie oft ihre Blicke in seine Richtung wanderten.

Nach gut zwanzig Minuten beschloss Xanthe schließlich, dass Izzy die Lichterkette anschalten durfte. Alle Blicke richteten sich auf den Baum, als dieser funkelnd zum Leben erwachte. Xanthe trat ein paar Schritte zurück, um alles zu inspizieren, sie neigte den Kopf erst zur einen, dann zur anderen Seite und schürzte die Lippen.

Die Spannung im Raum wuchs, während ihr wachsamer Blick über den Baum glitt.

«Izzy», fragte ihre Mutter knapp. «Was denkst du?» In ihrer Stimme lag eine gewisse Gereiztheit, die, wie Izzy aus langer Erfahrung wusste, nichts Gutes bedeutete.

«Es sieht großartig aus», sagte sie mit einer guten Portion gespielter Begeisterung. Soweit es sie betraf, sah der Baum auch wirklich toll aus, aber sie besaß eben nicht Xanthes Pingeligkeit. «Wirklich großartig», fügte sie noch hinzu.

«Hmmm», machte Xanthe, schritt erneut um den Baum herum und betrachtete ihn von oben bis unten wie eine Haute-Couture-Designerin, die ihre Kreation beäugt, bevor das Model den Laufsteg entlanggeschickt wird.

«In der Mitte stimmen die Lichter nicht», erklärte Xanthe plötzlich wie eine Schauspielerin, die in einem

Krimi einen Mordfall löst. «Sie sind viel zu eng beieinander. Sie müssen gleichmäßiger verteilt werden.»

«Also, für mich sehen die gut aus», knurrte Duncan.

«Nein, nein, nein. Wir müssen noch mal ganz von vorn anfangen.»

Jim, Duncan und Ross schauten sich ungläubig an, doch bevor einer von ihnen etwas sagen konnte, hatte Xanthe schon in die Hände geklatscht und sie zurück zum Baum gescheucht wie Hühner in den Stall. «Kommen Sie, hopp, hopp. Ross, Sie lösen die Kette oben und reichen sie Jim runter, aber vorsichtig.»

Xanthe hüpfte um die Männer herum. «Andersherum. Höher. Nächster Zweig. Und wieder zurück.»

Selbst von ihrem Platz auf der anderen Seite des Baumes konnte Izzy sehen, dass Ross seine Zähne fest zusammengebissen hatte.

«Noch ein Stück höher. Das ist besser. Nein, Duncan! Nein, auf den Zweig da.»

Jeanette kicherte vor sich hin, doch Izzy schüttelte den Kopf. Xanthe konnte die Geduld von einem Dutzend Heiligen auf die Probe stellen.

Schließlich war die Lichterkette zu Xanthes Zufriedenheit arrangiert, und sie klatschte in die Hände. «Izzy, schalt die Lichter an.»

Ross, Jim und Duncan schlichen sich bereits davon. Es sah aus, als wolle Ross regelrecht zur Tür rennen, dicht gefolgt von Jim. Doch Xanthe bremste sie mit einem bohrenden Blick. «Sie gehen nirgendwohin, bevor der Baum nicht fertig ist.»

Izzy schaltete die Lichter ein, und alle schauten atemlos zu Xanthe, außer Jeanette, die immer noch vor sich hinlachte. «Sie sehen aus wie drei Schuljungen vor der Tür der Direktorin», flüsterte sie Izzy zu.

Xanthe betrachtete den Baum. «Was meinst du, Izzy? Und stell den Schalter um, ich mag es lieber, wenn sie langsam heller und dunkler werden, nicht dieses Blinken. Das sieht aus wie in einer Disco, und das will ich nicht.»

Izzy gehorchte und drückte so lange auf den Knopf, bis die Lichter sich weniger migräneauslösend verhielten. Sie warf einen Blick zu den drei Männern, deren Gesichter im Lichtschein beinahe aufmüpfig wirkten. Es würde einen Aufstand geben, wenn Xanthe die Ketten noch einmal neu arrangieren wollte.

«Es sieht toll aus», schwärmte jetzt auch Jeanette, die das Funkeln in den Augen ihres Mannes richtig deutete.

«Wirklich schön», stimmte Izzy zu und versuchte, ein Lachen zu unterdrücken.

«Gut. Dann beginnt jetzt die echte Arbeit», sagte Xanthe und deutete mit fröhlicher Geste auf die Kartons mit Weihnachtsschmuck, die unten auf der Treppe standen. Sie hob ihr Glas. «Einen Toast. Auf Weihnachten im Schloss, das ich hiermit für eröffnet erkläre. So, Izzy, mach die Kartons auf. Wir fangen mit denen hier an.»

«Ich schaue zu», sagte Duncan und ließ sich in einen der ledernen Chesterfield-Sessel am Feuer fallen. «Für so was habe ich kein Händchen.» Ross setzte sich solidarisch auf die Armlehne.

Xanthe schmollte einen Augenblick, dann sagte sie leicht zickig: «Na ja, ich schätze, ihr hättet es sowieso nicht ordentlich hinbekommen. Jeanette, Izzy, hier müssen die Frauen ran.» Jeanette kicherte wieder, während Izzy die Augen verdrehte. Xanthe kramte mit breitem Lächeln in einem Karton und holte ein paar in Seidenpapier eingewickelte Päckchen hervor, die sie an die beiden verteilte wie königliche Geschenke.

Schnell wickelte Xanthe ihres aus. «Schau, Iz!» Jubelnd hielt sie ein glänzendes Einhorn aus Glas in die Höhe, das ein überdimensional großes Horn trug. «Das Unanständige Einhorn. Weißt du noch, als Gran es uns geschenkt hat? Du warst fünfzehn, und sie konnte einfach nicht verstehen, warum wir es so komisch fanden.» Sie unterbrach sich, dann raunte sie Jeanette zu: «Das Ding ist ja eigentlich sehr phallisch, aber meine Mutter hat es nicht begriffen.» Izzy nahm es ihr lächelnd ab, während sie an damals dachte. Dann stellte sie fest, dass ihre Mutter sie erwartungsvoll anschaute, wie ein Labrador kurz vor der Mahlzeit.

«Was?», fragte sie neckend.

Xanthe hob eine ihrer perfekt gezogenen Augenbrauen, und Izzy gab nach. Sie zog eine Papiertüte unter einem der Sessel hervor und ließ sie vor ihrer Mutter baumeln. «Meinst du das hier?»

Ihre Mutter sprang auf und holte eine ähnliche Tüte aus ihrer Handtasche, die unten am Treppengeländer hing.

«Für dich, Liebling.»

Izzy wickelte eine hübsche Schlittschuhläuferin in glitzerndem Tüllrock aus. Sie trug weiße Stiefel und eine rote Weihnachtsmütze und vollführte eine schwierige einbeinige Figur. Xanthe entdeckte unter ihrem Einwickelpapier die Dudelsack spielende Filzmaus, die Izzy in Edinburgh gekauft hatte.

«Oh, Liebling, die ist großartig! Ich werde sie Maustro nennen, und dieses Jahr taufen wir ‹Das Weihnachten im schottischen Schloss›.»

Jeanette runzelte fragend die Stirn, und Izzy erklärte: «Wir geben unserem Weihnachten jedes Jahr einen besonderen Namen. Wir taufen es quasi nach einem Ereignis.» Sie lachte. «Ein Jahr hieß es ‹Das Weihnachten des furzenden Hundes›.»

«Oh, Iz. Warum musst du das jetzt erwähnen? Dieser schreckliche Köter.» Xanthe verzog angeekelt das Gesicht. «Unser Nachbar kam zum Mittagessen und bestand darauf, seinen stinkenden Mops mitzubringen, der dann unter dem Tisch schlief und das gesamte Essen über pupste.» Xanthe brach in schallendes Gelächter aus. «Und wir haben ihn nie wieder eingeladen, stimmt's?»

Izzy schaute zu Ross hinüber, der seine Stirn in tiefe Falten gelegt hatte. Er starrte sie mit so erschrockener Erkenntnis an, als wären ihr plötzlich Hörner auf der Stirn gewachsen. Was irritierte ihn bloß dermaßen?

Xanthe hielt einen weiteren Baumschmuck in die Höhe, einen kleinen hölzernen Nussknacker. «Dieser hier ist vom ‹Weihnachten, als Gran die Geschenke vergaß›. Sie hat sich so geschämt, stimmt's, Liebling?»

Izzy nickte.

«Aber das war nicht so schlimm wie das Weihnachten, als ich vergaß, den Truthahn in den Ofen zu schieben.» Xanthe johlte vor Lachen. «Was für eine Katastrophe!

Wir mussten gebackene Bohnen auf Toast essen, und seitdem hat Izzy sich immer ums Essen gekümmert.»

Izzy schüttelte bei der Erinnerung amüsiert den Kopf. Ihre Mutter hatte damals nur schallend über ihre eigene Dummheit gelacht, und keiner von ihnen hatte sich daran gestört, was sie zu essen hatten – sie waren einfach glücklich zusammen gewesen. Sie würde sich immer daran erinnern, wie sie mit ihrer Mutter und ihrer Großmutter im warmen Schein des Kaminfeuers vor dem Weihnachtsbaum saß, die Teller auf ihren Knien. Es war eine schöne Erinnerung. Ihre Mutter mochte ein wenig unkonventionell sein, völlig selbstzentriert und ziemlich zerstreut, aber Izzy wusste trotz allem, dass sie geliebt wurde.

Während Xanthe die Schätze aus den Kartons hob und sie zusammen mit den Familiengeschichten servierte, wies sie Izzy und Jeanette an, an welche Stelle sie an den Baum gehängt werden sollten.

«Nein, Jeanette, Liebes. Weiter oben.»

Duncan und Jim genossen die Show und neckten sie, indem sie riefen: «Jeanette! Was hast du dir nur dabei gedacht?»

Jedes Mal, wenn Izzy einen Schmuck an den Baum hängten, kam Xanthe dazu, schaute ihnen über die Schulter, nahm ihn wieder ab und sagte: «Vielleicht wäre es hier besser, meinst du nicht auch, Liebling?»

Ross war immer stiller geworden und hatte sich mit verwirrtem Gesichtsausdruck in sich zurückgezogen. Es gab kein Lächeln und keine diskreten Blicke mehr zwischen ihnen. Izzy fragte sich, was ihn so beunruhigte.

«Schalten wir die anderen Lichter im Salon aus»,

sagte Xanthe, als der Baum endlich fertig war. «Ross, Sie sind am nächsten.»

Er erhob sich pflichtbewusst und drückte auf den Lichtschalter an der Wand.

In der Ecke des Raumes schimmerte und funkelte der Baum, und Izzy musste lächeln. Es war perfekt. Weihnachten hatte begonnen. Dies war der Beginn des Countdowns, und sie hatte nicht mehr viel Zeit, bevor Familie Carter-Jones eintraf. Nur noch wenige Tage, um die letzten Zimmer vorzubereiten und ihre Weihnachtspläne fertigzustellen.

«Zeit, den Prosecco zu öffnen!», rief Xanthe, und ihre Stimme schraubte sich begeistert in die Höhe. «Ross, Sie dürfen die Honneurs machen. Die Gläser stehen dort drüben.»

Höflich lächelnd öffnete Ross den Prosecco und goss Jeanette und Xanthe mit seiner typisch ruhigen Anmut je ein Glas ein, doch Izzy las an seinem angespannten Kiefer, dass das Gequieke und die Erklärungen ihrer Mutter ihm auf die Nerven fielen. Izzy kannte das schon. Sie selbst fand Xanthes grenzenlosen Enthusiasmus und ihre laute Stimme oft ermüdend, aber sie war daran gewöhnt. Für jemanden wie Ross, der die Ruhe liebte, musste es ziemlich anstrengend sein. Über die Jahre hatte sich Izzy angewöhnt, zu vermitteln und die Situation zu entschärfen, wenn Xanthe mal wieder jemandem auf den Schlips getreten war, doch sie wusste, dass ihre Mutter kein unfreundlicher Mensch war oder irgendetwas böse meinte. Sie war vielleicht laut, aber sie war vollkommen harmlos, und Izzy liebte sie.

«Gute Arbeit, Mum», sagte Izzy, hob ihr Glas und ging zu ihr hinüber, um sie zu umarmen. Der Baum sah wirklich fantastisch aus, in der getäfelten Halle war er ein echter Hingucker. Zusammen mit den abgewetzten Ledersesseln, die im Feuerschein besonders einladend wirkten, den tanzenden Flammen hinter dem großen Kamingitter und der Girlande aus Zimtstangen und getrockneten Orangenscheiben, die am Kaminsims hing, drückte alles große Gemütlichkeit aus.

«Es ist ein wunderbarer Baum, und er ist das Herz unseres Weihnachtsschlosses», erklärte Xanthe. «Ich wünsche allen unter diesem Dach eine fröhliche, gesunde und glückliche Weihnachtszeit.»

«Was für ein schöner Toast, Mrs. McBride», sagte Jeanette und hob ihr Glas, in dessen hellgoldener Flüssigkeit sich das Licht fing.

«Oooooh, Herzchen, nennen Sie mich doch nicht so! Das klingt, als wäre ich hundertunddrei und eine alte Schachtel. Darum darf Izzy mich auch niemals ‹Mum› nennen. Es macht mich schrecklich alt! Aber ich war eine sehr junge Mutter, müssen Sie wissen. Ich fühle mich auf keinen Fall alt genug für eine Tochter von Mitte zwanzig.»

Izzy betrachtete ihre Mutter mit bedauerndem Lächeln. Mitte zwanzig, ha! Schön wär's. Sie war deutlich näher an den dreißig, als Xanthe lieb war. Izzy schaute zu Ross hinüber. Mit nachdenklichem Ausdruck wiederholte er stumm das Wort *Mum*.

Hatte er es etwa nicht gewusst? Sie dachte an all die Unterhaltungen, in denen sie über Xanthe gesprochen hatten, und an das eine Mal, wo er sie gefragt hatte, ob sie für Xanthe arbeitete. Sie merkte, dass sie ihm nie geantwortet hatte. Hatte er wirklich gedacht, Izzy wäre ihre Managerin?

Während Xanthe noch ihren Baum bewunderte, sammelte Izzy die leeren Weihnachtsschmuckkartons, das Einwickelpapier und die Noppenfolie zusammen und räumte alles ordentlich in eine große Kiste. Duncan legte Feuerholz im Kamin nach, und Jim und Jeanette hatten sich wieder einmal in einen der Flure verzogen, von wo Izzy leises Kichern hören konnte. Sie nahm die Kiste und stellte sie auf die unterste Treppenstufe, um sie später mit nach oben zu nehmen. Ross hielt sich am Treppenpfosten fest und starrte nachdenklich ins Feuer.

«Bereit zum Abendessen?», fragte Izzy.

Er schrak zusammen und schaute sie kurz an, dann kehrte sein Blick wieder zu den Flammen zurück, die an den Holzscheiten leckten.

«Ich habe nicht gewusst, dass Xanthe deine Mutter ist. Keine Ahnung, wie ich das nicht mitkriegen konnte.» Er schenkte ihr ein bedauerndes Lächeln.

Izzy runzelte die Stirn. Es überraschte sie, dass er es wirklich nicht gewusst hatte. «Na ja, was hast du denn gedacht, wer sie ist?»

«Ich dachte, sie wäre deine Chefin und du ihre Haushälterin und Managerin. Du hast nie gesagt, dass sie deine Mutter ist.»

«Ich habe es aber sicher auch nie abgestritten.» Izzy hob die Schultern.

«Aber du nennst sie Xanthe. Wie hätte ich wissen sollen, dass sie deine Mutter ist?»

Izzy versuchte, die Verwirrung, die sich wie ein Nebel über ihre Gedanken legte, zu vertreiben. «Nun, es ist ja kein Geheimnis. Aber sie wird eben nicht gern ‹Mum› genannt, und als Teenager fand ich es sogar cool, sie mit Vornamen anzureden. Und dabei ist es eben geblieben.» Wenn sie ehrlich war, dann war es natürlich eine total künstliche Angelegenheit, die nur etwas über die Eitelkeit ihrer Mutter aussagte, aber das würde sie Ross gegenüber nicht zugeben, der sich irgendwie merkwürdig verhielt.

«Du bist also ihre Tochter.»

«Tja, das ist normalerweise der Fall, wenn jemand deine Mutter ist», meinte Izzy.

«Mmm», murmelte Ross und schüttelte leicht den Kopf, als wolle er einen unwillkommenen Gedanken loswerden. «Ich muss jetzt etwas arbeiten. Ich esse dann später.»

Sie sah ihm nach, wie er die Treppe hinaufging, ohne sich noch einmal umzudrehen. Sie verstand nicht, was sich auf einmal zwischen ihnen verändert hatte.

KAPITEL 18

*W*o ist Ross?», fragte Jim, während er sich über ein Stück frisch gebackener Walnuss-Kaffee-Torte hermachte. «Das hier will er sicher nicht verpassen. Du hast wirklich geschickte Hände, Izzy.»

Jeanettes Schultern zuckten. «Ich wette, das sagst du zu allen Frauen», sagte sie kichernd.

«Für mich gibt's nur eine», sagte er und zog sie am Handgelenk auf seinen Schoß.

«Hört auf, ihr zwei», knurrte Duncan. «Da wird ja der Porridge in meinem Magen schlecht.»

Die beiden grinsten, und Jim drückte seiner Frau einen Kuss auf den Mund, um Duncan noch ein bisschen mehr zu ärgern. Der Verwalter stöhnte und hob seinen Becher mit Tee.

«Also, wo ist der Kerl?», wollte er wissen. «Ich hab Ross seit Dienstagabend nicht gesehen, als wir den Baum geschmückt haben.»

«Ich glaube, er arbeitet», sagte Izzy. «Ich wollte ihm gleich etwas Kaffee und Kuchen nach oben bringen.» Sie hatte Ross ebenfalls seit zwei Tagen nicht gesehen, und sie hatte in dieser Zeit den Kuss im Wald ein Dutzend Mal durchlebt. Sie verstand einfach nicht, warum er ihr auswich. Vielleicht war das so bei Autoren? Vielleicht war er ganz in sein Buch vertieft? Vielleicht hatte er aber auch beschlossen, dass alles ein großer Fehler gewesen war?

Als die anderen sich wieder an die Arbeit gemacht hatten, belud sie ein Tablett mit einer Thermoskanne schwarzen Kaffees, einem Kännchen Milch und einem großen Stück Torte, wobei sie das Unbehagen ignorierte, das ihr über den Rücken lief, während sie die Treppe hinaufging. Sie wappnete sich und unterdrückte das Gefühl der Sorge, aber auch der Vorfreude, während sie an seine Tür klopfte. Schweigen. Sie wartete. Klopfte erneut. Immer noch keine Antwort. Izzy biss sich auf die Lippe. Wenn er gerade hoch konzentriert arbeitete, wollte sie ihn nicht stören. Vielleicht sollte sie einfach leise eintreten und das Tablett auf seinen Tisch stellen?

Sie klopfte noch einmal und rief leise: «Ross? Ich habe dir Kaffee gebracht.»

War da ein Geräusch? Ein gemurmelter Fluch? Sie spitzte die Ohren. Jetzt war sie vollkommen unsicher. Vielleicht schlief er nur? Was, wenn er krank war? Aber sie war schließlich nur nett, wenn sie ihm Kaffee und Kuchen brachte.

Entschlossen drückte sie den Rücken durch, klopfte noch einmal und drehte dann den Türknauf, wobei sie ein Déjà-vu-Gefühl traf.

Ross saß mit Kopfhörern in den Ohren am Schreibtisch. Sie schluckte, denn sie wollte ihn nicht erschrecken, aber nun war sie schon mal da.

«Äh, hallo», sagte sie mit etwas lauterer Stimme.

Er drehte sich um. In seinem Gesicht spiegelte sich Überraschung – und Ärger. Abwägend kniff er die Augen zusammen, als würde er eine wichtige Entscheidung treffen müssen.

«McBride.» Er nickte. «Kann ich helfen?»

Verletzt von seinem nüchternen Ton, brauchte sie eine Weile, um ihre Stimme wiederzufinden.

«Ich bringe dir Kaffee und Kuchen. Ich dachte, das könntest du jetzt gebrauchen.»

Der plötzliche Kummer in seinen Augen beruhigte sie kaum, denn sie wusste, dass sich etwas zwischen ihnen verändert hatte. Es war, als ob ein Licht erloschen wäre.

«Das ist sehr nett von dir, danke. Tut mir leid, ich habe sehr viel zu tun. Meine Lektorin hat mir Änderungswünsche geschickt. Große Änderungswünsche. Strukturelle Änderungen, die mir viel Arbeit machen. Willst du es einfach hier abstellen?» Er räumte ein bisschen Platz auf seinem Schreibtisch frei und wandte sich dann wieder seinem Computer zu. Seine Finger tippten mit sicherem Griff auf den Tasten herum, und er hielt den Blick starr auf den Bildschirm gerichtet.

Es war offensichtlich, dass er nicht mit ihr reden wollte.

Sie war entlassen, und das tat weh.

Klappernd stellte sie das Tablett ab, verärgert, dass er sie verletzt hatte.

«Gern geschehen», sagte sie mit der Wärme eines Roboters. Dann drehte sie sich um, marschierte aus dem Zimmer und knallte die Tür hinter sich zu.

Es fühlte sich gut an. Kindisch, aber gut.

Idiot.

Nach dem Mittagessen nahm sie Jeanette mit nach Fort William.

«It's Christmas!», schrie Jeanette in einer gelungenen Version von Noddy Holder, während sie das Radio aufdrehte, wo Slades «Merry Christmas Everybody» ertönte. Sie sang textsicher mit. Izzy fiel schließlich mit ein, wild entschlossen, ihre eigene Laune aufzubessern. Sie wollte nicht über Ross' Benehmen brüten, sie hatte einfach zu viel zu tun.

Im Supermarkt erledigten sie den letzten Großeinkauf und kämpften sich zunächst durch die Gemüsegänge voller Rosenkohl, Kartoffeln, Karotten und Pastinaken, dann durch die Regale mit Schokoladendosen, Schokoladenrentieren und Schokoladenweihnachtsmännern, bevor sie zur Weinabteilung kamen.

Izzy betrachtete ratlos die Regale, eingeschüchtert von der großen Auswahl. Sie sah Jeanette an. «Die Carter-Jones werden etwas Gutes erwarten.»

«Mich darfst du da nicht fragen. Ich nehme immer bloß den billigsten Prosecco.»

Izzy seufzte. «Ich weiß gar nicht, wo ich anfangen soll.»

«Ich dachte, Ross wollte uns helfen.»

«Er ist mit Schreiben beschäftigt. Ich wollte ihn nicht fragen.» Und sie würde es auch in Zukunft nicht tun. Sie besaß auch ihren Stolz.

«Wieso fragst du nicht deinen Freund Jason? Hast du nicht gesagt, er arbeitet in so einem Nobelrestaurant? Er kennt doch bestimmt jemanden, der Ahnung von Weinen hat», schlug Jeanette vor.

«Super Idee.» Jason hatte ihr schon so oft geholfen, bestimmt machte ein weiteres Mal nichts aus. Auch wenn es bedeutete, dass sie noch mal zurückkommen musste, aber ihre zwei Einkaufswagen waren sowieso schon voll, und für heute hatte sie genug. Auf dem Rückweg mussten sie außerdem noch beim Hofladen anhalten.

«Komm.» Sie warf einen zufriedenen Blick auf ihre Liste, auf der sie sonst alles abgehakt hatte. «Wir kaufen den Wein dann ein anderes Mal.»

Als sie sich an der Kasse in die Schlange stellten, schrieb sie eine kurze Nachricht in den Verteiler.

Ich noch mal, sorry. Diese Frage geht an Jason und an jeden anderen, der sich mit Wein auskennt. Könnt ihr mir Weine für diese Menüs hier empfehlen?

Sie hängte den anspruchsvollen Speiseplan an, den sie sich für Heiligabend, den ersten Weihnachtstag sowie den darauffolgenden Boxing Day ausgedacht hatte.

Fünfunddreißig Minuten später bogen sie auf den Parkplatz des Hofladens ein, nachdem sie auf der Fahrt ein ganzes Medley aus Weihnachtssongs geschmettert hatten. Die Ablenkung hatte Izzy gutgetan.

«Weißt du was?», fragte sie, als sie aus dem Auto stiegen und über den Kies zur alten Scheune hinübergingen. «So langsam fühlt es sich an wie –»

«Chriiiiistmas!», rief Jeanette wieder mit rauer Noddy-Holder-Stimme.

Izzy lachte. «Ganz genau.» Sie hakte sich bei Jeanette

unter. «Wir werden es schön haben. Selbst wenn die Carter-Jones grässlich sind, werden wir immer noch Spaß haben.» Und auch wenn Ross sich weiterhin in seinem Zimmer verschanzt, fügte sie noch in Gedanken hinzu.

«Das wird so wie in *Downton Abbey*. Wir sind die Dienerschaft, die im Untergeschoss feiert. Aber ... Ach, es wird bestimmt schön mit so vielen Gästen.» Ihre Mundwinkel gingen nach unten. «Wir waren sonst immer alle zu Weihnachten zu Hause.»

«Vermisst du deine Mutter?»

«Ein bisschen.» Sie hob die Schultern zu einem kleinen, traurigen Zucken. «Weißt du, ich denke jeden Tag so oft daran, dass ich Mum die Wahrheit sagen sollte. Wir waren» – Izzy hörte, wie ihre Stimme brach – «immer sehr eng.»

«Es tut mir leid, ich wollte dich nicht traurig machen.» Izzy nahm sie in die Arme, und Jeanette fing leise an zu weinen.

«Ist nicht deine Schuld. Ich vermisse sie eben, und ich fühle mich schlecht, weil ich weiß, dass sie mich auch vermisst. Aber ich liebe Jim nun mal, und das will sie einfach nicht verstehen. Sie hat gesagt, er wäre nicht gut genug und hätte keine Zukunftsaussichten. Dabei möchte er Tischler werden, und er hatte sogar schon einen Ausbildungsplatz. Er ist gut, aber seine Firma ging pleite, und dann hat er seine Stelle verloren.»

Izzy konnte Jeanettes Mutter ein bisschen verstehen. Auf dem Papier hatte Jim außer einem Schulabschluss nichts vorzuweisen, auch wenn er sich im Schloss als großartige Hilfe erwiesen hatte – er schien irgendwie alles zu können. Aber die beiden waren noch so jung ...

«Ich bin sicher, sie will nur das Beste für dich», sagte Izzy diplomatisch und drückte Jeanette noch einmal. «Warum rufst du sie nicht einfach an? Sie hatte Zeit zum Nachdenken, und der Ärger hat sich vielleicht schon ein bisschen gelegt. Vielleicht könnt ihr ein richtig gutes Gespräch führen. Bestimmt macht sie sich große Sorgen um dich.»

«Ja, vielleicht mache ich das wirklich», antwortete Jeanette schniefend. «Danke, Izzy. Es ist bestimmt schön für dich, mit deiner Mutter zusammenzuleben, weil sie dich trotz allem machen lässt. Sie bewertet dich nicht, nimmt dich einfach, wie du bist. Und sie hat unser Wohnzimmer so hübsch gemacht, obwohl sie so viele andere Sachen zu tun hat. Es sieht aus wie eine richtige Wohnung da oben unterm Dach, so gemütlich.»

«Mmmm», murmelte Izzy mit einem vielsagenden Lächeln. Ja, ihre Mutter hatte sich viele Gedanken darüber gemacht, wie man die Dachbodenwohnung warm und gemütlich herrichten konnte, damit Jeanette und Jim sich dort wohlfühlten. Sogar einen Kaminkehrer hatte sie bestellt, damit die beiden den Kamin nutzen konnten. Doch ansonsten hatte Jim die ganze schwere Arbeit getan und Jeanette das Putzen übernommen. Xanthe hatte alle wieder nur herumkommandiert.

«Guten Morgen, die Damen», sagte John Stewart, als sie durch die Glastüren der Scheune kamen. «Kann ich Ihnen einen Kuss unterm Mistelzweig anbieten?»

Mit dreistem Grinsen hielt er ein großes Büschel in die Höhe, während Izzy sich einen der hübschen Weidenkörbe nahm, die vorn im Laden standen. Sie hatte seine Einladung damals abgelehnt, nachdem er sie beim Fest hatte sitzen lassen. Und sie hatte es keine Minute bedauert.

«Ich brauche keinen», sagte Jeanette grinsend. «Aber Izzy, du solltest auf jeden Fall einen Mistelzweig mitnehmen. Ein Weihnachtskuss von Ross ist jedenfalls überfällig. Ehrlich, ihr seid doch beide Single – ich verstehe gar nicht, warum er es nicht längst bei dir versucht hat. Ich bin sicher, er steht auf dich. Er schaut dich jedenfalls ständig an. Ständig.»

Izzy funkelte sie an und bemerkte Johns schuldbewussten, bedauernden Blick. Geschah ihm ganz recht. Noch ein Mann, der ihr übel mitgespielt hatte. Und apropos, was war eigentlich mit Philip? Er hatte so aufrichtig gewirkt und war doch angeblich so wild darauf gewesen, sie wiederzusehen, als sie ihn in Edinburgh getroffen hatte, aber sie hatte nichts mehr von ihm gehört.

«Ich bin sicher, dass er das nicht tut. Wir sind nur Freunde.»

«Aber er sieht sehr gut aus. Ihr könntet eine Affäre haben.»

Izzy stieß ein Lachen aus. «Wer sagt, dass ich eine Affäre will?»

«Na ja, so alt bist du ja noch nicht.»

Jetzt war es an John zu lachen. «Na dann.» Er wedelte mit dem Mistelzweig.

Pikiert drehte sich Izzy zu ihm um. «Ich und die kindische Frau hier» – Jeanette kicherte – «sind gekommen, um den bestellten Truthahn abzuholen, das Wild und die Würstchen.»

«Kommt sofort. Ich werde die Sachen holen. Sonst noch etwas?»

Izzy sah sich in der weihnachtlichen Atmosphäre des Ladens um. «Ich bin sicher, Sie haben noch viele verlockende Leckereien, die ich mitnehmen muss.»

«Ich habe wirklich viele verlockende Leckereien», sagte er mit unverschämtem Zwinkern.

Sie verdrehte die Augen, dann grinste sie ihn an, denn sie erkannte, dass er ein begnadeter Flirter war. Einer dieser Kerle, die es mit jeder Frau probieren. Niemand, den man wirklich ernst nehmen konnte. «Da bin ich sicher. Aber ich habe eine Liste.»

«Sie liebt Listen.» Jeanette nickte. «Sie hat für alles Listen.»

«Ich bin eben gern organisiert.»

Er nickte. «Ich lasse Sie dann mal in Ruhe schauen, während ich den Vogel und die anderen Waren für Sie hole. Ich lege alles an die Kasse.»

«Er ist nett», flüsterte Jeanette, als er wegging. «Du solltest mit ihm ausgehen, wenn du nicht auf Ross stehst.»

In Momenten wie diesen wurde Izzy deutlich daran erinnert, dass Jeanette erst achtzehn Jahre alt war. So musste es sein, eine jüngere nervige Schwester zu haben.

«Danke für den Rat.» Aber John hatte seine Chance gehabt und sie nicht genutzt. Oder lag es vielleicht an ihr? War sie die nette, zuverlässige Izzy, die man gern zur Freundin hatte, bis jemand Spannenderes und Schickeres vorbeikam?

«Na ja, du wirst ja nicht jünger ...», erwiderte Jeanette. Dann war sie schon wieder abgelenkt. «Oh, schau mal, die Schokoladenpinguine sind ja niedlich. Du könntest sie auf das Holzscheit aus Schokolade stellen, das sieht bestimmt supersüß aus.»

Izzy war froh über den Themenwechsel.

«Und du solltest auch was von diesem Duftzeug kaufen», meinte Jeanette und deutete auf eine Auswahl an Kerzen und Duftstäbchen. «Schottische Kiefer und Cranberry – sehr weihnachtlich. Ich wette, Mrs. Carter-Jones erwartet so was.»

Izzy schnaubte. «Ja, Mrs. Carter-Jones hat hohe Ansprüche.»

«Bestimmt. Aber sie bezahlt ja auch dafür. Geld scheint bei der ja keine Rolle zu spielen.»

Izzy legte mehrere der Duftprodukte in den Einkaufskorb, auch wenn sie bei den Preisen das Gesicht verzog. Aber Jeanette hatte recht, solche kleinen Gesten waren genau das, woran die Gäste sich erinnern würden. Sie freute sich jedenfalls immer, wenn Restaurants und Bars gut duftende Handseife anboten.

Ihr strenges Budget war schwer einzuhalten bei den vielen schönen Sachen, die es hier gab. Den winzigen, schneebedeckten Tannen aus Zuckerpaste zum Beispiel konnte sie einfach nicht widerstehen. Sie würden den Weihnachtskuchen zieren. Und dann war da noch der Loganbeere-Gin in der besonders hübsch geformten Likörflasche. Izzy legte auch die Sahnetrüffel mit Whisky und den geräucherten Schinken in ihren Korb, die beide auf ihrer Liste standen. Zum Glück hatte das

Schloss reichlich Lagerplatz, denn wenn sie erst einmal das Fleisch abgeholt hatte, würde der Kühlschrank bis oben hin voll sein.

«Miss McBride.»

Beim schneidenden Ton der Stimme schaute Izzy von den Päckchen mit Zimtstangen und getrockneten Orangenscheiben auf, die sie gar nicht brauchte. «Oh! Mrs. McPherson, wie geht es Ihnen?»

«Mir geht's gut.» Ihre dunklen, glänzenden Augen starrten Izzy an. Mit gewinnendem Lächeln und einem misstrauischen Blick, als wären die Lebensmittel verwanzt, beugte sie sich zu Izzy und fragte laut flüsternd: «Es geht das Gerücht, dass Rod Stewart zu Hogmanay einfliegt?»

«Nicht dass ich wüsste», sagte Izzy. Zum schottischen Neujahrsfest hatte sich niemand bei ihr angemeldet.

«Dann sind es also die Beckhams», krähte die Postmeisterin mit fiebrigem Glanz in den Augen. «Entweder sie oder Rod. Mir wäre ja Rod lieber, ich würde gern ein bisschen singen.»

«Was?», fragte Izzy, denn die Vorstellung von Mrs. McPherson, die ein Duett mit Rod Stewart sang, wollte nicht in ihren Kopf. Außerdem war sie entsetzt, dass solch extravagante Gerüchte im Umlauf waren.

Mrs. McPherson tippte sich an die Nase. «Ich weiß, dass Sie mir nichts sagen dürfen. Aber machen Sie sich keine Sorgen. Ich werde kein Wort verraten. Das Geheimnis ist bei mir sicher.» Mit heiterem Lächeln nahm sie ihren Weidenkorb und eilte den Gang hinunter.

Izzy schaute ihr nach, während Jeanette hinter ihr kicherte.

«Bitte sehr», sagte John und legte den Truthahn auf die Kassentheke. «Vergessen Sie nicht, die Innereien rauszunehmen.»

«Werde ich nicht», sagte Izzy, und während sie zahlte, dachte sie an all die Dinge, die sie nicht vergessen durfte. Sie würde es sich auf ihre Weihnachtsliste schreiben. Nur durfte sie auch das nicht vergessen.

«Der wird eine Menge Leute satt machen. Und wenn Ihre Gäste alle eingeschneit sind, können Sie ihnen Truthahn-Curry servieren.» Er schaute hinauf zu einem der hohen Veluxfenster. «Es soll in den nächsten Tagen noch mehr Schnee geben. Fünfzig Zentimeter in weniger als vierundzwanzig Stunden soll's schneien. Dann ist das Schloss erst mal von der Außenwelt abgeschnitten, aber zu dieser Jahreszeit muss ich Ihnen ja nicht sagen, dass Sie ordentlich was zu essen vorrätig haben sollten.»

«Solange das Schloss nicht vor Heiligabend eingeschneit ist, ist es mir –» Bevor Izzy den Satz zu Ende sprechen konnte, unterbrach sie ein Schrei von der anderen Seite des Ladens.

«John, weißt du, wo Mrs. McPhersons Bestellung ist? Ich kann sie nicht finden.»

Er stieß einen entnervten Seufzer aus. «Ich muss mich hier wirklich um jeden Mist selbst kümmern», murmelte er, bevor er davonstiefelte. «Schöne Weihnachten für Sie. Hoffe, es läuft alles gut, und Rod ist bei Stimme», rief er Izzy über die Schulter zu.

Sie verdrehte die Augen. Mrs. McPherson hatte eine Menge zu verantworten.

Als sie und Jeanette die Einkäufe in den Kofferraum stellten, klingelte Izzys Handy, und sie ging ran, ohne zu sehen, wer anrief.

«Izzy? Duncan hier. Im Schloss ist ein Mann, der dich sehen will. Xanthe sagt, er heißt Philip.»

KAPITEL 19

Mit klopfendem Herzen, aber hocherhobenem Kopf betrat Izzy das Schloss. Sie war den kurzen Rückweg vom Hofladen so ruhig wie möglich gefahren und hatte sich absichtlich nicht beeilt, obwohl ihre Hände am Steuer zitterten. Philip konnte ruhig warten. Sie würde sich seinetwegen nicht hetzen. Auch wenn sie nicht abstreiten konnte, dass sie immer wieder an ihre Begegnung in Edinburgh gedacht hatte – bis zu diesem Kuss mit Ross natürlich.

Das helle Gelächter ihrer Mutter drang aus der Bibliothek, und einen Moment lang zögerte Izzy. Ein Teil von ihr wollte gern nach oben laufen und zumindest ein bisschen Wimperntusche auftragen.

«Ich bringe die Einkäufe rein», sagte Jeanette mit neugierigem Blick.

Izzy hatte auf der Heimfahrt kaum etwas gesagt, in ihrem Kopf sah es aus wie bei einem Sturm am Tag der Müllabfuhr – überall flogen Gedanken herum wie leere Chipstüten.

«Danke», sagte sie abwesend und folgte der Stimme ihrer Mutter. An der Tür zur Bibliothek blieb sie einen Moment lang stehen und überlegte, was Philip hergebracht haben mochte.

«Ich glaube es einfach nicht, dass du ein Taxi von Fort

273

William hierher genommen hast, Schätzchen.» Xanthe klang überdreht. «Es muss dich ein Vermögen gekostet haben. Du musst unbedingt über Nacht bleiben.»

Sie hörte, wie Philip leise antwortete, doch sie konnte nicht alles verstehen. «Das ... Izzy ... Gefühle ... mir verzeihen.»

Ihm verzeihen. Konnte sie das? Der Atem stockte ihr, und die Hoffnung hüpfte in ihrer Brust wie ein Flipperball – verrückt, wahllos und wild. War Philip gekommen, um ihr zu sagen, dass er sie liebte? Und was war mit Ross? Sie musste immer wieder an diesen Kuss denken – aber was hatte er ihm bedeutet? War er wirklich so beschäftigt, oder ging er ihr bloß aus dem Weg?

Sie öffnete die Tür und trat mit selbstbewusstem Lächeln ein.

«Izzy, Liebling, schau mal, wer da ist.»

Philip stand etwas schüchtern neben Xanthe. Die helle Wintersonne, die durch das Fenster schien, fing sich in seinen blonden Haaren.

«Hi, Iz.» Er streckte beide Hände aus.

«Philip», sagte sie, ohne sich von der Türschwelle zu bewegen, als ein verirrter Gedanke sie traf. Wieso war ihr vorher nicht aufgefallen, was für hängende Schultern Philip hatte?

Er hielt inne, dann kam er auf sie zu. «Iz, entschuldige, dass ich hier so einfach aufkreuze, aber ich ...» Sein Blick suchte den ihren.

Sie schluckte.

«Ich musste dich sehen. Ich konnte nicht aufhören, an dich zu denken, seit ich dich neulich getroffen habe.»

Xanthe klatschte in die Hände. «Ist das nicht süß? Nun komm und setz dich, Izzy. Ich habe Philip alles von der Arbeit erzählt, die wir ins Schloss gesteckt haben. Du musst ihm noch alles zeigen, und deine Walnuss-Kaffee-Torte schmeckt ihm ausgezeichnet.» Sie wedelte mit der Hand zum Couchtisch, wo die leeren Teetassen und Kuchenteller standen. Izzy runzelte die Stirn, und ein weiterer irrelevanter Gedanke ploppte auf: *Die Torte war für Ross bestimmt.*

Wie ein dummes Huhn nickte sie und setzte sich.

«Die Torte ist köstlich. Ich kann mich gar nicht erinnern, dass du früher gebacken hast. Aber umso besser.» Er klopfte auf seinen flachen Bauch und setzte sich zu ihr. «Du warst schon immer eine gute Gastgeberin.»

Izzy starrte ihn an. Stimmte das? Philip hatte sich tatsächlich oft selbst bei ihr zum Essen eingeladen. Aber wenn sie ihn einmal ausdrücklich zu sich einlud, hatte er immer anderes zu tun gehabt.

Er lachte. «Ich habe gehört, du warst in Fort William. Hätte ich das gewusst, hätte ich ja bei dir mitfahren können und kein Taxi vom Bahnhof nehmen müssen.»

«Philip», sagte Izzy, in deren Kopf sich bei der Erwähnung von Fort William schließlich der Nebel lichtete. Das Auto war voller Einkäufe, und sie sollte sie ausladen, anstatt alles Jeanette zu überlassen. «Was machst du hier?»

Xanthe schnalzte mit der Zunge. «Er ist gekommen, um dich zu besuchen. Also ehrlich ...» Sie verdrehte die Augen und sah Philip verschwörerisch an. «Ich denke, ich sollte euch mal allein lassen.»

«Ja, ich denke, das solltest du», murmelte Izzy.

Xanthe gab Philip einen Kuss auf die Wange. «Es ist schön, dich zu sehen. So romantisch von dir, uns einfach so zu überraschen. Wir sehen uns dann später.» Und damit trippelte sie auf ihren Kitten Heels aus dem Zimmer und zog eine Wolke von ihrem Lieblingsparfüm von Guerlain hinter sich her.

Philip beugte sich sofort zu Izzy herüber.

«Liebling ...»

Unwillkürlich musste sie lachen. Das Wort ‹Liebling› klang aus seinem Mund so ... albern.

Philip runzelte die Stirn. «Was?»

«Äh, sorry», stotterte sie. «Es klang bloß so» – sie zog die Schultern hoch – «na ja, du weißt schon. Komisch.»

Er kniff die Augen zusammen. «Es ist nichts komisch daran, dass ich vier Stunden gereist bin, um zu dir zu kommen.»

Sie seufzte. «Warum hast du mir nicht gesagt, dass du kommst?» Sie dachte an ihre Liste. «Es ist wirklich kein guter Zeitpunkt.»

Philip fuhr zurück. «Izzy! Ich bin den ganzen Weg gekommen, um dich zu sehen! Ich habe dich vermisst. Wirklich vermisst.»

Sie nickte und wusste nicht, was sie sagen sollte. Es gab so viele andere Dinge, an die sie denken musste, zum Beispiel, ob Jeanette die Einkäufe gleich an die richtigen Orte stellte – das Gemüse für den ersten Weihnachtstag musste in den zweiten Kühlschrank in der Vorratskammer, ebenso wie ein paar andere Dinge; wusste sie, dass das Rindfleisch für Heiligabend bestimmt war? – und ob Ross sie jemals wieder küssen würde.

Ihre Hände zupften am Stoff ihrer Jeans. Ein Topf Sahne war für die Suppe gedacht, doch der andere gehörte in den zweiten Kühlschrank. Wich Ross ihr absichtlich aus nach diesem umwerfenden Kuss?

«Izzy, ich habe mit Antonia einen schrecklichen Fehler gemacht. So schnell mit ihr zusammenzukommen, das ...»

«Das ist ein Jahr her», sagte Izzy mit gerunzelter Stirn.

«Ich weiß, aber ich habe eine Weile gebraucht, um zu erkennen, was ich in meinem Leben vermisse. Nämlich dich.» Er zog seinen Stuhl näher. «Iz, du kennst mich so viel besser als alle anderen. Antonia hat mich einfach nie verstanden. Du hingegen ...» Er lächelte sie an und versuchte, ihren Blick aufzufangen. «Du hast dich immer mit meinen Schwächen und Fehlern arrangiert. Du verstehst den ganzen Mann.»

Izzy runzelte wieder die Stirn. Aber was war mit ihr? Er redete nur von sich. Was an ihrem Zusammensein war gut für sie?

Die Tür ging auf, und Philip schaute hoch. Umgehend nahm sein Gesicht einen widerwilligen Ausdruck an. «Was macht der denn hier?»

Izzy drehte sich um und sah Ross in der Tür stehen. Seine breiten Schultern und seine große Gestalt füllten den Türrahmen aus.

«Sorry», sagte er mit brüsker Stimme. «Ich wusste nicht, dass jemand hier ist.» Einen Moment lang starrte er Izzy an.

Seinen blauen Augen entging einfach nichts, dachte sie. Dann setzte ihr Hirn aus, und sie starrte auf seine

Lippen, denn zu etwas anderem war sie nicht in der Lage. Er wartete und lud Izzy damit dazu ein, etwas zu sagen. Doch sie konnte keine Worte finden, ihr Kopf war von einer vollkommen neuen Erkenntnis wie ausgeknockt.

Als sie nichts erwiderte, nickte er und verschwand.

«Er wohnt hier», sagte Izzy mit leiser Stimme. Es war offensichtlich, dass Ross gekommen war, um zu sehen, ob sie gerettet werden wollte. Er tat das für sie, wie er es so oft gemacht hatte. Das war es, was Freunde taten. Sie standen mitten in der Nacht auf, um Eimer auszuleeren. Sie nahmen andere mit nach Edinburgh, auch wenn es ihr Geheimnis in Gefahr brachte. Sie trugen einen, wenn einem die Füße zu erfrieren drohten.

Wie Philip gesagt hatte, kannte sie ihn besser als jeder andere Mensch, und sie wusste mit absoluter Klarheit, dass er niemals eines dieser Dinge für sie getan hätte. Er wollte sie nur, weil er sie brauchte. Sie war nützlich für ihn, nichts weiter.

«Liebst du mich, Philip?»

Sein überraschtes Gesicht mit dem aufgeklappten Mund sagte ihr alles, während er noch nach Worten suchte.

«Ich … also, natürlich. Wir kennen uns schon ewig. Du weißt doch, dass ich es tue.»

Sie stand auf.

«Wo gehst du hin?»

«Ich rufe dir ein Taxi, das dich wieder nach Fort William bringt.»

«Was? Sei nicht albern. Worum geht es denn jetzt? Dass ich die drei Worte nicht gesagt habe?»

«Nein», sagte Izzy und schenkte ihm ein strahlendes Lächeln, während plötzlich alles an seinen Platz fiel. «Aber ich habe einfach so viel zu tun. Ich habe keine Zeit für dich, weder heute noch morgen oder übermorgen. Ruf mich im neuen Jahr an, ja? Vielleicht können wir dann mal in Edinburgh was essen gehen oder so.»

«Izzy! Das kannst du nicht machen.»

«Was?»

«Mich hier einfach sitzen zu lassen, wo ich den ganzen Weg gekommen bin, um dich zu sehen.»

Sie lachte und schüttelte den Kopf. «Philip, wir waren immer Freunde, und das ist alles, was wir jemals sein werden. Es tut mir leid, dass wir beide so lange gebraucht haben, um das zu verstehen.» Sie fand, sie war sehr großzügig, dass sie ihn so sanft vom Haken ließ.

Er hatte sie so oft sitzen gelassen, nicht zuletzt, als er derartig gefühllos seine Verlobung mit einer anderen Frau bekannt gegeben hatte. Es war feige gewesen, weil er genau wusste, was sie für ihn empfand, aber sie hatte nicht vor, seinem Beispiel zu folgen und unfreundlich zu ihm zu sein. Das war nicht ihre Art. «Du verdienst es, die richtige Frau zu finden, die dich so liebt wie du sie.»

Philip schluckte schwer. Sie sah, wie sich sein Adamsapfel senkte, und dann schaute er mit einem traurigen Lächeln auf. «Seit wann bist du so weise?»

Sie zuckte mit den Schultern.

«Bist du sicher, dass ich nicht bleiben kann? Du wirst es dir nicht anders überlegen?»

«Philip, ich rufe jetzt das Taxi.»

«Willst du mich nicht wenigstens umarmen, um der

alten Zeiten willen?» Und schon stand er vor ihr, bevor sie ihn wegstoßen konnte.

Die Tür öffnete sich wieder, und dieses Mal war es Duncan, der Philip einen irritierten Blick zuwarf. «Ich suche Xanthe, hast du sie gesehen, Izzy?»

«Nein, leider nicht.» Izzy musste sich anstrengen, nicht zu lächeln. Der Tag, an dem Duncan freiwillig nach Xanthe suchte, war der Tag, an dem Schweine über die Schlosszinnen fliegen würden. Schnell zog er die Tür wieder hinter sich zu.

Als Duncan verschwunden war, küsste Philip sie auf die Stirn.

«Danke, Izzy. Und wenn du deine Meinung änderst, weißt du ja, wo ich bin.»

«Ich werde meine Meinung nicht ändern. Aber du kannst mir jetzt helfen, die Bücher hier alle wieder in die Regale zu stellen, während du auf das Taxi wartest.»

«Muss ich –?»

«Ja, du musst», sagte sie scharf, bevor sie ihn spöttisch angrinste. Er war viel zu oft einfach so davongekommen, und das war ebenso ihre Schuld wie seine. Wenn sie jetzt etwas von ihm wollte, dann würde sie es klar äußern.

KAPITEL 20

H mmm, das riecht gut, Izzy», sagte Jim und ließ sich auf seinen üblichen Platz am Küchentisch fallen. «Ich bin am Verhungern.»

«Du bist immer am Verhungern», sagte Jeanette, die den Tisch deckte. «Gut, dass Izzy mir Kochen beibringt.»

Izzy verzog das Gesicht. Der Begriff ‹Kochen› war etwas großspurig gewählt, denn die junge Frau war in der Küche immer noch sehr unbeholfen.

«Riecht wirklich toll, Kleines», bestätigte auch Duncan, der bereits am Tisch saß. «Ist dein Freund eigentlich schon wieder weg?» Sein bohrender Blick drückte offenkundige Neugierde und eine Spur von Unsicherheit aus.

«Er ist weg, und er ist nur *ein* Freund», sagte sie.

«Dann ist ja gut.» Er strahlte sie an. «Du verdienst nämlich nur das Beste, und dem käsigen Windhund da habe ich gleich angesehen, dass er nichts für dich ist.»

Izzys Herz zog sich bei seiner Erleichterung gerührt zusammen.

«Keine Sorge», sagte sie und tätschelte seine Hand. Denn für Umarmungen war Duncan nicht so zu haben. «Ich falle nicht auf ihn rein.» Jedenfalls nicht mehr, fügte sie in Gedanken hinzu.

«Gut», knurrte er. «Soll ich dir beim Auftragen helfen?»

Sie lächelte sanft. «Ja, das wäre nett, Duncan. Danke. Kannst du auch den Parmesan auf den Tisch stellen?»

Izzy goss die Pasta ab und gab die Spaghetti dann auf die vorgewärmten Teller. Sie hatte auch einen für Ross bereitgestellt, für den unwahrscheinlichen Fall, dass er auftauchte, während sie alle hier waren. Mit zufriedenem Schnüffeln gab sie die sämige Sauce bolognese über die Pasta, und Duncan verteilte die ersten vier Teller. «Den hier solltest du dann wohl im Ofen warm halten für ...»

In dem Moment wurde die Tür zur Küche geöffnet.

«Oh, Ross! Da bist du ja. Gerade rechtzeitig. Komm, setz dich hin, Junge.»

Jim schob Ross mit dem Fuß einen Stuhl zu. «Hallo, Fremder. Ruh dich erst mal aus.»

Wie bitte?, dachte Izzy. Im Gegensatz zu Jim, der den ganzen Tag Wände strich, um die letzten zwei Zimmer fertig zu kriegen, hatte Ross doch den ganzen Tag nur auf seinem Hintern gesessen. Sie warf ihm einen scharfen Blick zu. Aber um ehrlich zu sein, sah er wirklich müde aus, und seine Haare waren noch zerstrubbelter als sonst. Es wirkte so, als hätte er wirklich einen anstrengenden Tag gehabt.

«Viel zu tun, Junge?», fragte Duncan, als alle saßen.

«Ja», sagte Ross, «aber ich bin beinahe durch. Ich will die erste Überarbeitung bis Weihnachten fertig haben, damit ich bei den Carter-Jones helfen kann. Sorry, dass ich in letzter Zeit nicht viel mitgeholfen habe.»

«Du bist hier Gast. Du musst nicht helfen.» Izzys Worte klangen schärfer, als sie beabsichtigt hatte. «Jeanette, kannst du mir den Pfeffer geben? Möchte jemand was zu trinken?»

Ross bedachte sie mit einem langen Blick, aber er sagte nichts, während die anderen anfingen, sich zu unterhalten. Izzy konzentrierte sich auf ihr Essen und versuchte, ihn nicht zu beachten.

Duncan und Jim bestritten das Gespräch und tauschten sich aus zu den anstehenden Arbeiten.

«Das war lecker, danke, Iz.» Jim schob seinen Teller von sich und lockerte seine Schultern. «Ich kann mich nicht entscheiden, ob ich heute Abend noch eine Wand streichen soll oder ob ich morgen alles auf einmal fertig mache.»

«Morgen könnte ich helfen», sagte Ross, bevor Duncan etwas erwidern konnte.

«Das musst du nicht», sagte Izzy, während Jim zur gleichen Zeit antwortete: «Das wäre super. Dann kriegen wir alles schnell fertig.»

Sie verschränkte die Arme und lehnte sich mit aufmüpfigem Gesichtsausdruck zurück, während die beiden die Arbeit für morgen besprachen.

Duncan sah sie mitfühlend an und missdeutete ihre Unzufriedenheit. «Lass sie doch. Wenn der Junge helfen will, ist doch gut.»

Ross konnte so viel helfen, wie er wollte, aber er sollte nicht glauben, dass sie ihm deshalb vor Dankbarkeit um den Hals fiel. Sie hatte für ihr Leben genug von Männern, die sich nicht entscheiden konnten. Erst küsste er sie leidenschaftlich, und dann sprach er die nächsten Tage kaum mit ihr. Sie hatte keine Lust mehr auf solche Spielchen. Die Begegnung mit Philip heute hatte ihr gezeigt, dass sie mehr verdiente, als jemandem nachträglich als gute Partie einzufallen.

Sie stand auf und fing an, die Küche aufzuräumen.

«Ich helfe dir», sagte Jeanette.

«Nein, du ruhst dich mal aus. Du hast Jim den ganzen Tag noch nicht gesehen, bestimmt hast du schon Entzugserscheinungen», neckte Izzy.

Jeanette grinste und zog Jim vom Stuhl, um mit ihm hinauf in ihre Wohnung unter dem Dach zu gehen.

Izzy war so darauf konzentriert, das Geschirr in die Spülmaschine zu stellen, dass sie gar nicht merkte, dass Duncan sich ebenfalls aus der Küche verdrückt hatte und nur noch sie und Ross da waren.

«Du hast ihn also weggeschickt?»

Izzy stockte. «Er ist weg, ja.»

«Ist ja nicht lange geblieben. Ich dachte schon, der Kerl wollte dir einen Antrag machen oder so was. Wegen der großen Geste, wie er hier unangekündigt aufgetaucht ist.»

Izzy lächelte gequält. «Nun, so etwas Ähnliches hatte er wohl vor. Aber wir waren uns dann doch einig, dass wir lieber Freunde bleiben, und mir geht es damit sehr gut.» Sie warf ihm einen herausfordernden Blick zu. «Außerdem war es reichlich frech von ihm, hier einfach aufzutauchen und zu erwarten, dass ich alles stehen und liegen lasse, so kurz vor Weihnachten. Ich habe ihn gezwungen, die Bücher in der Bibliothek wieder in die Regale zu räumen, während er auf sein Taxi wartete.»

Ross lachte. «Das hast du nicht im Ernst getan. Der Arme ist den ganzen Weg hergekommen, und du lässt ihn arbeiten.»

«Oh ja, das habe ich. Es gibt immer noch eine Menge zu tun.»

«Apropos, ich habe dir eine Weinliste zusammengestellt.» Ross zog ein gefaltetes Papier aus seiner Tasche.

«Oh. Danke, aber –»

«Ich weiß, ich hätte sie dir früher geben sollen. Jeanette hat gesagt, ihr wart schon einkaufen.»

«Tja, Heiligabend ist in vier Tagen ...»

«Tut mir leid, ich hab offensichtlich mein Zeitgefühl verloren.»

«Ach ja?», antwortete sie brüsk und sah ihn vielsagend an, damit er merkte, dass ihr sehr wohl aufgefallen war, wie er ihr auswich.

Er wand sich. «Izzy, ich ...»

Erwartungsvoll zog sie die Augenbrauen hoch. Er schuldete ihr eine Entschuldigung, oder zumindest eine Erklärung.

Ross stand auf, trat zu ihr und legte eine Hand unter ihr Kinn. «Es tut mir leid.»

Sie hob ihr Gesicht, und ihre Blicke trafen sich. Seine blauen Augen versetzten ihr einen unerwarteten elektrischen Schlag.

«Das sollte es auch», sagte sie und verschränkte die Arme. Sie wartete, was er ihr zu sagen hatte. Sie hatte die Nase voll von wankelmütigen Männern.

«Es tut mir leid», wiederholte er.

Und an seiner heiseren Stimme konnte sie erkennen, dass er sich für sehr viel mehr entschuldigte. Sie blinzelte ihn misstrauisch an – und spürte doch, dass sie voll dummer Hoffnung war. Ja, dumm. Hatte sie denn nichts gelernt?

Er zog sie näher zu sich heran und legte sanft seine Hände um ihr Gesicht, bevor er sie vorsichtig küsste und mit den Daumen über ihre Wangen strich. Die Berührung ließ die letzte Barrikade um ihr Herz dahinschmelzen, und ihre Lippen öffneten sich unter seinen.

«Es tut mir wirklich leid», murmelte er. «Ich … ich brauchte etwas Zeit zum Nachdenken. Als ich begriff, dass Xanthe deine Mutter ist, hat mich das irgendwie aus der Bahn geworfen.»

Sie wich zurück. «Aber warum? Ich kann doch nichts für meine Mutter.»

«Ich weiß. Es ist nur … sie ist sehr …»

«Laut?», fragte Izzy mit kühler Stimme. «Ja, das ist sie. Aber sie ist auch begeisterungsfähig und großzügig, und sie ist *meine* Mutter. Und ich liebe sie.»

«Ich weiß. Tut mir leid, aber … sie erinnert mich einfach an jemanden.» Er schüttelte den Kopf, als wollte er eine Erinnerung vertreiben.

«Und was genau tut dir jetzt leid?», fragte sie, denn es ging hier doch sicherlich gar nicht um ihre Mutter.

«Dass ich dich geküsst habe und dir dann ausgewichen bin.»

«Und warum hast du das getan?»

Er legte wieder die Hände an ihr Gesicht. «Dieser Kuss hat mich einfach sehr berührt.»

Seine Worte machten sie sprachlos. Das war so gar nicht das, was sie erwartet hatte.

«Möchtest du ein bisschen mit mir an die frische Luft gehen?», fragte er plötzlich.

«Ja, gerne.»

Fünf Minuten später gingen sie, dick eingemummelt gegen die kalte Abendluft, in Richtung Loch. Über ihnen war der Himmel klar und angefüllt von Tausenden stecknadelgroßen, fernen Lichtern, doch über dem Horizont ballten sich die vom Mondschein beleuchteten Wolken wie drohende Eindringlinge, die an einer unsichtbaren Grenze warteten.

«Morgen wird es strengen Frost geben», sagte Izzy.

«Und es kommt mehr Schnee. Man spürt diesen Biss in der Luft. Diese besondere Art von Kälte.»

«Na, er soll lieber noch wegbleiben, bis unsere Gäste angekommen sind.» Ein Schneesturm war das Letzte, was sie gebrauchen konnten. «Es kann gern zu Weihnachten schneien, das wäre sehr stimmungsvoll und –»

«McBride, ich wollte eigentlich nicht mit dir über das Wetter reden.»

Sie schnaubte. «Vorhin hast du mich noch Izzy genannt ...»

«Das stimmt.» Er blieb vor ihr stehen und legte seine Hände um ihre Hüften. «Ich habe es ernst gemeint, was ich vorhin gesagt habe. Es tut mir leid, dass ich dich gemieden habe. Ich hatte mir einzureden versucht, dass ich dich ... diese Anziehung ... einfach ignorieren könnte, aber als ich dich geküsst habe, war auf einmal alles anders. Ich … ich bin nicht gut mit Beziehungen. Ich versuche immer, allem Drama und großen Gefühlen aus dem Weg zu gehen. Natürlich hatte ich Beziehungen, aber ich hab sie immer gern eher oberflächlich gehalten.» Er unterbrach sich, und seine Lippen verzogen sich zu einem schüchternen Lächeln. «Aber dieser Kuss hat mich einfach umgehauen.»

«Oh.» Seine Worte hallten in ihr nach, und Izzy konnte nichts anderes tun, als ihn mit offenem Mund anzuschauen. «Oh», sagte sie erneut, weil sie schließlich etwas sagen musste, doch es schien, als habe ihre Sprachfähigkeit sie im Stich gelassen, so wie bereits in der Küche.

Männer sagten so etwas doch nicht, oder? Jedenfalls nicht zu Frauen wie Izzy. Sie war die gute Freundin von nebenan. Und darum war es gut, dass er sie jetzt wieder küsste.

Die Schmetterlinge stoben in ihrem Bauch auf, flatterten hoch und runter, und das Blut prickelte in ihren Adern wie ein Alka-Seltzer auf Speed. Die Berührung seiner Lippen war ebenso berauschend wie die Worte *Dieser Kuss hat mich einfach umgehauen*, die immer wieder durch ihren Kopf schossen.

Freude, Aufregung, Erregung – alles rauschte durch sie hindurch und löste den Deckel, der ihre Gefühle in den letzten Tagen in Schach gehalten hatte. Das Glück machte sie schwindlig. Ross empfand dasselbe für sie wie sie für ihn! Nach Jahren des Hoffens und der unerwiderten Gefühle war das eine Offenbarung.

Irgendwann fing es an zu schneien, aber sie waren so

miteinander beschäftigt, dass sie es gar nicht bemerkten, bis eine große Flocke sich ihren Weg zwischen ihnen hindurch bahnte und auf Izzys Nase liegen blieb. Seufzend machte sie sich los. Ross' schwarze Haare waren bereits mit einer feinen weißen Schicht bedeckt.

«Wir werden uns in Eissäulen verwandeln, wenn wir noch länger hier draußen bleiben», sagte er mit bedauerndem Lächeln.

«Das wäre mir egal», antwortete Izzy verträumt, und ihre Lippen kribbelten.

Er schob einen Arm unter ihren. «Komm, wir gehen und wärmen uns auf. Ich habe das Gefühl, dass ein heißer Grog auf uns wartet.»

«Mmm, das klingt gut.»

Izzy saß an Ross gekuschelt vor dem Feuer, ein Glas Whisky in der Hand, und schaute in die Flammen, die im Kamin tanzten und an den knisternden und knackenden Scheiten leckten. Sie seufzte mit seltener Zufriedenheit. Es kam ihr so vor, als hätte sie die ganzen letzten Wochen in ständiger Hochgeschwindigkeit gearbeitet, und es war eine Erleichterung, den Kopf an seine Schulter zu lehnen. Seit sie wieder ins Haus gekommen waren, hatten sie nicht viel gesagt, aber wie immer war Ross' Schweigen gesellig und wohlmeinend. Sie verspürte nicht das Bedürfnis zu reden.

«Das hier ist ... nett», murmelte er, legte seinen Arm um ihre Schulter und streichelte ihren Unterarm.

«Nett? Das hast du schon über unseren ersten Kuss gesagt.» Sie schaute ihn plötzlich ernst an. «Aber vorhin hast du gesagt, er habe dich umgehauen. Was denn nun? Entweder du bist ein Meister der Untertreibung, oder ...»

Er seufzte und drehte sich zu ihr herum.

«Es klingt wohl nicht sehr erwachsen für einen fünfunddreißigjährigen Mann, wenn ich sage, dass ich einfach Panik bekommen habe, oder?»

Sie überlegte einen Moment. «Ich bin mir nicht sicher. Ich denke, es kommt darauf an, wie man mit der Panik umgeht.»

«Schlecht, offensichtlich. Ich habe mich zurückgezogen, wollte zurück in meine Höhle.» Er küsste sie auf die Wange. «Nach Nicole habe ich mir geschworen, dass mein Leben in ruhigen Bahnen verläuft. Ich glaube, das war auch der Grund, warum ich meine Identität als Schriftsteller geheim gehalten habe. Ich bekam Panik, weil ich mich in einem falschen Gefühl von Sicherheit gewiegt habe. Ich fühlte mich einfach so wohl mit dir – kein Drama, keine hysterischen Anfälle.» Er lachte. «Deshalb war es so ein Schock für mich. Diese Gefühlsexplosion ... Ich meine, ich wollte dich küssen, das wollte ich schon eine ganze Weile, aber ich hatte nicht erwartet, dass ...» Er schüttelte den Kopf, und auf seiner Stirn bildeten sich verwirrte Falten. «Das klingt nicht sehr schmeichelhaft, oder? Ich bin einfach kein großer Romantiker. Ich stehe auch nicht auf große Gesten oder öffentliche Liebesbekundungen.» Er verzog das Gesicht. «Ich habe zu viele davon gesehen, die ohne jede Bedeutung waren. Und als ich dich küsste ... wie gesagt, es hat mich umgehauen. Tut mir leid.»

Sein stilles, aufrichtiges Geständnis rührte sie. Dass

sie, die gewöhnliche Izzy McBride, einen solchen Eindruck auf einen umwerfenden, erfolgreichen, selbstsicheren Mann wie Ross Strathallan machen konnte ... Ein kleiner Funke weiblicher Zufriedenheit loderte hell in ihrem Herzen auf. Nein, oberflächlich betrachtet, waren seine Worte nicht sehr romantisch, aber sie waren aufrichtig und ehrlich.

Philip war sehr gut darin gewesen, romantische Dinge zu tun – Abendessen bei Kerzenschein, Überraschungswochenenden, extravagante Blumen –, aber jetzt wusste Izzy, dass diese Dinge strategisch geplant gewesen waren, um sie immer wieder an ihn zu binden, wenn er eine Zeit lang abwesend gewesen war.

«Ich verzeihe dir, aber nur unter der Bedingung, dass du es nicht wieder tust. Deshalb habe ich Philip nämlich heute weggeschickt. Er war jahrelang mein Freund, mein *unzuverlässiger* Freund. Wir haben uns an der Uni kennengelernt, und er konnte sich nie entscheiden, ob er nun richtig mit mir zusammen sein wollte oder nicht. Und weil ich ihn geliebt habe, habe ich mich mit diesem Mist abgefunden.» Sie nahm seine Hand und lächelte zu ihm hoch. «Man könnte sagen, ich habe ihm diesen Mist erst ermöglicht.»

Ross verzog das Gesicht. «Wir sind alle nur Menschen. Und ich vermute, er wusste es.»

Sie nickte. «Er hat es heute quasi zugegeben, aber da hatte ich bereits erkannt, was ein echter Freund ist.» Sie küsste Ross auf die Wange. «Jemand, der an dich denkt, sich um dich sorgt und dir bedingungslos seine Hilfe anbietet, weil er merkt, dass du sie brauchst.»

«Ich hoffe, dass wir viel mehr als nur Freunde sein werden.»

Izzy nickte ein wenig schüchtern. «Das würde mir gefallen.»

KAPITEL 21

*P*uh!», sagte Ross, als er das Auto am nächsten Vormittag zurück zum Schloss steuerte, während im Kofferraum die Flaschen klirrten. «Wir haben es geschafft.»

«Tausend Dank. Ich weiß, du wärst heute Morgen viel lieber im Bett geblieben.» Izzy spähte hinaus auf die verschneite Landschaft und die zarten Schneeflocken, die auf sie herunterfielen.

«Hallo?» Er schaute sie mit wölfischem Grinsen an. «Du etwa nicht?»

Ihr Herz klopfte schneller bei der Erinnerung an die vorige Nacht. Sie rutschte in ihrem Sitz hin und her, denn ihre Nervenenden sirrten immer noch. Für jemanden, der von sich behauptete, er würde große Gefühle scheuen, wusste Ross ziemlich genau, wie man einer Frau guttat. Von dem Moment, als er sie vor dem Feuer küsste, hatte sie sich im Zentrum seiner Aufmerksamkeit gefühlt, und wenn Ross sich erst einmal auf etwas fokussierte, dann konnte ihn nichts mehr ablenken. Schließlich hatte er sie an der Hand hinauf in sein Zimmer geführt, und Izzy hatte nicht gezögert, denn er war nicht der Einzige, den es umgehauen hatte.

Trotz der herrlich tanzenden Schmetterlinge in ihrer Brust zog sich ihr Magen jedes Mal zusammen, wenn sie an den schweren Schneefall dachte, der für heute Nachmittag angesagt war. Sie kreuzte ihre Finger in der Tasche. *Bitte, bitte, bitte lass die Carter-Jones gut herkommen.* Sie wagte gar nicht an all das Geld zu denken, das sie für Essen und Wein ausgegeben hatte, ganz zu schweigen von den Kosten für die Renovierungen. Auch wenn sie mit Stolz sagen konnte, dass das Schloss mittlerweile bereit für den Empfang eines Königs wäre. Sie seufzte, als sie um die letzte Kurve rutschten. «Zum Glück sind wir da.»

«Ja, denn ich bin nicht sicher, ob ich dich *und* den Wein hätte tragen können.»

Sie lächelte ihn an, doch dann fragte sie ernst: «Glaubst du, die Straßen werden befahrbar sein?»

«Na ja, selbst wenn sie es nicht sind, haben wir genügend Wein, um eine Belagerung zu überstehen, und erst recht, eingeschneit zu werden.» Sie nahm an, Ross hatte ihre Frage absichtlich missverstanden, um sie zu beruhigen, als wäre es völlig undenkbar, dass ihre Gäste nicht ankommen könnten. Also folgte sie seinem Beispiel.

«Und wenn das Essen misslingt, können wir die Gäste so betrunken machen, dass sie sich niemals daran erinnern werden. Sie –» Izzy stockte, als sie das fremde Auto entdeckte, das vor dem Schloss stand. «Oh Gott, glaubst du, das sind sie schon?» Sie deutete auf einen schnittigen Jaguar-Kombi. «Sie sollen doch erst übermorgen da sein. Vielleicht haben sie beschlossen, dem Wetter zuvorzukommen?» Sie klaubte ihre Sachen auf. «Ich wollte sie willkommen heißen und alles richtig machen», jammerte sie.

«Bestimmt hat Xanthe –» Er unterbrach sich und starrte das Auto mit gerunzelter Stirn an.

«Sprich bloß nicht weiter. Oh Gott. Xanthe!» Izzy schloss die Augen und stellte sich vor, was ihre Mutter unter einem Willkommenszirkus verstand. Sie richtete sich auf. «Sie hat sie bestimmt die Koffer selbst tragen lassen, ihnen dann die Zimmer gezeigt und ist auf den Betten rumgehüpft, um ihnen zu erklären, wie angenehm die Matratzen sind, und sie hat bestimmt nicht daran gedacht, ihnen nach der langen Fahrt eine Erfrischung anzubieten. Die Gäste kommen aus Edinburgh. Sie müssen sehr früh losgefahren sein.»

Ross legte ihr eine Hand auf den Arm. «Atmen, McBride. Atmen.»

«Ja. Atmen. Alles wird gut.»

«Sie sind auf einem richtigen schottischen Schloss, und vor ihnen liegen weiße Weihnachten. Die Zimmer sehen alle perfekt aus, das Essen wird köstlich sein, und wie du gesagt hast, schlimmstenfalls füllen wir sie einfach ab. Du hast mich, Jeanette, Jim und Duncan an deiner Seite. Wir sind ein Team. Alles wird gut.»

Trotz seiner beruhigenden Worte sprang sie nervös aus dem Wagen, sobald das Auto zum Stehen gekommen war, und überließ es Ross, den Wein hineinzutragen. Sie eilte ins Haus und stolperte dabei fast über einen Koffer, der auf der Veranda abgestellt worden war. Sie war voller Sorge und eilte mit klopfendem Herzen in die Halle. Das Feuer war angezündet, zwar flackerte es nicht so groß und hell, wie sie geplant hatte, aber abgesehen vom Weihnachtsbaum sorgte zumindest die Girlande aus

Tannenzweigen mit den Schleifen aus rotem Samt und den satinierten Schottenbändern um das Treppengeländer für festliche Atmosphäre. Ebenso wie die Stechpalmenzweige, die kunstvoll über die Bilderrahmen drapiert hingen, was Izzy niemals so gut hinbekommen hätte. Bei ihr hätten sie ausgesehen wie betrunkene Zweige, die man ihrem Schicksal überlassen hatte.

Auf dem Kaminsims über dem Feuer stand eine Reihe dicker weißer Kerzen, umgeben von Tannenzapfen, die mit goldener Farbe besprüht worden waren. Es sah geschmackvoll und schön aus, ohne zu überladen zu wirken. Izzy spürte einen kleinen Stich der Erleichterung, und ihre Anspannung wich wie die Luft aus einem aufgeblasenen Ballon. Der erste Eindruck war auf jeden Fall positiv. Hier sah alles so aus, wie man es von einem schottischen Schloss erwarten würde.

Kreischendes Gelächter drang aus dem Flur, der zur Küche führte, als Ross mit einer Kiste Wein hereinkam.

«Sie sind in der Küche?» Izzy schüttelte ungläubig den Kopf und ging mit Ross im Schlepptau darauf zu.

Immerhin hat Xanthe den Gästen etwas angeboten, dachte Izzy, als sie die Tür öffnete. Tatsächlich saßen ihre Mutter und ein Paar mittleren Alters vor einem Weihnachtsteller mit Shortbreads und Teebechern am Tisch. Die Frau sah ganz anderes aus, als Izzy sich Mrs. Carter-Jones vorgestellt hatte. Sie hatte eine elegante Dame erwartet. Diese Frau hatte weißblonde, kurz geschnittene Haare mit lilafarbenen Spitzen und ein paar längeren gegelten Locken obenauf. Sie trug ein Hängekleid aus Jeansstoff, einen Seidenschal, der in allen Farben des

Regenbogens leuchtete, sowie gestreifte Strumpfhosen in Senf, Grün und Orange, dazu ausgeblichene rote Lederschuhe, die an Pasteten aus Cornwall erinnerten.

«Izzy!» Ihre Mutter begrüßte sie, als wäre sie tagelang weg gewesen und nicht nur ein paar Stunden. «Das hier sind Alicia und Graham.»

«Oh! Hallo und herzlich willkommen!», sagte Izzy so strahlend, wie sie konnte, und fragte sich, warum Xanthe die beiden in die Küche geführt hatte. Natürlich war es hier gemütlich mit dem großen Kieferntisch, den Regalen voller irdenem Geschirr und dem Herd. Doch ihre Mutter hatte sich so angestrengt, damit Salon und Halle gut aussahen. «Schön, Sie kennenzulernen. Ich hoffe –»

«Mum! Dad!» Ross stellte die Weinkiste krachend ab. «Was macht ihr denn hier?»

Die Frau erhob sich und strahlte von einem ihrer mehrfach durchstochenen Ohren zum anderen. Izzy war nicht sicher, ob sie jemals so viele Ohrringe an einem Menschen gesehen hatte.

«Ross!» Die kratzige, rauchige Stimme übertraf die von Xanthe um mehrere Dezibel. «Mein Baby!»

Izzy bemerkte Ross' entsetzten Gesichtsausdruck, als sich die Frau, die offensichtlich seine Mutter war, im wallenden Hängekleid mit ausgestreckten Armen auf ihn stürzte.

Er wich zurück. «Lieber Gott, Mutter, ich bin fünfunddreißig.»

«Aber du wirst immer mein Baby sein», rief sie. «Oh, du großer Klotz, jetzt komm, lass dich drücken.»

Ross umarmte sie steif und tätschelte ihr den Rücken.

Sie küsste ihn schmatzend auf beide Wangen und trat dann zurück, um ihn anzusehen. «Du hast trainiert, junger Mann. Ich spüre Muskeln.»

«Du spürst keine Muskeln. Ich bin genauso wie immer.» Ross war die ganze Situation sichtlich unangenehm.

«Nein, du bist trainiert. Ich sehe das doch. Ich meine, dein Vater hat in seinem ganzen Leben nicht trainiert, stimmt's, Graham?», rief sie ihrem Mann zu, dem Ross äußerst ähnlich sah.

«Nein, Schatz», sagte er, wobei er Izzys Blick auffing und ihr ein schwaches Lächeln zuwarf. Und plötzlich wusste Izzy genau, von wem Ross gesprochen hatte, als er sagte, dass Xanthe ihn an jemanden erinnerte.

«Was macht ihr hier?», fragte Ross noch einmal.

«Sie sind über Weihnachten da!», krähte Xanthe, die ganz offensichtlich sehr zufrieden mit sich war.

«Aber ...»

«Ich habe Alicia erzählt, dass Sie hier wohnen, Ross. Und sie meinte, Sie wollten zu Weihnachten nicht nach Hause kommen, obwohl Sie sich seit Ewigkeiten nicht gesehen hätten. Na ja, und weil wir doch massenhaft Platz haben, habe ich sie und Graham eingeladen, die Woche bei uns zu verbringen.» Xanthe faltete die Hände auf dem Tisch, als erwarte sie, dass man ihr auf die Schulter klopfte.

«Du hast *was* getan?» Izzy verschränkte empört die Arme.

«Ach, hatte ich dir das gar nicht gesagt, Liebling?», fragte Xanthe nonchalant. Izzy funkelte ihre Mutter an.

Sie wussten beide nur zu gut, dass Xanthe nicht ein Wort zu ihr gesagt hatte.

«Auf Alicias Website war ein Kunstwerk, von dem ich dachte, es würde perfekt in das Rosenzimmer passen. Und ich beschloss, mich zu erkundigen.» Xanthes fröhlicher Tonfall täuschte Izzy keinen Moment lang. Ihre Mutter hatte einfach Ross' Aufenthalt im Schloss dazu benutzt, Alicia zu kontaktieren.

«Und da sind wir also!», trällerte Alicia. «Als ich hörte, dass es ein Schloss ist ... Na, da konnte ich doch nicht Nein sagen. Also habe ich den Truthahn in die Gefriertruhe gesteckt, die Koffer gepackt, und wir sind losgefahren.» Sie wandte sich wieder an Izzys Mutter. «Was für einen wundervollen Ort Sie hier haben, Xanthe. Es ist so nett von Ihnen, uns einzuladen.»

«Ja, wahnsinnig nett», murmelte Izzy, hauptsächlich zu sich selbst, denn Xanthe und Alicia waren viel zu sehr damit beschäftigt, sich gegenseitig Komplimente zu machen, um es zu hören.

«Es ist so schön, Sie kennenzulernen, Alicia. Ich bin absolut begeistert von Ihrer Arbeit.»

«Apropos Arbeit: Graham, das Auto!» Alicia klatschte gebieterisch in die Hände.

Der Mann erhob sich und klopfte Ross im Vorbeigehen auf den Rücken. «Schön, dich zu sehen, mein Sohn.»

«Dich auch, Dad», antwortete Ross und verzog den Mund zu einem sanften Lächeln, das Izzys Herz erwärmte. Die kurze Kommunikation zwischen den beiden Männern sagte so viel über ihre Beziehung aus.

Alicia sprang sogleich herbei. «Also, Ross ... Xanthe hat mir erzählt, dass du ein Buch schreibst. Warum weiß ich nichts davon? Ich bin doch deine Mutter! Und was ist mit deiner Arbeit an der Uni? Haben sie dich rausgeworfen?»

«Nein, Ma, ich mache ein ... Sabbatical.»

«Um ein Buch zu schreiben. Soso. Was für ein Buch ist es denn, und warum hast du mir nichts davon erzählt? Ich meine, ein Buch! Das ist so aufregend. Worum geht es? Spiele ich auch mit?»

«Nein. Aber wie war denn deine letzte Ausstellung?», fragte er, um von sich abzulenken.

«Nun, diese Galerie in London stellt irre hohe Anforderungen, ich bin total erschöpft.» Sie wirbelte zu Xanthe herum. «Sie machen sich keine Vorstellungen, wie hart die Arbeit als Künstlerin ist, meine Liebe. Wahnsinnig anstrengend, wissen Sie?» Als sie sich mit dem Handrücken über die Stirn fuhr, musste Izzy sich anstrengen, ernst zu bleiben. «Darum war es so nett von Ihnen, uns hierher einzuladen, an diesen Ort, an dem wir uns ausruhen können.» Damit drehte sie sich wieder zu Izzy um. «Ich habe gehört, Sie sind eine fantastische Köchin, Izzy.»

«Äh, na ja, ich bin mir nicht sicher, ob ich wirklich *fantastisch* bin, aber ich werde mein Bestes geben», sagte Izzy mit einem gequälten Lächeln. Sie war kurz davor, ihre Mutter zu erwürgen. Jetzt wären es also achtzehn Personen zum Mittagessen. «Hast du noch jemanden eingeladen, Mutter?»

Alicia kreischte los, und Izzy verdrehte die Augen. Sie war Xanthes Seelenverwandte.

«Oh Xanthe, Sie sehen gar nicht alt genug aus, um Izzys Mutter zu sein. Ich dachte, Sie wären Schwestern.»

«Jetzt mag ich Sie noch lieber, Alicia. Und Liebling, um Himmels willen, bitte nenn mich nicht ‹Mutter›, das ist so altmodisch.»

Als Ross den nachdenklichen Gesichtsausdruck seiner Mutter sah, warf er sofort ein: «Denk nicht einmal daran, Ma.»

«Spielverderber», schmollte sie mit gutmütigem Grinsen.

Graham kam mit einem in schwarzes Seidenpapier eingewickelten Päckchen herein, um das ein breites violettes Chiffonband zu einer extravaganten Schleife gebunden war. Er reichte es Alicia, die es wiederum Xanthe überreichte. «Ein kleines Geschenk für unsere überaus großzügige Gastgeberin.»

Xanthes Augen weiteten sich. «Für mich?» Sie griff sich an die Brust.

Izzy hätte beinahe gelacht, die beiden benahmen sich wie Schauspielerinnen einer 40er-Jahre-Matinee.

Xanthe zog an der Schleife und öffnete das Paket. «Oh du meine Güte, Alicia!», keuchte sie. «Das ist ja wunderschön. Einfach unglaublich. Oh, Alicia, damit haben Sie mir eine unglaubliche Freude gemacht.» Tränen glänzten in Xanthes Augen, als sie mit erstickter Stimme fortfuhr: «Ich wollte immer schon eines Ihrer Werke haben, aber ich hätte es mir niemals leisten können. Das ist so nett von Ihnen. Schau, Izzy.» Sie hielt eine ungleichmäßige Form aus türkisfarbenem Glas in die Höhe, die blau-golden schimmerte. Das Objekt sah spektakulär aus und sehr typisch für die Kunstwerke, die Xanthe schon seit vielen Jahren bewunderte.

Izzy war gerührt von Xanthes ehrlicher Freude, denn sie wusste, wie viel ihr dieses Kunstwerk bedeutete. Und ein schlechtes Gewissen überkam sie, weil sie ihre Mutter so verurteilt hatte. Xanthe war wirklich seit Jahren ein Fan von Alicias Arbeit. Kein Wunder, dass sie die Gelegenheit genutzt hatte, sie kennenzulernen.

«Es sieht wunderschön aus», sagte Izzy und ging zu ihrer Mutter, um ihr einen Kuss auf die Wange zu geben. «Ich weiß, wie sehr du es in Ehren halten wirst.»

«Ich weiß auch schon genau, wo ich es hinstelle. In den Salon auf das Regal im Alkoven.» Xanthe sprang auf, drückte das Kunstwerk an ihre Brust und streckte die andere Hand Alicia entgegen. «Kommen Sie, meine Liebe. Mal sehen, was Sie dazu meinen. Im Salon ist es ohnehin viel schöner. Am besten, wir gehen alle rüber. Izzy, rufst du uns, wenn es Mittagessen gibt?»

Als die beiden plappernden Frauen die Küche verlassen hatten, wurde die Atmosphäre im Raum auf einmal schal wie abgestandener Champagner. Graham zog die Augenbrauen hoch und sah seinen Sohn verlegen an. «Ich passe mal lieber auf die beiden auf. Im Doppelpack sind sie vielleicht noch gefährlicher.»

«Du bist sehr tapfer, Dad.»

«Jahrelange Erfahrung …», sagte er mit schelmischem Lächeln, das sein Gesicht erstrahlen ließ und die Ähnlichkeit zwischen Vater und Sohn noch mehr unterstrich.

Als sein Vater die Küche verlassen hatte, sah Izzy Ross mit schief gelegtem Kopf an. «Das ist also deine Mutter.»

«Jep. Das ist meine Mutter.»

«Und sie weiß offensichtlich nichts von Ross Adair?»

«Nein.» Er schauderte. «Kannst du dir vorstellen, was dann los wäre? Ich würde nie mehr meine Ruhe haben. Sie würde es jedem erzählen, wo immer wir hinkommen.»

«Ich glaube, sie ist sogar noch lauter als meine Mutter. Oder wer hat das größere Organ?» Izzy kicherte plötzlich los. «Was hast du dir bloß gedacht, als du hierherkamst? Vom Regen in die Traufe!»

«Ich dachte anfangs, es ist egal, weil ich ja die ganze Zeit in meinem Zimmer bleiben würde, aber ...» Er lächelte sie an. «Aber dann gab es auf einmal andere Verlockungen.»

Izzy warf ihm einen herausfordernden Blick zu. «Meine Walnuss-Kaffee-Torte?»

«Die und die Mince Pies.»

Er kam zu ihr und nahm sie in die Arme. «Und das hier», sagte er und drückte seine Lippen auf ihre.

Izzy schmolz in seiner Umarmung dahin und wurde von dem Feuerwerk verzehrt, das sich in ihrem Inneren entzündete, sobald seine Lippen ihre berührten. Die körperliche Anziehung war verrückt, doch gleichzeitig war da auch dieses Gefühl der inneren Ruhe, das seine Gegenwart in ihr auslöste. Er war der sichere Hafen inmitten des Sturms.

KAPITEL 22

Izzy lächelte, als sie die WhatsApp-Nachrichten las, in der ihre Freunde ihr erklärten, wie sie den Weihnachtskuchen am besten verzieren konnte. Wenn das hier alles vorbei war, würde sie Fliss einen riesigen Blumenstrauß schicken und Jason eine Flasche des besten Weins. Die beiden hatten ihr in den letzten Wochen praktisch das Leben gerettet. Jetzt arrangierte sie die kleinen Tannenbäume aus Zucker in einer Ecke des viereckigen Weihnachtskuchens zwischen den Schneebergen aus dicker weißer Puderzuckerglasur, die den ganzen Kuchen bedeckte. Einfach, aber effektiv, genau wie Fliss gesagt hatte.

«Du kommst gerade richtig, um die Schüssel auszulecken», sagte sie, als Jeanette in die Küche platzte, denn sie wusste, was für eine Naschkatze diese war.

«Oh, super!» Jeanette fuhr mit dem Finger durch die Schüssel und schob sich eine dicke Schicht Glasur in den Mund. «Lecker! Und das sieht mega aus, viel schöner als die langweiligen Stücke, die es in den Läden zu kaufen gibt.» Sie verschränkte die Arme hinter dem Rücken und ging um den Kuchen herum, dabei unterdrückte sie ein Grinsen.

«Was ist?», fragte Izzy und trug die benutzten Küchengeräte hinüber zur Spüle.

«Ich habe mit meiner Mum gesprochen», platzte Jeanette heraus. «Und es war gut. Sie hat sogar ein paar Freudentränen vergossen.»

«Oh, Jeanette, wie schön.» Izzy ließ alles fallen und warf die Arme um die junge Frau. «Also, nicht, dass sie geweint hat, natürlich, aber dass ihr miteinander gesprochen habt.»

«Es war deine Mum, die mich am Ende überzeugt hat, Izzy. Sie hat mir gesagt, wie traurig sie wäre, wenn ihr beide nicht miteinander sprechen würdet, und dass sie sich einfach nicht vorstellen könnte, Weihnachten ohne dich zu feiern.»

Izzy schwieg überrascht. «Das hat Xanthe gesagt?»

«Ja, und dass ihr immer nur zu zweit wart, seit deine Oma gestorben ist. Dass ihr die zwei übrig gebliebenen Musketiere seid und dass es ohne dich kein richtiges Weihnachten wäre. Das hat mich zum Nachdenken gebracht. Ich habe Weihnachten nämlich auch noch nie ohne meine Mum verbracht.» Jeanettes Gesicht verzog sich. «Und dann konnte ich nicht mehr aufhören, an sie zu denken, und dann hat Jim auch noch gesagt, ich soll sie anrufen. Also habe ich es getan.»

«Und offenbar ist es gut gelaufen.» Izzy betrachtete Jeanettes gerötetes, aber glückliches Gesicht.

«Ich habe ganz schön was zu hören gekriegt, weil ich weggelaufen bin, aber ich glaube, sie hat sich so gefreut über den Anruf, dass sie mir verziehen hat. Jedenfalls ... Ich hoffe, das ist okay, deine Mum hat schon Ja gesagt ... Also, sie kommt nach den Weihnachtstagen her, um Hogmanay mit uns zu verbringen. Sie wird auch ganz sicher keine Umstände machen, und sie kann oben in unserem kleinen Wohnzimmer schlafen.»

«Sei nicht albern», erwiderte Izzy sofort – denn was sollte sie sonst sagen? Jeanette und Jim gehörten schließlich mittlerweile zur Familie. «Sie kann nicht bei euch oben auf der Couch schlafen.» Sie lachte leicht hysterisch, denn was machte mittlerweile schon eine weitere Person aus? Die Anzahl der Gäste war längst außer Kontrolle geraten. «Aber ihr müsst euch beim Kartoffelschälen ins Zeug legen. Wir sind jetzt schon bei achtzehn Personen.»

«Huch! Aber Mrs. Carter-Jones hat doch nicht noch mehr Leute dabei, oder?»

«Nein, aber Ross Eltern sind aufgetaucht und werden ein paar Tage bleiben, so wie es aussieht.»

Jeanettes Augen weiteten sich zu Untertassengröße. «Seine Eltern? Hier im Schloss? Hat er dir vorher nicht Bescheid gesagt?»

Izzy lachte erneut schrill auf und ermahnte sich, sich zusammenzureißen, denn langsam ging es mit ihr durch.

«Er wusste nichts davon. Xanthe hat sie eingeladen. Warte, bis du seine Mutter Alicia kennenlernst. Ich glaube, sie und Xanthe sind eigentlich miteinander verwandt.»

«Wie meinst du das?»

«Na, das wirst du schon bald genug sehen. Aber es bedeutet, dass wir noch ein weiteres Zimmer vorbereiten müssen. Wir sollten die Gäste noch mal neu verteilen, und hier muss dringend sauber gemacht werden.» Izzy warf einen verzweifelten Blick durch die Küche.

«Keine Sorge, darum kümmere ich mich. Jim kann mir helfen, wenn er und Ross das lachsfarbene Zimmer fertig tapeziert haben. Bei Ankunft der Carter-Jones wird dann alles strahlen.»

«Danke, Jeanette. Aber wenn noch mehr Leute kommen, brauche ich definitiv einen zweiten Truthahn.»

«Hey, alles gut, wir schaffen das. Ehrlich, Izzy. Du weißt, dass Jim und ich alles für dich tun. Du hast uns gerettet. Wir hätten sonst zurück nach Hause gemusst, und auch wenn Mum sich inzwischen beruhigt hat, haben wir jetzt die Bedingungen gestellt.»

Jeanettes Handy piepte, und sie zog es aus ihrer Hosentasche. «Oh Gott, was will Mrs. Carter-Jones denn jetzt schon wieder?»

Sie kicherte, als sie die Nachricht laut vorlas: *«Welche Kerzen verwenden Sie? Es sollten unbedingt Duftkerzen sein.»* Sie hielt eine Hand in die Luft, in die Izzy gehorsam einschlug. «Sie bekommt ihre Duftkerzen! Ich habe es dir ja gesagt, Iz.»

«Das hast du. Gut gemacht. Du kannst die Kerzen dann jetzt verteilen. Ich hatte sie vor Xanthe versteckt. Es würde mich nämlich nicht wundern, wenn meine Mutter alle auf einmal abbrennt, sobald sie sie in die Finger bekommt.»

«Du bist so gemein. Xanthe ist toll.»

«Sie ist wunderbar, aber manchmal eben ein bisschen unzuverlässig.»

«Warte, bis du *meine* Mutter kennenlernst, die ist *viel* zu zuverlässig. Überhaupt nicht wie deine. Xanthe ist so lustig.»

«Ja, ja, das hast du schon mal gesagt. Aber jetzt los, wir müssen in die Puschen kommen. Ich will noch den Braten und die Soße machen.» Jason hatte ihr empfohlen, die Bratensoße im Voraus zuzubereiten, um Zeit zu sparen, und zwar nach einem Rezept, das Adrienne ihnen in der Kochschule beigebracht hatte.

Während sie die Zwiebeln hackte und das Gemüse schälte, das Fleisch mit Olivenöl beträufelte und Kräuter darüberstreute, schaute Izzy immer wieder aus dem Fenster und hoffte jedes Mal, dass es aufhörte zu schneien, doch der blassgraue Himmel war jedes Mal derselbe – und der Schnee fiel seit Stunden.

Nachdem sie den Braten in den Ofen geschoben hatte, machte sie sich an das Abendessen für acht Uhr. Sie hatte zwei Lasagnen geplant – eine davon zum Einfrieren für später – und ausreichend Zutaten besorgt, denn der Aufwand war der gleiche. Lasagne mit Salat und Knoblauchbrot, das war perfekt.

Als sie das Hackfleisch aus dem Kühlschrank nahm, betrachtete sie das große Stück Wild, das damals in Irland zu einer Art Schreckgespenst für sie geworden war. Vielleicht hätte sie vorher noch mal üben sollen, es wie ein Filet Wellington zuzubereiten, wie sie es vorhatte. Jetzt war es zu spät dafür.

Morgen um diese Zeit würden die Gäste da sein, und sie würde alles, was sie in den Wochen in Irland gelernt hatte, in die Praxis umsetzen. Es würde schon alles gut gehen. Vorausgesetzt, die Gäste schafften es überhaupt von Edinburgh bis hierher.

Um halb sechs marschierte Xanthe in die Küche. Sie hatte sich umgezogen und trug ein scharlachrotes Kleid mit weißen Paspeln und dazu rote Lederstiefel.

«Du bist ein paar Tage zu früh, Weihnachtsfrau», sagte Izzy, während sie die Lasagne und das mit Knoblauchbutter gefüllte und in Folie gewickelte Baguette in den Ofen schob.

«Oh, für Weihnachten habe ich ein anderes Outfit, aber ich dachte, wo Alicia und Graham hier sind, sollten wir unsere Aperitifs im Salon einnehmen. Warum gehst du nicht rauf und ziehst dir zur Abwechslung auch mal ein Kleid an? Mach dich hübsch.» Der passend rote Haarschmuck wackelte, als Xanthe sie am Ellenbogen griff und versuchte, sie zur Tür zu führen.

«Ich fühle mich ganz wohl so», sagte Izzy.

«Nein, du hast zu viel gearbeitet. Ich decke den Tisch, und währenddessen kannst du raufgehen und dich ein bisschen frisch machen.»

Izzy runzelte die Stirn über diese für ihre Mutter so untypische Umsicht. «Ich dachte, wir essen hier in der Küche und morgen Abend dann im Esszimmer.»

«Sehr gute Idee, Liebling. Und nun los, los, ab mit dir. Ich weiß, wo Messer und Gabel sind.» Sie wedelte mit den Händen, als wäre Izzy ein Huhn, das sie fortscheuchen wollte.

«Okay», sagte Izzy.

Sie hatte tatsächlich nichts mehr zu tun, bis die Lasagne fertig war, und es wäre schön, mal ein bisschen aus der Küche rauszukommen und sich auf eines der kuscheligen Sofas im Salon zu setzen, auch wenn sie vermutlich sofort einschlafen würde, wenn sie nicht aufpasste. So erschöpft war sie.

«Aber mach nicht zu lange. Ich habe Graham gebeten, sich um die Drinks zu kümmern. Ich habe allen gesagt, sie sollen um Viertel vor sechs da sein, also beeil dich lieber.»

«Ja, Mum.» Dem makellosen Make-up und dem haargenau zum Kleid passenden Lippenstift ihrer Mutter nach zu urteilen, hatte sie sich eindeutig mehr Zeit gelassen als eine Viertelstunde, die Izzy jetzt hätte.

Izzy war vielleicht nicht besonders eitel, aber manchmal hatte sie durchaus Lust, sich hübsch anzuziehen. Fünfzehn Minuten waren dafür nicht besonders viel, aber sie beschloss, ihr Bestes zu geben.

Sie besaß noch einige Kleider aus der Zeit, als sie beim Edinburgh Festival gearbeitet hatte, darunter ein paar kurze schwarze Stücke, deren Stil ihre Mutter als ‹Beerdigungsschick› bezeichnete. Und da Izzy wusste, dass sie genau diesen Kommentar provozieren würde, wenn sie eines davon anzog, nahm sie stattdessen ein blaues Samtkleid aus dem Kleiderschrank. Es würde gut zu ihren roten Haaren passen und ihrer Figur schmeicheln, denn es betonte ihre Kurven an den richtigen Stellen. Zum Glück war sie nie eine dürre Stabheuschrecke gewesen.

Nach einer schnellen Dusche zog sie sich an und trug ein wenig Lippenstift, ein paar Bürstenstriche Wimperntusche und einen Spritzer Parfüm auf. «So geht's», sagte sie zu ihrem Spiegelbild, löste ihren Pferdeschwanz und fuhr sich mit der Bürste durch die langen Locken.

«Sieh mal einer an», meinte Ross, als er sie oben an der Treppe erblickte.

Sie riss die Augen auf und dachte: Nun, sieh mal einer *ihn* an. Ross hatte sich eine schicke schwarze Hose und ein weißes Hemd angezogen, dessen Kragen offen stand. Und – kaum zu glauben – es sah aus, als hätte er sich die Haare gekämmt. Unwillkürlich fragte sich Izzy, wie lange es wohl dauern würde, bis ihm die übliche wilde Stirnlocke wieder ins Gesicht fiel.

Er sah ihren Blick. «Fang du nicht auch noch an. Meine Mutter hat mir schon gesagt, dass ich zum Friseur muss.»

«Ich fand eigentlich, dass deine Haare ungewöhnlich schick aussehen.»

«Ach, das hält nicht lange.»

«Das habe ich mir schon gedacht.» Sie lächelte ihn an.

«Du siehst toll aus, nebenbei bemerkt. Ich mag das Kleid.»

«Danke.» Sie strich mit der Hand über den Stoff und genoss das luxuriöse Gefühl des Samtes. «Es gab mal eine Zeit, da sah ich immer ganz schick aus.»

«Ich kann mir dich nirgendwo anders als hier im Schloss vorstellen. Es passt einfach zu dir. Glaubst du, du wirst immer hier wohnen?»

«Ich denke schon, außer wenn ich es verkaufen muss.»

Er starrte sie an. «Verkaufen?»

«Na, falls es sich nicht trägt. Darum hängt ja auch so viel von den Carter-Jones ab.»

«Das meinte ich nicht. Ich ... also ... Wem gehört denn das Schloss?»

311

«Mir.»

Er lachte. «Xanthe spielt hier also nur die Hausherrin? Ich habe ehrlich gedacht, dass *sie* es geerbt hätte.»

«Nein, Großonkel Bill hat es mir hinterlassen ... Aber ich weiß schon, warum er es getan hat.» Sie schüttelte den Kopf. «Ich liebe meine Mutter, aber sie besitzt einfach keinen Funken gesunden Menschenverstand. Wenn sie verantwortlich wäre, dann würde alles um sie herum in kürzester Zeit verfallen, und sie würde irgendwann in einem der letzten bewohnbaren Zimmer hausen, zusammen mit unzähligen zugelaufenen Katzen, und versuchen, das Anwesen irgendwie am Laufen zu halten, anstatt es zu verkaufen. Sie wollte schon immer hier wohnen. Das konnte ich ihr also nicht verwehren. Aber ich konnte mir nur vorstellen, das Schloss zu halten, wenn ich es zu einem Hotel umfunktioniere.»

«Dein Großonkel hat es dir also vererbt, aber er hat dir kein Geld hinterlassen.»

«Das stimmt, auch wenn er immer gesagt hat, dass sich die Dinge schon von allein regeln würden. Er hat eben auf mich gezählt, weil ich die Vernünftige bin.»

«Ein schweres Erbe.»

Izzy zuckte mit den Schultern. «Schon, aber jetzt, wo ich hier lebe, möchte ich auch nicht mehr weg.»

Sie hatten die unterste Stufe erreicht und blieben stehen. «Ganz sicher wird diese Woche perfekt laufen», erklärte Ross. «Die Gäste werden dein Loblied vor all ihren reichen Freunden singen, und dann wirst du monatelang im Voraus ausgebucht sein. Es sieht alles fantastisch aus, McBride.» Er hob eine Hand. «Und wage es nicht, irgendetwas über die Qualität des Essens zu sagen. Du hast uns die letzten Monate bekocht, und weder hast du uns vergiftet, noch sind wir verhungert. Im Gegenteil!»

«Aber es gibt einen Unterschied zwischen Alltagsküche und Michelin-Stern. Die Carter-Jones sind so schwierige Gäste, sie –»

«Das ist ihr Problem. Also mach dir keine Sorgen. Du wirst sie entweder glücklich machen oder nicht, aber es ist sinnlos, sich jetzt schon deswegen verrückt zu machen. Du verdienst erst mal einen Drink und eine Pause. Komm.»

Selbst wenn sie nicht gewusst hätten, wo Xanthe und Alicia sich aufhielten, hätten ihr Johlen und Gackern jeden Zoowärter aufgeschreckt. Als Izzy und Ross in den Salon kamen, saßen die beiden nebeneinander auf einem der Sofas und ähnelten mit ihrem kreischenden Gelächter zwei Hyänen, die am Lachgas geschnüffelt hatten.

«Kann ich Ihnen etwas einschenken, meine Liebe?» Graham schaute Izzy mit seinem leidgeprüften Lächeln an. «Ich glaube, die beiden haben gerade noch *ein* Glas Prosecco in der Flasche gelassen.»

«Sie scheinen sich auf jeden Fall gut zu amüsieren», sagte Izzy lächelnd.

«Ihre Mutter ist wirklich eine Type», erklärte er und schenkte ihr ein Glas ein. «Ich kann mich nicht erinnern, dass Alicia sich schon mal so schnell mit jemandem so blendend verstanden hat. Sie sind wie zwei Perlen in einer Muschel.»

«Ich hoffe, Sie fühlen sich nicht ausgeschlossen», erwiderte Izzy.

«Gott, nein!» Er lachte. «Ich freue mich, dass Alicia eine Freundin gefunden hat.» Dann blinzelte er ihr zu. «So habe ich mal etwas Ruhe.»

Ross verdrehte die Augen, sagte aber nichts.

Duncan kam auf seinen krummen Beinen herein und warf den beiden Frauen einen misstrauischen Blick zu, bevor er sich zum Rest der Gruppe gesellte.

«Was ist denn hier los?», fragte er.

Izzy nahm ihn beim Arm. «Duncan, darf ich dir Ross' Vater Graham vorstellen? Und das ist seine Mutter Alicia.» Sie deutete in Richtung Sofa.

Er murmelte eine Begrüßung und nahm dann die Flasche Bier, die Ross ihm anbot. Duncan war einfach ein Gewohnheitstier.

«Wann kommen die Gäste morgen an?», wollte er wissen, als Jeanette und Jim zu ihnen traten, nachdem sie sich den beiden Neuankömmlingen kurz vorgestellt hatten.

«Mrs. Carter-Jones sagt, sie werden gegen vier Uhr nachmittags hier sein», erklärte Jeanette mit Blick auf ihr Handy.

«Super», antwortete Jim. «Ich werde das Feuer in der Halle rechtzeitig entfachen und mich bereithalten, um die Begrüßungscocktails zu servieren.»

«Und ich ziehe meinen Kilt an», meinte Duncan stolz.

«Ich auch», sagte Jim.

«Und ich!» Ross streckte die Brust raus.

«Nun, da schließe ich mich doch gleich mit an», sagte Graham. «Ich werde meinen auch tragen.»

Izzy grinste breit. «Das wird bestimmt einen tollen Eindruck machen. Und während die Gäste etwas trinken, können Jim und Duncan ihre Koffer hochbringen. Wir führen die Herrschaften dann herum und erklären ihnen, dass es um halb sieben Abendessen gibt.»

«Ist denn auch alles fürs Essen vorbereitet?», fragte Ross mit neckischem Lächeln.

«Ich habe ja meine Listen!» Izzy klopfte auf ihr Notizbuch, das sie im Moment immer bei sich trug.

«Ich freue mich schon auf das Abendessen», sagte Graham. «Xanthe hat mir erzählt, dass Sie eine Sterneköchin sind.»

Izzy verschluckte sich fast an ihrem Getränk. «Nein, sie übertreibt maßlos. Lieber Gott, hoffentlich hat sie das nicht auch schon zu den Carter-Jones gesagt.»

Jeanette wand sich.

«Hat sie?»

Mit besorgtem Ausdruck nickte Jeanette. «Ich fürchte, das hat sie. Leider.»

«Wieso hast du mir das nicht gesagt?», quiekte Izzy.

«Weil du dann nur Panik bekommen hättest, so wie jetzt», sagte Jeanette.

«Ich habe keine Panik», sagte Izzy und kippte sich den Rest von ihrem Prosecco runter. Die Wärme breitete sich in ihrem Magen aus wie ein Atompilz. Sie holte tief Luft. «Okay, ich habe Panik.»

«McBride, immer schön atmen», sagte Ross. «Du schaffst das.»

«Das werde ich nicht. Oh Gott. Aber ich muss. Mir ... ist schlecht.» Und das stimmte. Denn das Essen machte ihr die allergrößte Sorge. Sie war einfach keine professionelle Köchin. Sie hatte nur an einem sechswöchigen Kochkurs teilgenommen, sie hatte höchstens ihre Grundkenntnisse verbessert. Ohnehin wollte sie ihren Gästen eigentlich nur ein Frühstück und ein herzhaftes, aber schlichtes Abendessen anbieten, falls diese mal nicht außerhalb aßen. Niemals hatte sie den Ehrgeiz gehabt, ein Fünf-Sterne-Luxushotel zu führen!

Am nächsten Morgen stand Izzy sehr früh auf und ging in die Küche, um eine Partan-Bree-Suppe zuzubereiten, die sie zusammen mit selbst gebackenen Brötchen als Vorspeise servieren wollte. Danach würde sie das Roastbeef mit Dauphine-Kartoffeln, grünen Bohnen, Frühlingszwiebeln, Knoblauch und gerösteten Mandeln servieren. Bei der Zubereitung dieses Essens fühlte sie sich recht sicher, nur ihre Servierkunst auf den Tellern ließ noch zu wünschen übrig. Aber es ging schließlich hauptsächlich um die Zutaten, beruhigte sie sich. Und die waren erstklassig. Alles regional! Das Rindfleisch kam aus der Gegend, die Kartoffeln stammten vom Hofladen. Die Bohnen würde sie blanchieren, damit sie knackig blieben und das köstliche Nussaroma aufnahmen.

Sie bereitete so viel wie möglich vor, auch das Cranachan-Dessert, für das sie die Himbeeren mit Whisky beträufelte und die Haferflocken zum Rösten in den Ofen schob.

Nachdem sie alles erledigt hatte, was sie im Voraus vorbereiten konnte, lief sie mit Jeanette durchs Haus und überprüfte jedes Gästezimmer zweimal. Xanthe hatte Graham und Alicia eines der frisch renovierten Zimmer zugewiesen, und Izzy hoffte, dass die Carter-Jones-Reisegruppe aus Paaren bestand, die jeweils zu zweit untergebracht werden konnten. Schlimmstenfalls würde sie ihr eigenes Zimmer zur Verfügung stellen.

Als plötzlich ein stark verbrannter Duft durchs Haus zog, rannte Izzy in die Küche. Oh Gott, sie hatte vergessen, die Haferflocken aus dem Ofen zu nehmen, und jetzt waren sie verkohlt.

Es war gerade einmal vierzehn Uhr, und sie war bereits ein Nervenbündel! Vor allem, wenn sie hinaus auf den beständigen Schneefall schaute. Aber sie hatte noch so viel zu tun, dass sie es sich nicht leisten konnte, an irgendetwas anderes zu denken.

Um Viertel vor vier versammelten sich alle in der Halle, während Jim, der in seinem Kilt und den schicken Ghillie-Brogue-Schuhen einfach toll aussah, feierlich das Kaminfeuer anzündete. Jeanette trug eines von Izzys schlichten schwarzen Kleidern mit einer schottischen Schärpe, die zu Jims Kilt passte. Duncan trug sein eigenes Muster am Kilt, ebenso wie die Strathallan-Männer. Izzy hatte sich ihr bestes schwarzes Kleid angezogen und trug schwarze Pumps, die nur für den ersten Eindruck gedacht waren – sobald sie wieder in der Küche stand, würde sie sofort flache Schuhe anziehen.

«Natürlich gibt es keine Garantie dafür, dass sie pünktlich kommen», sagte Izzy. «Das Wetter ist immer noch schlimm.»

«Ich habe aber nichts von Mrs. Carter-Jones gehört. Sie hätte uns bestimmt Bescheid gesagt, wenn sie später kommen.» Jeanette schnippte einen winzigen Krümel von ihrem Ärmel.

«Stimmt», meinte Izzy. Jetzt, wo sie nichts mehr zu tun hatte, wurde sie noch nervöser. Sie setzte sich auf das Sofa, das dem Feuer am nächsten stand, sodass sie die Glaskaraffe mit dem zehn Jahre alten Maltwhisky aus Bills Sammlung schnell erreichen konnte. Die Kristallgläser, die Jeanette gespült und poliert hatte, glänzten im Feuerschein, und das Orangegold der Flammen spiegelte sich darin.

Nach einer halben Stunde zitterten Izzy die Knie, weshalb Ross vorschlug, dass sie alle wieder an die Arbeit gehen sollten. «Ich halte die Augen offen und sage Bescheid, wenn sie kommen.»

«Das ist ein guter Plan», antwortete Izzy, die es drängte, wieder in die Küche zu kommen. «Ich kann das Abendessen ein bisschen nach hinten schieben, falls sie länger brauchen.»

In der Küche schaute sie auf ihre Liste für den Tag.

Während sie sich selbst mit Vorwürfen überhäufte, hörte sie auf einmal ein ungewöhnliches Geräusch, das beständig lauter wurde. Sie spähte aus dem Fenster, und im gleichen Moment kam Jeanette, gefolgt von Xanthe und Alicia, in die Küche gerannt.

«Sie kommen mit dem Hubschrauber!», kreischte Xanthe.

«Er landet auf dem Vorderrasen!», quiekte Jeanette.

«Das ist wirklich außergewöhnlich», fügte Alicia hinzu. «Ich glaube, ich habe noch nie jemanden mit dem Hubschrauber landen sehen.»

Izzy schlug das Herz bis zum Hals, die Nervosität drohte sie zu ersticken.

«Okay, alle auf ihre Plätze.» Jetzt war der Moment gekommen, auf den sie in den letzten sechs Wochen hingearbeitet hatten.

Und auf die zwanzigtausend Pfund, die sie über Wasser halten würden.

Xanthe, Alicia, Jeanette, Jim, Duncan und Izzy drängten sich auf den Stufen vor der Haustür. Wenig später gesellten sich auch Ross und sein Vater, die vom Lärm aufgeschreckt worden waren, zu ihnen. Gebannt sahen sie, wie drei Personen in der Hubschraubertür auftauchten, einige Gepäckstücke hinauswarfen und dann selbst auf den Boden sprangen. Zwei von ihnen duckten sich unter den rotierenden Hubschrauberblättern und hoben ihre Reisetaschen auf. Die dritte Person, dick eingemummelt in einen weißen Daunenmantel und in dem hellen Schnee kaum zu sehen, zog einen riesigen grauen Koffer aus dem Inneren des Hubschraubers und wäre dabei beinahe umgeworfen worden. Anschließend zerrte sie den Koffer wie einen bockigen Schlitten hinter sich her über den Schnee.

Izzy runzelte die Stirn, als die drei näher kamen. Es sah aus, als wären es nur die jüngeren Leute der Reisegruppe. Dann wurde das Geräusch des Hubschraubers lauter, beinahe ohrenbetäubend, und der Propeller begann, sich zu drehen. Schneller und immer schneller, bis sich der Hubschrauber wieder in den Himmel erhob, wobei er den umliegenden Schnee zu einem kleinen Schneesturm aufwirbelte.

Die zwei Gäste, die zuerst ausgestiegen waren, winkten dem Piloten hinterher. Dann bemerkte einer von ihnen, wie sich die Person mit dem Koffer abmühte, und ging zu ihr, um zu helfen. Zusammen stapften die drei durch den knietiefen Schnee zur Schlosstreppe.

«Brust raus, Zähne zeigen», sagte Xanthe. Dann rief sie: «Juuuhuuuu, willkommen auf Schloss Kinlochleven!»

«So verschrecken Sie die Gäste vermutlich gleich wieder», murmelte Ross.

«Sei nicht fies, Liebling», sagte Alicia und stieß ihrem Sohn in die Rippen.

Xanthe winkte euphorisch, doch Izzy runzelte die Stirn. Denn die ersten beiden, eine Frau und ein Mann, winkten ihr mit breitem Grinsen zu. «Ich fasse es nicht», sagte sie und blinzelte.

Das konnte doch nicht wahr sein!

«Hey, Izzy – Überraschung!», rief der Mann.

«Wir dachten, wir kommen und helfen dir», ergänzte die Frau.

Jetzt erst realisierte Izzy, wen sie vor sich hatte. «Fliss! Jason! Oh mein Gott, was macht ihr denn hier?»

Jason stürzte sich auf sie, Fliss tat es ihm nach, und alle drei umarmten sich lachend.

«Ich fasse es nicht!», sagte Izzy zum zweiten Mal.

«Die Avengers sind da. Wir sind gekommen, um das Weihnachtsessen zu retten!» Jason grinste.

Fliss gab ihm einen Stoß. «Wir sind gekommen, um dir unsere Hilfe anzubieten. Und wir haben Schlafsäcke mit, also macht es dir hoffentlich nichts aus, uns irgendwo unterzubringen.»

«Ein Stall reicht uns», meinte Jason fröhlich.

Fliss verdrehte stöhnend die Augen. «Du bist kein bisschen lustig.»

«Oh, Leute, ich bin so froh, dass ihr da seid.» Izzy hatte das Gefühl, sie würde gleich in Tränen ausbrechen. Die beiden waren hervorragende Köche. Jason war eine Art Genie in der Küche, und Fliss war einfach großartig in allem, und vor allem beherrschte sie die Präsentation auf den Tellern perfekt. Mit den beiden an ihrer Seite würde sie es wirklich schaffen.

«Äh, hallo», hörten sie eine Stimme am Fuß der Treppe, und Izzy drehte sich wie alle anderen zu der Frau im weißen Mantel um.

«Das ist Hattie», sagte Fliss. «Sie hat uns nach einer Mitfahrgelegenheit vom Flughafen Edinburgh gefragt. Jasons Chef hatte uns nach Edinburgh mitfliegen lassen, und dann meinte der Hubschrauberpilot, er könne uns bis hierher mitnehmen, weil er sowieso in diese Richtung müsse. Hattie hat das zufällig mitangehört und erzählt, dass sie auf dem Weg nach Kinlochleven sei. Die Welt ist klein, was?»

«Hallo, Hattie, ich bin Izzy.» Sie schüttelte die Hand der Frau, die ungefähr so alt war wie sie. Hattie hatte einen hellen Schneewittchen-Teint, und dunkle Haarsträhnen lugten aus ihrer Kunstfellmütze.

«Hi, tut mir leid, dass ich einfach so hier aufschlage, aber man hat mir gesagt, es wäre okay, wenn ich zur Familienfeier komme. Ich hoffe, das ist kein allzu großes Problem. Falls doch, kann ich auf dem Sofa schlafen oder so.»

Izzy stutzte. «Oh, Sie sind eine von den Carter-Jones!»

«Ja. Ich bin Harriet. Sind die anderen schon da?»

«Nein, noch nicht. Sie sollten aber jederzeit kommen.» Plötzlich fiel Izzy ein, dass Hattie ja ein Gast war und hier willkommen geheißen werden sollte, wie sie es geplant hatte. «Und natürlich haben wir ein Zimmer für Sie.» Im Kopf ging sie hektisch die Zimmer im zweiten Stock durch, um zu überlegen, welches sie in Rekordzeit fertig machen konnten. «Kommen Sie doch herein. Jim nimmt Ihren Koffer.»

«Geben Sie mir gern Ihren Mantel», sagte Jeanette, als sie in der Halle standen.

Hattie befreite sich aus ihrem bodenlangen, voluminösen Mantel, dessen Saum ganz nass geworden war. «Danke. Das ist wirklich die unpraktischste Winterkleidung der Welt», sagte sie, während sie Jeanette den Mantel reichte. «Aber meine Mitbewohnerin meinte, ich solle ihn unbedingt mitnehmen, und ich bin auch sehr froh darüber. Wussten Sie, wie irre kalt es in einem Hubschrauber ist? Nicht, dass ich schon mal in so einem Ding geflogen wäre. Total unheimlich, aber ich will mich gar nicht beschweren, immerhin bin ich jetzt hier. Danke fürs Mitnehmen, Leute. Das war meine Rettung. Ich hätte es sonst nie rechtzeitig hergeschafft.»

Izzy lächelte. Sie mochte Hattie Carter-Jones, und etwas in ihrem Inneren entspannte sich. Wenn diese junge Frau so freundlich und locker war, dann würde der Rest der Familie doch sicher so ähnlich sein, oder?

«Kommen Sie und setzen Sie sich ans Feuer. Möchten Sie ein Glas Whisky zum Aufwärmen?»

«Das klingt himmlisch. Verdammt gern!» Sie stockte.

«Oh, entschuldigen Sie meine Ausdrucksweise. Aber die Reise war ein ziemlicher Stress. Alles total kurzfristig. Ich habe meinen Flug nach Edinburgh verpasst. Eigentlich wollte ich mich nämlich schon gestern mit der Familie im Hotel treffen und dann mit ihnen zusammen hierherfahren. Und als ich Fliss und Jason im Café mit diesem Hubschraubertypen reden hörte, konnte ich mein Glück kaum fassen – vor allem, weil die letzten Tage so beschissen gelaufen waren.»

Izzy führte sie zu dem großen Ledersofa neben dem Kamin und lud Fliss und Jason ein, sich ebenfalls zu setzen.

Duncan nahm die Karaffe vom Tablett und füllte drei Whiskygläser.

«Wow, das sieht ja toll aus hier. Ist das ein echtes Schwert da oben?», fragte Hattie mit Blick auf das Claymore, während sie in das Chesterfield-Sofa sank.

«Allerdings!», sagte Duncan mit beinahe blutrünstiger Begeisterung und reichte ihr ein Glas. «Wurde bei der Schlacht von Culloden benutzt. Hat 'ne Menge Blut am Stahl.»

Izzy warf ihm einen schnellen Blick zu. Offenbar war Duncan gerade wieder in seine Rolle als alter Schlossbediensteter gefallen. Nur gut, dass er jetzt weitere Drinks verteilte.

Hattie riss die Augen auf. «Als Nächstes wollen Sie mir wohl noch erzählen, dass es hier im Schloss spukt.»

«Lustig, dass Sie das sagen ...», begann Xanthe.

«Es gibt keine Geister», sagte Izzy bestimmt und funkelte ihre Mutter drohend an.

Xanthe seufzte. «Sie hat keinen Sinn für Humor», raunte sie Alicia zu, und dann zogen die beiden sich an eins der großen Fenster zurück.

«Also, Hattie, Sie sind die Tochter der Carter-Jones?»

«Oh Gott, nein! Ich bin kein bisschen wie Gabby. Wir sind die armen Verwandten.» Sie merkte, dass sie vielleicht ein wenig indiskret war, und fügte hinzu: «Ich bin die Nichte. Alexander Carter-Jones ist der Bruder meines Dads.» Sie lächelte, aber ihre Augen schauten traurig, als sie sagte: Er und meine Tante hatten Mitleid mit mir und haben mich eingeladen, weil … weil ich sonst Weihnachten ganz allein verbracht hätte.» Sie beendete den Satz mit einem brüchigen Lächeln. «Ich schreibe ihnen lieber eine Nachricht, dass ich gut angekommen bin, und frage, wo sie stecken.»

Da ihre Anspannung zurückkehrte, nahm Izzy nun ebenfalls einen tiefen Schluck Whisky, der sich ihre Speiseröhre hinabbrannte. Wenigstens hatte sie jetzt Fliss und Jason an ihrer Seite, auch wenn sie immer noch nicht wusste, wo sie die beiden unterbringen sollte. Vielleicht könnten sie ein Doppelzimmer in einem der Türme nutzen, das schon bessere Tage gesehen hatte und noch nicht geheizt war. Um Jason machte sie sich dabei weniger Sorgen, er war ein Rohdiamant, aber Fliss … nun, sie war an die schönen Dinge des Lebens gewöhnt. Allein schon ihre feine Aussprache zeigte, dass sie aus wohlhabenden Verhältnissen stammte. Vermutlich hatte sie mehr mit dem Clan der Carter-Jones gemeinsam als jeder andere hier.

«Wie wäre es, wenn ich Ihnen jetzt Ihr Zimmer zeige?»,

sagte Izzy zu Hattie. «Dann können Sie sich schon einmal einrichten und etwas frisch machen.»

Jim hatte Hatties Koffer unten an der Treppe abgestellt und tauchte nun wie von Geisterhand wieder bei ihnen auf.

«Jim, kannst du Hatties Koffer in das Rosenzimmer bringen?», bat sie, denn sie hatte beschlossen, dass Hattie eines der besseren Zimmer verdiente.

KAPITEL 23

*W*as sollen wir bloß machen?», jammerte Xanthe, die in die Küche geeilt kam. «Wir haben am Tisch nicht genügend Platz für alle zu Weihnachten. Es gibt nur sechzehn Stühle, selbst wenn ich noch ein paar Extragedecke dazwischenquetsche. Aber das ruiniert das ganze Bild, denn es gibt nur passendes Geschirr für sechzehn Personen.»

«Wir kriegen das schon hin», sagte Izzy und war umso dankbarer, dass ihre Küchenretter gekommen waren.

Ihre Mutter seufzte. «Ich habe gedacht, dass deine Freunde und Jeanette und Jim und Duncan hier essen können.»

Izzy, die schon gestresst genug von der Sorge darum war, wo sie alle unterbringen sollte, fuhr herum. «*Du* hast Alicia und Graham eingeladen. Das sind auch keine zahlenden Gäste. Wieso sollen sie bevorzugt werden?»

«Du kannst wohl kaum von jemandem wie Alicia erwarten, dass sie in der Küche isst. Außerdem zahlt Ross, und er erwartet sicher, dass seine Eltern neben ihm sitzen.»

«Ich fasse es nicht», sagte Izzy, und ihre Wut gewann über ihre sonst so diplomatische Art. «Fliss und Jason sind meine Freunde, und sie sind extra gekommen, um mir zu helfen, also werden sie auch im Esszimmer sitzen, genau wie Jeanette, Jim und Duncan, weil sie nämlich hier wohnen.»

«Jetzt sei nicht kompliziert, Liebling.»

«Ich bin nicht kompliziert.»

«Bist du doch.»

Izzy warf das Geschirrhandtuch hin und riss den Kühlschrank auf. «Du bist unmöglich, Mum. Einfach all diese Leute einzuladen. Die Carter-Jones sollten ursprünglich zu viert kommen, dann waren es sechs Personen, dann acht, und jetzt sind es zehn oder sogar elf. Keine Ahnung, ob du Hattie schon mitgezählt hast. Und dann lädst du noch Alicia und Graham ein. Ich bin überrascht, dass du nicht auch noch Mrs. McPherson hinzugebeten hast. Oder wieso nicht gleich das ganze verdammte Dorf?!»

«Ach, jetzt übertreib nicht. Ich glaube, du bist ein bisschen übermüdet und gereizt, Isabel McBride.» Und bevor Izzy ein weiteres Wort sagen konnte, war ihre Mutter entrüstet aus der Küche gerauscht.

Izzy sank auf einen der Küchenstühle und stützte den Kopf in die Hände. Es passierte nur selten, dass sie so auf Xanthe losging – weil es sowieso sinnlos war –, aber sie hatte jetzt wirklich genug. Neben all den Vorbereitungen für das Essen heute Abend musste sie auch noch die Geschenke einpacken. Sie beschloss, dass sie alles unter den Weihnachtsbaum im Salon legen würde, dann konnten die Carter-Jones nach dem Frühstück dort sitzen. Dann ging sie im Kopf alles durch, was sie gekauft hatte, und versuchte, einige der Geschenke auf die Neuankömmlinge zu verteilen, damit alle etwas Kleines auspacken konnten. Zum Glück gab es reichlich Weihnachtsstrümpfe. Ihre Mutter hatte ihr jedes Jahr einen neuen gekauft, als sie noch klein war, und sie hatten die bereits vorhandenen immer als Dekoration in der Wohnung aufgehängt.

«Alles in Ordnung?»

Izzy sah auf und schaute in Ross' mitfühlendes Gesicht.

«Ich habe laute Stimmen gehört.»

Sie verzog das Gesicht. Hoffentlich hatte er nicht gehört, was sie gesagt hatte. Sie wollte nicht, dass er glaubte, seine Eltern wären nicht willkommen. «Entschuldige, aber ich musste mal Dampf ablassen. Meine Mutter ist manchmal wirklich das Letzte. Sie ignoriert einfach alles, was sie nicht hören will.»

«Das kenne ich. Meine Mutter ist exakt genauso. Glaubst du, die beiden wurden bei der Geburt versehentlich getrennt?»

«Das ist sehr gut möglich.» Izzy rieb sich die Schläfen. «Und noch immer keine Spur von den Carter-Jones. Ich mache mir langsam Sorgen, dass sie im Schnee stecken geblieben sind.»

«Das würde das Leben aber doch einfacher machen, oder?»

Sie seufzte tief. «In mancher Hinsicht ja, aber du weißt, wie sehr ich ihr Geld brauche. Und ich kann ihnen nichts berechnen, wenn sie nicht hier sind.»

«Stimmt.» Er sah auf seine Uhr.

«Ich verschiebe das Essen auf halb acht», erklärte Izzy und stand auf. «Bis dahin sind sie hoffentlich angekommen.»

In diesem Moment erschien Hattie in der Tür. «Kann ich kurz mit Ihnen sprechen, Izzy?»

«Natürlich. Sind Sie zufrieden mit Ihrem Zimmer?»

«Ja! Es ist wunderschön. Diese Tapete ist umwerfend. Nein, es ist ... ähm ...» Sie nagte an ihrer Unterlippe und wedelte hektisch mit der Hand. «Ich habe mit meiner Tante gesprochen. Sie ... sie haben alle beschlossen ... nicht zu kommen.» Die letzten Worte sprach sie sehr schnell.

«Wie bitte?» Izzy verbarg ihre Verwirrung hinter Höflichkeit. Sie war nicht sicher, ob sie Hattie richtig verstanden hatte. «Sind sie im Schnee liegen geblieben?»

«Nein. Aber sie sind nicht besonders weit gekommen. Das Wetter wurde immer schwieriger. Es war ihnen zu riskant. Sie ... werden in Edinburgh bleiben.»

«Das heißt, sie kommen nicht? Also ... überhaupt nicht? Oder erst Heiligabend?»

«Sie wollen Weihnachten jetzt bei einem alten Freund meines Onkels in Edinburgh verbringen und dort bis Boxing Day bleiben. Es tut mir leid.» Hattie trat unbehaglich von einem Fuß auf den anderen.

«Sie kommen nicht», wiederholte Izzy.

Hattie schüttelte den Kopf. «Es tut mir so leid!»

«Es ist ja nicht Ihre Schuld», sagte Izzy langsam und versuchte, ihre Gedanken zu ordnen. Mist, sie hatte sich so auf das Geld verlassen. Der Vorschuss war längst aufgebraucht. Ihr war schlecht. Und ein bisschen schwindelig. Sie legte die Hand an die Ecke der Anrichte, um nicht umzufallen. Ross stellte sich neben sie und legte ihr eine Hand auf den Rücken. Sie hatte ein Vermögen für Essen und Wein ausgegeben.

«Es ist wirklich total unhöflich von meiner Familie», sagte Hattie plötzlich. «Ich schäme mich so, ich könnte sie umbringen. Das ist gar nicht typisch für sie. Ich habe keine Ahnung, was passiert ist.»

«Keine Sorge», sagte Izzy und setzte ein Lächeln auf, auch wenn sie innerlich einen mittleren Nervenzusammenbruch hatte. Sie warf Ross einen kurzen Blick zu, und er lächelte sie beruhigend an.

«Ist es denn okay, wenn ich bleibe?», fragte Hattie mit leiser Stimme.

Izzy starrte die junge Frau an. «Oh mein Gott, es tut mir so leid.» Sie realisierte erst jetzt, dass das arme Mädchen von ihrer gesamten Familie im Stich gelassen worden war. «Natürlich können Sie das.»

«Ich kann mich ganz unauffällig unter die anderen Gäste mischen», meinte Hattie gezwungen fröhlich.

Verlegen knetete Izzy ihre Hände. «Eigentlich gibt es keine anderen Gäste. Also jedenfalls –»

«Oh nein! Wer sind denn all diese Leute im Schloss? Gehören die zur Familie? Oh Gott, und ich dränge mich hier einfach auf.»

«Seien Sie nicht albern, Sie drängen sich überhaupt nicht auf. Aber eigentlich sind Sie die einzige Person, die hier wirklich erwartet wurde. Ich scheine das Haus voller Gäste zu haben, von denen die Hälfte überhaupt nicht eingeplant war.»

«Und ich bin einer davon», sagte Ross und deutete mit beiden Daumen auf sich.

Izzy tat einen Schritt auf Hattie zu. «Sie stören also überhaupt nicht, solange es Sie nicht stört, mit den anderen zu feiern und einfach mitzumachen. In jedem Fall haben wir genügend zu essen.» Zumindest würde sie nicht alles wegwerfen müssen.

«Ehrlich?» Hattie zog besorgt die Brauen hoch.

«Ja, willkommen im Irrenhaus!»

«Aber ich helfe Ihnen. Das mache ich sowieso gern. Ich bin sehr gut im Kartoffelschälen.»

«Dann haben Sie schon mal einen Job.»

«Kann ich gleich anfangen?»

Izzy überließ Hattie einem Berg von Kartoffeln, der geschält werden musste, und während Ross für Xanthe und seine Eltern Tee kochte, trug Izzy das Bügelbrett nach oben in ihr Zimmer. Sie würde darauf die Geschenke einpacken, ein alter Trick ihrer Großmutter. Zunächst aber dirigierte sie Fliss und Jason von der einfachen Dachgeschosswohnung in zwei renovierte Gästezimmer. Nach all der Arbeit, die sie in den letzten Wochen in die Verschönerung der Zimmer gesteckt hatte, sollte auch jemand in den Genuss kommen, sie zu nutzen.

In dem Bedürfnis, die letzte große Aufgabe – das Einpacken der Geschenke – in Ruhe zu erledigen, bevor sie das Abendessen kochen würde, schlüpfte Izzy wieder in ihr Zimmer. Aber sie konnte nicht sofort loslegen, ihre Gedanken fuhren Achterbahn. Seufzend ließ sie sich auf ihr Bett sinken und stützte den Kopf in die Hände. Was sollte sie jetzt bloß tun? Die zweitausend Pfund, die sie für Essen und Wein ausgegeben hatte, würde sie den Carter-Jones berechnen müssen, ob es ihnen nun gefiel oder nicht. Jedenfalls zum Teil. Zum Glück war der Vorschuss nicht erstattungspflichtig, doch es gab immer noch ein großes Defizit bei all den Ausgaben für die Renovierungen und den Einnahmen, mit denen sie schon kalkuliert hatte. Der Dachdecker war für die zweite Januarwoche bestellt. Aber wie sollte sie ihn bezahlen? Plötzlich schien ihr alles zu viel, und trotz ihrer Bemühung, die Tränen zu unterdrücken, liefen sie ihr doch über die Wangen. Es nützte nichts. Es gab einfach zu viel, an das sie denken musste, zu viel zu tun, und ihr Kopf schmerzte von all dem Grübeln, wie sie die Probleme lösen sollte.

Ein leises Knarren ließ sie aufblicken. Ross stand in der Tür. «Alles in Ordnung?»

«Na ja ...»

«Geldsorgen?»

Sie nickte, und er setzte sich neben sie aufs Bett und legte einen Arm um ihre Schulter. «Ich weiß nicht, was ich machen soll, Ross. Ich habe fest damit gerechnet, dass die Carter-Jones kommen und anschließend für uns Werbung machen und uns ihren reichen Freunden empfehlen.»

«Es wird andere Gäste geben. Jetzt bist du vorbereitet.»

«Tja, solange das Dach hält ...»

«Schau, du kannst jetzt nichts daran ändern, dass sie nicht kommen. Aber du wirst das allerbeste Weihnachtsfest geben, und Xanthe kann Instagram damit bombardieren. Ist deine Website fertig, sodass man darüber buchen kann?»

«Nein.» Izzy seufzte. «Ich habe eine Freundin, die mir ein WordPress-Template erstellt hat, und ich habe schon angefangen, aber ich hatte keine Zeit, um mich darum zu kümmern oder mich da einzuarbeiten.»

«Na, ich kenne jemanden, der damit für sein Essen bezahlen wird, indem er das für dich übernimmt. Du wirst es vielleicht nicht glauben, aber mein Dad ist ein ziemliches Computergenie. Und es gibt ihm Gelegenheit, eine Weile von meiner Mutter wegzukommen.»

«Aber es ist doch Weihnachten!»

«Eben! Weißt du, wie viele Menschen sich direkt nach Weihnachten scheiden lassen, weil sie viel zu viel Zeit miteinander verbracht haben? Ich glaube, genau deshalb hat mein Dad überhaupt so lange durchgehalten, er hat seine Werkstatt und dann noch ein Dutzend Hobbys, die ihn alle vom Haus fernhalten. Eines davon sind Computer, also wird er vermutlich vor Dankbarkeit vor dir auf die Knie fallen. Und du könntest Xanthe und meine Mum dazu überreden, die Fotos für dich zu machen, dann hast du gleich einen Haufen Bilder von glücklichen, lächelnden Menschen, die sich im weihnachtlich geschmückten Esszimmer zu einem köstlichen Festessen niederlassen.»

«Du hast ja an alles gedacht», sagte sie lächelnd und suchte in ihren Hosentaschen nach einem Taschentuch.

«Hier.» Er reichte ihr ein mit Monogramm besticktes Tuch.

«Ernsthaft? Das sieht aus, als wäre es noch nie benutzt worden. Ich kenne niemanden, der noch Stofftaschentücher benutzt.»

«Jetzt kennst du einen. Meine Grandma hat mir immer welche in meine Weihnachtsstrümpfe getan. Ich habe einen ganzen Stapel davon. Und trage immer eins bei mir, für alle Fälle.»

«Falls du mal eine weinende Dame trösten musst?»

«Ehrlich gesagt, ist es das erste Mal, dass sich mir die Gelegenheit bietet.»

Izzy schnäuzte sich laut und sehr undamenhaft die Nase. «Danke. Jetzt ist es jedenfalls eingeweiht. Und danke an deine Grandma.» Was sie daran erinnerte, dass sie anfangen musste, die Geschenke für die Weihnachtsstrümpfe einzupacken. Das einzig Gute an der Situation war, dass sie jetzt genug Überraschungen hatte, um auch Fliss, Jason und der armen Hattie etwas zu schenken, deren Familie sie im Stich gelassen hatte. Izzy stopfte das Taschentuch in ihre Hosentasche, sie würde es Ross gereinigt zurückgeben.

Ross nickte ihr aufmunternd zu. «Ich schlage vor, dass wir allen eine richtig gute Zeit bereiten, und dann, wenn alles vorbei ist, überlegen wir, wie wir das Geld für das Dach zusammenkriegen. Ich kann dir was leihen.»

«Nein! Auf keinen Fall. Das könnte ich nicht annehmen.»

«Wie du meinst, aber du könntest mit deiner Bank sprechen und vielleicht einen kleinen Kredit beantragen oder so etwas. Es gibt immer Mittel und Wege.»

«Du hast recht. Ich habe meine Hoffnungen zu sehr auf dieses Geld gesetzt und gedacht, dass es alles ändern würde. Es ist einfach ein harter Schlag, nichts davon zu sehen, nachdem ich mich so angestrengt habe, dass diese Woche etwas ganz Besonderes wird.»

«Du hast trotzdem das Haus voller Leute, und davon

ist keiner ein richtiger Gast, mit Ausnahme von Hattie vielleicht, aber auch die scheint mir nicht von der Sorte, die erwartet, dass man sie von vorne bis hinten bedient. Also solltest du dich entspannen und versuchen, die Zeit selbst ein bisschen zu genießen. Oder?»

«Du hast recht. Solange nicht noch irgendwer unangemeldet auftaucht ...»

«Also, wie kann ich dir helfen?»

«Kannst du gut mit Tesafilm und Geschenkpapier umgehen?»

Fünf Minuten später waren sie umgeben von den Einkaufstüten mit den kleinen und großen Geschenken, Ross saß auf dem Fußboden, und Izzy hatte das Bügelbrett vor sich aufgestellt.

Er betrachtete es fragend.

«Das ist zum Einpacken. Der perfekte Platz, um das Papier auszubreiten. Ehrlich, wenn du erst mal ein Bügelbrett benutzt hast, machst du es nie wieder anders.» Izzy zog die erste Tüte mit Geschenken heran, die sie in Edinburgh erstanden hatte, und verteilte sie auf dem Bett.

«Du packst die Geschenke für die Weihnachtsstrümpfe noch mal ein?», fragte er.

«Ja, habe ich immer gemacht», meinte Izzy. «Noch so eine Familientradition bei uns.» Sie hielt mehrere Päckchen mit hübschen Servietten in die Höhe. «Was meinst du, wäre das etwas für deine Mum? Und vielleicht auch für Hattie und Fliss? Und mag dein Dad gern Fudge?»

«Und ob.» Ross blinzelte ihr zu. «Ich übrigens auch.»

Sie warf ihm einen strengen Blick zu und unterdrückte ein Lächeln. «Das sind die Geschenke vom Weihnachtsmann, und was er für dich hinterlassen hat, weiß ich nicht.» Für Ross hatte sie ein Päckchen hinten im Kleiderschrank versteckt.

Izzy begann, für jeden Gast des Schlosses kleine Geschenkestapel zu arrangieren. Mrs. Carter-Jones hatte ihr ein großzügiges Budget dafür gegeben, es ergab keinen Sinn, die Geschenke zurückzuhalten. Ross hatte recht, sie sollte sich später um das Geld Gedanken machen – obwohl das leichter gesagt als getan war.

Als sie mit ihrer Aufteilung fertig war, hatte jeder eine hübsche Auswahl, und sie war froh, dass sie sich die Mühe gemacht hatte, originelle und sinnvolle Geschenke zu besorgen. Alle Präsente zum Thema Golf landeten auf Grahams Stapel, Hattie bekam zusätzlich noch die, die eigentlich für ihre Tante und ihre Mutter gedacht gewesen waren. Für Jason und Fliss gab es alle Feinschmeckergeschenke, die Izzy ursprünglich für Mrs. Carter-Jones vorgesehen hatte. Perfekt. Den Rest der Geschenke verteilte sie gleichmäßig auf Fliss und Alicia sowie auf Jeanette und Jim, sodass nach einigem Jonglieren alle die gleiche Anzahl kleiner Geschenke hatten.

«Ich bin mir nicht sicher, ob Duncan wirklich einen ausgestopften Highland Terrier haben will», meinte Ross und nahm das Tierchen in die Hand.

«Na, wem soll ich ihn denn sonst schenken? Jeder soll gleich viele Geschenke im Strumpf haben.»

Ross lachte, stand auf und zog sie für einen kurzen Kuss zu sich heran. «Wenn du das sagst.»

«Ja, das ist eine der Weihnachtsstrumpf-Regeln», erklärte Izzy. «Meine Mum hat sich deswegen jedes Jahr verrückt gemacht. Sie hat immer gesagt, sie habe genau dieselbe Anzahl an Geschenken für mich und Gran besorgt, und dann fand sie immer noch etwas, das sie vor Ewigkeiten mal für Gran gekauft hatte, also musste sie wieder los und etwas für mich besorgen. Am Ende zählte sie noch mal, und ich hatte doch mehr als Gran.»

«Ich glaube, meine Mum erzählt dasselbe über die Strümpfe für mich und meine Schwester.»

«Siehst du, es ist so.»

Ross schien etwas einzufallen. «Ich weiß noch was! Ich habe eine Stirnlampe, die ich eigentlich meinem Dad schenken wollte. Die könnte ich in Duncans Strumpf legen.»

«Wirklich? Das wäre großartig.» Izzy strahlte ihn an. «Hol sie schnell, dann können wir alles einpacken. Ach, ich liebe den Weihnachtsmorgen, wenn alle ihre Geschenke auspacken. Wir hängen die Strümpfe an den Kamin und verteilen sie nach dem Frühstück im Salon.»

«Jetzt, wo es fast so weit ist, kann ich es kaum erwarten. Wir werden einen wundervollen Tag haben. Ein richtiges Weihnachtsfest mit Freunden und Familie. Genau, wie es sein soll.»

KAPITEL 24

*B*ist du bald fertig?», fragte Xanthe und marschierte in Izzys Zimmer.

Izzy legte gerade letzte Hand an ihr Make-up und stach sich beinahe mit der Wimperntuschenbürste ins Auge.

«Hallo, Mum, komm doch rein.» Doch der Sarkasmus war an Xanthe verschwendet. Sie glänzte in einem fuchsiaroten Kleid, das fast ausschließlich aus Rüschen zu bestehen schien. Auf dem Kopf trug sie ein farblich passendes Hütchen mit Pailletten, das sich mit ihren frisch gefärbten feuerroten Haaren biss. Als sie sich auf das Bett setzte, zitterten die Rüschen wie ein lebendiger Staubwedel.

«Oh, Schätzchen, willst du dir denn kein Kleid anziehen?»

Izzy schaute auf ihre schwarze Hose und das elegante Spitzenoberteil, das mit Pailletten besetzt war.

«Was ist daran falsch?»

«Du bist so eine schöne Frau, du solltest deine Vorzüge ein bisschen mehr herausstellen.»

«Meine Vorzüge?»

«Du weißt schon, ein wenig fraulicher aussehen.»

Izzy starrte ihre Mutter an. Wo kam das denn auf einmal her?

«Ich finde das schon ziemlich elegant.» Sie deutete auf ihre Kleidung. «Und vergiss nicht, dass ich eine Menge Zeit in der Küche verbringen muss.»

«Ja, aber du kannst trotzdem auch die Ballkönigin sein, Liebling. Du siehst wirklich sehr hübsch aus.»

«Danke», sagte Izzy mit ernstem Gesicht.

«Ja, aber du solltest dir ein bisschen mehr Mühe geben. Du wirst auch nicht jünger, weißt du.»

«Gerade habe ich ganz andere Sorgen. Immerhin ist Weihnachten, und das Haus ist voller Leute, die die nächsten Tage über versorgt werden wollen.»

«Aber die Carter-Jones kommen nicht, Liebling. Du kannst dich jetzt entspannen.»

Izzy hob eine Augenbraue und verzichtete darauf, die finanziellen Folgen des Ausbleibens ihrer Gäste zu erwähnen. Sie wollte nicht mehr daran denken. Ross hatte recht, sie sollte Weihnachten genießen und ihre Sorgen auf nächste Woche verschieben. «Du meinst, bis auf die Kleinigkeit, dass wir die nächsten Tage für zwölf Personen Frühstück, Mittag- und Abendessen zubereiten müssen?»

Xanthe zuckte mit den Schultern. «Das schaffst du schon. Das tust du immer. Ich dachte, wir könnten heute vor dem Essen in der Halle einen kleinen Drink nehmen. Punkt sechs Uhr. Ich hab schon allen Bescheid gesagt. Also komm nicht zu spät. Und zieh dir ein Kleid an, Liebling.» Mit diesen Worten schwirrte sie davon.

Izzy schüttelte den Kopf und betrachtete sich im Spiegel. Vielleicht war es gar nicht so schlecht, zur Abwechslung mal ein Kleid anzuziehen. Immerhin hatte sie einige. Und es hatte ihr gefallen, neulich im Samtkleid herumzulaufen. Sie liebte Kleider, nur waren sie in letzter Zeit nicht gerade praktisch gewesen.

«Liebling, wie siehst du hinreißend aus», flötete Xanthe, als Izzy um kurz vor sechs in einem schlichten Kleid die Treppe herunterkam. «Ich habe uns Cocktails gemacht, oder besser gesagt, ich habe Graham darum gebeten – er hat ein Händchen für den Cocktail-Shaker. Wir trinken Porn Star Martinis. Diese netten Jungs vom Hofladen haben uns vorhin noch Passionsfrüchte vorbeigebracht. John war sehr enttäuscht, dass er dich nicht getroffen hat, stimmt's, Alicia?»

«Ja», antwortete Alicia auf diese manierierte Art, die verriet, dass sie eine Rolle spielte. Sie war allerdings keine besonders gute Schauspielerin. «Sie sehen sehr hübsch aus, Izzy. Stimmt doch, Ross?» Alicia stieß ihrem Sohn unsanft in die Rippen.

«Sie sieht sehr *nett* aus», meinte Ross mit spitzbübischem Grinsen.

«*Nett*? Liebling, das ist kein richtiges Kompliment.» Alicia schüttelte den Kopf, während Izzy und Ross ein heimliches Lächeln austauschten.

«Bitte schön», sagte Graham und reichte Izzy eine Sektschale mit einer glitzernden Flüssigkeit, in der eine halbe Passionsfrucht schwamm.

«Wow, danke!»

«Sind diese Gläser nicht einfach wunderschön?», fragte Xanthe und hielt ihres ins Licht.

«Das stimmt», erwiderte Alicia. «Wissen Sie, ich habe bereits darüber nachgedacht, eine Glaswaren-Linie zu kreieren. So wie diese Schalen müssten sie sein, sie sind ein Traum. Sind die *vintage*?»

«Hier im Schloss finden sich massenhaft Gläser in den Schränken, die wer weiß wie alt sind. Ich hatte so viel Spaß dabei, sie alle zusammenzusuchen, es ist wie auf einer Schatzsuche. Auch wenn wir den wahren Schatz noch nicht gefunden haben – wir haben überall geschaut.»

«Ein echter Schatz?» Alicia zitterte beinahe vor Erregung.

«Ja!», jubelte Xanthe. «Irgendwo im Schloss sind Saphire versteckt, ein Vermögen. Vermutlich sind die Steine in einer Halskette eingearbeitet. Leider haben wir sie bisher nicht entdeckt.»

«Hast du das gehört, Graham?» Alicia stieß ihren Mann mit dem Finger an, bevor sie sich wieder Xanthe zuwandte. «Er hat einen Metalldetektor. Wir könnten Ihnen beim Suchen nach dem Collier helfen.»

«Der Metalldetektor ist zu Hause», brummte er.

«Ja, aber du besitzt einen. Und du weißt, wie man nach Sachen sucht.»

«Natürlich, Schatz.» Seine milde Stimme amüsierte Izzy, und ihr und Ross' Blick trafen sich erneut.

«Das wäre wundervoll. Ein frisches Paar Augen könnte vielleicht etwas entdecken, was wir nicht gesehen haben. Wir haben das Haus vom Dach bis zum Keller abgesucht. Ich habe sogar einen Experten kommen lassen, umsonst. Aber irgendwo müssen sie sein.»

Alicia rieb sich die Hände. «Wäre es nicht großartig, wenn wir sie fänden? Graham, wir fangen morgen an zu suchen. In der Zwischenzeit würde ich sehr gern die Gläser sehen. Können Sie mir die Kollektionen zeigen?»

«Ja, natürlich», meinte Xanthe. Die beiden Frauen waren schon dabei zu gehen, als Xanthe sich noch einmal umdrehte. «Sie sollten auch mitkommen, Graham.»

«Ja, das solltest du», sagte Alicia, ging zurück und hakte sich bei ihrem Mann unter. «Ross und Izzy können sich solange gegenseitig Gesellschaft leisten.» Ihre Lippen verzogen sich kokett. «Aber tut nichts, was wir nicht tun würden.»

Sie und Xanthe kicherten wie zwei Schulmädchen, die zu viel Zucker gegessen hatten.

Einen Moment später waren Ross und Izzy allein und brachen beide in Gelächter aus.

«Was ist denn mit denen los?», fragte Izzy.

«Völlig durchgedreht.» Ross schüttelte den Kopf. «Ich bin sicher, Dad hält das zu Hause nur durch, weil Mum sich immer in ihr Atelier zurückzieht und total von ihrer Arbeit eingenommen ist. Dann ist es friedlich, auch wenn sie manchmal vergisst zu essen. Sie kann die ganze Nacht im Atelier sein, wenn die Muse sie küsst. Dad versorgt sich allein und bringt ihr Sandwiches. Für sie beide funktioniert es. Ich kann mir nichts Schlimmeres vorstellen.»

«Glaubst du, unsere Mütter haben irgendetwas vor?», fragte Izzy.

«Diese beiden haben vermutlich immer irgendetwas vor. Ich werde jetzt noch ein bisschen am Schreibtisch arbeiten, wenn das in Ordnung ist. Ich will die Zeit nutzen, solange ich kann.»

«Ja, ist gut. Ich auch.»

«Sag Bescheid, wenn du Hilfe brauchst.»

«Soll das ein Witz sein? Ich glaube, ich kann mich in der Küche jetzt schon kaum bewegen. Jason und Fliss sind beide großartige Köche.»

Mit großer Geste stellte Izzy das glänzende Roastbeef auf die Mitte des Küchentisches, während Fliss eine Schüssel mit goldenen Dauphine-Kartoffeln und eine mit leuchtend grünen Bohnen brachte, über die geröstete Mantelstifte gestreut waren. Auf bunt zusammengestellten Stühlen drängten sich alle um den Tisch.

Jason hatte seine eigenen kostbaren Messer mitgebracht und schnitt das Fleisch auf. Die karamellisierte Kruste war knusprig, das Fleisch innen saftig und in der Mitte leicht rosa. Geschickt legte er ein Stück Braten auf jeden Teller, und Fliss begoss das Roastbeef mit der seidig schimmernden Rotweinsoße, die sie zubereitet hatte.

Izzy lehnte sich zurück und lauschte der fröhlichen Unterhaltung und dem Klirren von Besteck auf Porzellan, als alle von den Beilagen nahmen und sich gegenseitig die Schüsseln weiterreichten.

Xanthe hob ihr Weinglas mit dem Shiraz, den Ross zum Essen empfohlen hatte.

«Auf Izzy, die beste Gastgeberin.»

«Auf Izzy!», wiederholten alle. Dann versiegten die Gespräche, und zu hören waren nur noch das leise Seufzen und die gemurmelte Begeisterung, als sie zu essen begannen. Izzy lächelte vor sich hin, es gab nichts Schöneres, als mit lieben Menschen an einer großen Tafel zu sitzen. Und, dachte sie einen Moment später, als sie ein Stück von dem Roastbeef mit der köstlichen Soße im Mund schmeckte, es gab auch nichts Schöneres als gutes Essen. Sie sah sich am Tisch um und genoss mit einem gewissen Stolz die sichtbare Freude und Begeisterung in allen Gesichtern. Das war es, worum es im Leben ging: ein gutes Mahl mit anderen zu teilen. Ihre Lehrerin Adrienne hatte in der Kochschule viel davon gesprochen, und jetzt, in diesem Schloss, an einem Tisch voller Menschen, von denen sie einige erst seit Kurzem kannte, verstand sie es. Das war es, was Izzy tun wollte: sich um Gäste zu kümmern und dafür zu sorgen, dass sie sich im Schloss wohlfühlten und eine Auszeit von ihrem Alltag nehmen konnten. Zeit, um die Batterien aufzuladen und zu reflektieren.

«Diese Yorkshire-Puddings sind köstlich», sagte Graham, nahm sich noch eins von den Küchlein und hielt es wie eine wertvolle Trophäe auf seiner Gabel in die Höhe.

«Ist das dein drittes?», fragte Alicia und lehnte sich über Jeanette, die neben ihr saß, um seinen Bauch zu tätscheln.

«Es ist Weihnachten», grummelte er.

«Wenn es um dich und Yorkshire-Puddings geht, ist jeden Tag Weihnachten», erwiderte Alicia.

«Sie sind wirklich sehr gut, Izzy», sagte Xanthe, als wäre sie von dieser Tatsache überrascht. «Du wirst mal eine wunderbare Ehefrau sein. Mögen Sie Yorkshire-Pudding, Ross?»

Izzy verschluckte sich fast an ihrem Wein. Hatte ihre Mutter das gerade wirklich gesagt?

«Ja, ich mag sie sehr gern.» Er nahm mit ausdruckslosem Gesicht einen Schluck von seinem Wein.

«Hast du das gehört, Izzy? Ross mag Yorkshire-Pudding.»

Izzy verdrehte die Augen. «Er mag auch Mince Pies.»

«Du findest ihre Mince Pies auch toll, nicht wahr, Jeanette?» Xanthe ging in die Vollen.

«Mmm», sagte Jeanette leicht verwirrt. «Izzy ist eine sehr gute Köchin.»

«Würde es euch etwas ausmachen, nicht so über mich zu reden, als wolltet ihr mich an den Meistbietenden verkaufen?», sagte Izzy durch zusammengebissene Zähne.

«Izzy, was redest du denn da?» Ihre Mutter tupfte sich über den Mund. «Alicia hatte übrigens eine wunderbare Idee. Sie will neue Gläser kreieren, inspiriert von dem Stil der Gläser hier aus dem Schloss, und sie will sie die ‹Kinlochleven-Kollektion› nennen. Ist das nicht eine wunderbare Idee? Wir können zusammen viel auf Insta machen. Hast du Alicias Seite gesehen? Sie ist unglaublich.»

«Ja, ich kann es kaum abwarten, damit anzufangen», sagte Alicia, und dann redeten sie und Xanthe über ihre Pläne und Ideen. Man musste es ihnen lassen, sie waren beide sehr kreativ und ergänzten sich perfekt.

Jeanette nahm eine Gabel mit Dauphine-Kartoffeln und seufzte bei dem Duft nach Knoblauch und Butter. «Die sind so lecker, Izzy. Kannst du mir vielleicht beibringen, wie man so was macht? Und wie man einen richtigen Braten zubereitet? Ich bin in der Küche so nutzlos und will mich unbedingt verbessern. Und zwar nicht», sie warf Jim einen strengen Blick zu, «um meinen Ehemann zu erfreuen, sondern für mich selbst.»

Izzy gefiel die Einstellung der jungen Frau, ganz im Gegensatz zu der anachronistischen Bemerkung ihrer Mutter, die ehrlicherweise total untypisch für diese war. Sie betrachtete Xanthe durch zusammengekniffene Augen, bevor sie sich Jeanette zuwandte.

«Es geht nur um das richtige Timing. Den Rest macht der Ofen quasi allein.» Izzy lächelte. Sie hatte früher einen Riesenrespekt vor Braten gehabt, aber eigentlich war es ganz einfach, wie sie heute wieder mit Fliss und Jason in der Küche erfahren hatte.

«Lass das bloß nicht Adrienne hören», prustete Jason. «Was ist mit Slow Food und den besten Zutaten?»

«Alle Zutaten hier sind gut», sagte Izzy. «Ich habe alle vom Hofladen in der Nähe.»

«Ich muss sagen, das Fleisch ist hervorragend», meinte Fliss. «Und du hast es perfekt zubereitet. Köstlich, in der Mitte rosa und butterzart.»

«Dank eurer Hilfe.» Izzy zwinkerte ihr zu.

«Kann deine Mutter wohl noch offensichtlicher sein?», raunte Ross, während er die Spülmaschine einräumte und Izzy die Dessertteller aus dem Schrank holte.

«*Meine* Mutter?» Sie lachte leise und drehte sich zu ihm um. «Ich glaube, meine und deine Mutter stecken unter einer Decke, meinst du nicht auch?»

«Leider ja», antwortete er mit finsterem Gesichtsausdruck. «Da kommen all meine schrecklichen Jugenderinnerungen wieder hoch. Sie war die peinlichste Mutter an meiner Schule und schaffte es immer, ein Riesendrama um sich selbst zu machen. Hat mich fürs Leben gezeichnet.» Trotz seines trockenen Tons verstand Izzy, wovon er sprach. Xanthe war damals genauso peinlich gewesen, aber Izzy hatte ihr Verhalten tapfer ertragen. Wie eine Ehrenmedaille. Zumal alle ihre Freunde Xanthe durchaus bewunderten und sie für die coolste Mutter der Stadt hielten.

«Ich habe es in dem Alter immer vermieden, ihr von irgendwelchen Freundinnen zu erzählen, und das aus gutem Grund. Einmal hat sie mir die Sache tatsächlich vermasselt.» Er schloss die Spülmaschine und richtete sich auf. «Ich war in ein Mädchen aus der Schule verliebt und traf mich mit ihr. Leider hatte sich meine Mutter in den Kopf gesetzt, dass ich perfekt zu einer der Töchter ihrer Freundin passen würde, und überredete mich zu einer Verabredung mit diesem Mädchen. Sie lud sie immer wieder zum Essen ein, und irgendwann merkte ich, dass meine Mutter in der ganzen Nachbarschaft verbreitete, dass das Mädchen meine Freundin sei. Mädchen Nummer eins war verständlicherweise sehr gekränkt und beschuldigte mich, sie zu betrügen. Und Mädchen Nummer zwei glaubte Mums Propaganda und dachte, dass ich ernste Absichten hätte, weshalb sie sich von mir nicht abwimmeln ließ. Am Ende taten sie sich zusammen und servierten mich beide ab, wobei sie alle Welt darüber informierten, was für ein treuloser Arsch ich sei. Danach war ich bei den Mädchen der unbeliebteste Junge auf der ganzen Schule. Und von da an erzählte ich meiner Mutter nie wieder etwas, sie sollte nie wieder in mein Liebesleben hineinpfuschen. Heute fühlt es sich allerdings so an, als würde sich die Geschichte wiederholen.»

Im Gegensatz zu Ross fand Izzy das Ganze eher lustig. «Es ist wie in einem dieser Regency-Romane, in denen die beiden Witwen von Stand, die beste Freundinnen sind, ihre Sprösslinge unbedingt miteinander verheiraten wollen.»

«Ein Grund mehr, dass sie nichts von uns erfährt. Ich werde auf keinen Fall zulassen, dass meine Mutter sich noch mal einmischt. Jetzt verstehst du vielleicht, warum ich ihr auch nichts von meinen Büchern erzähle. Ich will gar nicht daran denken, was sie daraus machen würde. Wahrscheinlich Glasinterpretationen der Cover. Überall Blut und Gewalt.» Er schauderte.

Izzy wollte ihm schon bedeuten, dass er sich entspannen solle, aber sie sah den Ärger in seinem Gesicht und beschloss, es zu lassen. Sie schaute ihm nach, als er in den Saal zurückging. Es war irgendwie traurig, dass er seinen Erfolg als Autor nicht mit seiner Mutter teilen konnte und sie nach wie vor so schwierig fand. Xanthe hatte auch ihre Fehler, aber Izzy zweifelte nie daran, dass ihre Mutter hundertprozentig hinter ihr stand. Lange Zeit waren es ja auch nur sie zwei gegen den Rest der Welt gewesen.

Das Dessert wurde mit angemessener Bewunderung empfangen, und Izzy grinste, denn die Pavlova-Torte war eigentlich ziemlich einfach zuzubereiten, aber das musste sie ja niemandem erzählen. Auch nicht, dass es ausnahmsweise mal kein typisch schottisches Gericht war. Und sie mit den übrig gebliebenen Passionsfrüchten zu garnieren, war eine geniale Idee gewesen. *Danke, Jason.*

«Was für ein wundervolles Essen, Izzy. Danke! Sie sind eine hervorragende Köchin», sagte Alicia und tätschelte ihren sanft gerundeten Bauch. «Sie werden ...»

Wenn sie jetzt sagte, sie würde eine gute Ehefrau abgeben, dachte Izzy, würde sie ihr eine Pfanne über den Kopf ziehen.

«... das Schloss zu einem großen Erfolg machen, da bin ich sicher.» Ganz offensichtlich hatte Alicia sich gerade noch eines Besseren besonnen, obwohl ihre Augen sich mit nachdenklichem Ausdruck auf ihren Sohn hefteten. Er warf ihr einen misstrauischen Blick zu, als wartete er auf ihre nächste Bemerkung.

«Ross ist genau wie ich», fuhr sie fort, «er vergisst immer zu essen, wenn er von einer Sache absorbiert wird.»

«Ich glaube, Izzy hat noch nie vergessen zu essen, oder?» Xanthe stieß ein schallendes Gelächter aus. «Was nur gut ist, denn ich bin in der Küche zu nichts zu gebrauchen, stimmt's, Liebling? Sie hat das Weihnachtsessen übernommen, seit wir einmal gebackene Bohnen auf Toast essen mussten. Stellen Sie sich vor, ich hatte vergessen, den Truthahn aus der Kühltruhe zu nehmen!» Sie ließ die damalige Katastrophe wie einen Witz erscheinen.

«Oh! Und ich habe einmal vergessen, den Ofen anzustellen», erklärte Alicia mit breitem Grinsen. «Ich habe den Vogel reingeschoben, und dann sind wir alle spazieren gegangen. Als wir zurückkamen, erwarteten wir, von einem köstlichen Duft aus der Küche empfangen zu werden. Aber *nada*. Nichts. Weißt du noch, Ross? Du warst so sauer.» Sie wandte sich an Izzy. «Denken Sie immer dran, Izzy – wenn er Hunger hat, kriegt er schlechte Laune.»

Ross' Kiefer spannte sich an, und er biss mit lautem Knacken auf ein Stück Minzschokolade, die es zum Kaffee gab.

Zu Izzys Erleichterung mischt sich nun Jeanette ein. «Wir gehen zu Weihnachten immer zu Toby Carvery. Meine Mum kann nämlich auch kein bisschen kochen.» Ob Jeanette die Spannung überhaupt bemerkt hatte?

«Wir auch», meinte Jason. «Also, Mum, meine Schwestern und ich.»

«Will ich wirklich wissen, was Toby Carvery für ein Restaurant ist?», fragte Fliss, doch der Schalk in ihren Augen nahm ihren Worten die Schärfe.

«Du willst mir doch nicht sagen, dass du noch nie bei einem *Roastmas* bei Toby Carvery warst?», fragte Jason und spuckte beinahe sein Bier aus. «Also, für eine Schickimicki-Else kommst du aber nicht viel rum, oder?»

«Ich komme genügend rum, vielen Dank.» Sie stieß ihm neckisch in die Rippen.

«Wenn du noch nicht bei Toby Carvery warst, hast du noch gar nichts erlebt. Wenn wir zurück sind, führe ich dich dahin aus. Aber du musst ein bisschen trainieren. Denn da gibt's einen Trick, stimmt's, Jeanette?»

Sie nickte. «Jim ist super darin, er kriegt mehr auf seinen Teller als jeder, den ich kenne.»

«Ich habe überhaupt keine Ahnung, wovon ihr redet», sagte Fliss mit ratlosem Kopfschütteln.

«Da gibt's ein Büfett, und man kann so viel essen, wie man will», erklärte Jason. «Man bekommt wirklich was für sein Geld. Ich schaufele mir immer erst mal die Kartoffeln auf den Teller, darüber das Gemüse, dann lege ich das Fleisch drüber, gieße die Soße drauf, packe die Yorkshire-Puddings obenauf und halte dann alles mit dem Kinn fest.»

«Hör gar nicht hin, Graham, denk an dein Cholesterin», mischte sich Alicia in die Unterhaltung ein.

«Sicher, Schatz», sagte er mit einem hinterhältigen Blitzen in den blauen Augen.

«Möchte jemand Käse?», fragte Izzy und stand auf.

«Du bleibst sitzen», sagte Jeanette. «Selbst ich kann Käse und Cracker auf den Tisch stellen. Und Jim hilft mir, die Spülmaschine einzuräumen.»

«Ich helfe auch mit», sagte Hattie. «Ich übernehme die Geschirrspülmaschine, und ihr macht den Käse.»

Xanthe richtete sich auf. «Wenn wir Käse essen, brauchen wir aber auch Portwein. Hast du welchen besorgt, Izzy?»

Natürlich hatte sie das. Er stand noch im Keller, denn sie hatte ihn eigentlich erst am Weihnachtstag öffnen wollen, doch jetzt, wo die Carter-Jones nicht kamen, war es nicht mehr so wichtig.

«Ich gehe runter und hole ihn.»

«Sie haben einen richtigen Schlosskeller? Wie herrlich gruselig», sagte Alicia. «Ross, du solltest Izzy begleiten und sie vor Gespenstern beschützen.»

«Wir sollten richtige Geisterjäger kommen lassen, wissen Sie?», sagte Xanthe. «Ich wette, unten in den Kellergewölben sind eine Menge Leute gestorben. Damals waren es bestimmt Verliese.» Sie wurde ganz aufgeregt. «Oh, wir könnten Geisterführungen machen, das würde Gäste anlocken. Jeder liebt doch eine schöne Gespenstergeschichte.»

«Also, ich nicht», sagte Izzy mit leichtem Schaudern. Sie war jetzt nicht mehr besonders erpicht darauf, in den Keller zu gehen.

«Ich gehe runter», sagte Ross und stand auf. Er hatte ihr Zögern offensichtlich bemerkt. «Wo finde ich den Portwein?»

«Es ist nicht so leicht, das Weinregal zu finden, da unten ist es ein bisschen verwinkelt. Ich gehe schon.»

«Dann muss ich wohl mitkommen.» Er warf seiner Mutter einen trotzigen Blick zu, als wollte er klarmachen, dass er es aus Pflichtbewusstsein tat und nicht, weil sie es wollte.

Der Keller war schwach beleuchtet, denn die uralte Glühbirne sorgte für mehr Schatten als Licht, und Izzy wünschte, sie hätte ihre leistungsstarke Taschenlampe aus dem Hauswirtschaftsraum mitgenommen. Ross folgte ihr schweigend, er hatte noch kein Wort zu ihr gesprochen, seit sie die Küche verlassen hatten.

«Alles in Ordnung?», fragte sie, während sie sich ihren Weg durch den Gewölbekeller bahnte.

Zwischen den kleinen Räumen musste selbst Izzy sich jedes Mal unter den Bögen hindurchducken. Duncan hatte ihr in den ersten zwei Wochen im Schloss alles gezeigt.

«Alles gut», sagte er mit seinem kühlen, ruhigen Ton, der absolut nichts verriet.

Sie hatte das Gefühl, dass überhaupt nichts gut bei ihm war, das vereinte Chaos ihrer Mütter schien sich auf ihn auszuwirken. Er hatte offenbar für sich entschieden, der übermächtigen Persönlichkeit seiner Mutter zu entkommen, während Izzy gelernt hatte, mit Xanthes lauter Stimme und ihrem dramatischen Lebensstil zu leben.

Sie erreichten das Weinregal, und Ross stieß einen leisen Pfiff aus.

«Du hast mir gar nicht erzählt, was du hier unten alles liegen hast.»

«Um ehrlich zu sein, hatte ich Sorge, dass das alles schon zu Essig geworden sein könnte, so alt, wie es ist. Ich wollte mich lieber auf deine Expertise verlassen.»

Ross nahm eine verstaubte Flasche heraus und versuchte, das Etikett im schwachen Licht zu entziffern.

«Ein Bordeaux. Von 1959.»

«Ist das ein guter Jahrgang?»

«Ich habe keinen blassen Schimmer. Aber es lohnt sich, das überprüfen zu lassen. Wer weiß, vielleicht sind sie ja wertvoll.»

«Ich müsste wahrscheinlich jemanden bezahlen, der sie sich mal ansieht.»

«Du könntest auch jede Flasche fotografieren und im Internet recherchieren.»

«Das ist gar keine schlechte Idee.» Aus irgendeinem Grund fiel ihr auf, dass er ‹du› gesagt hatte. In den letzten Wochen war es immer ‹wir› gewesen.

«Gut, also wo ist jetzt der Portwein?», fragte er nüchtern.

«Da oben rechts. Zwei Flaschen. Wir können gerne gleich beide mitnehmen.»

Sie kehrten zur Treppe zurück, aber als sie die Tür am oberen Ende der Stufen erreichten, war sie geschlossen. Izzy packte den Griff, weil sie annahm, die Tür sei nur zugefallen, aber zu ihrer Überraschung war sie fest verschlossen.

Sie versuchte es erneut und warf sich sogar mit der Schulter dagegen, aber die Tür ließ sich nicht bewegen.

«Mist, sie klemmt.»

«Lass mich mal.»

Ross stellte den Portwein vorsichtig auf der Treppe ab, dann trat er vor, nahm den Griff und zerrte daran. Er rüttelte ein paar Sekunden lang an der Tür, bevor er sein Handy aus der Tasche zog und den Türrahmen mit der Taschenlampe beleuchtete.

«Herrgott», sagte er dann. «Sie klemmt nicht, sie ist verdammt noch mal abgeschlossen.»

«Das kann doch nicht sein. Wer würde uns denn einsperren wollen? Alle wissen doch, dass wir hier unten sind.»

Er warf ihr einen bedeutungsvollen Blick zu. «Wer glaubst du wohl?»

«Was? Du denkst, das hat jemand mit Absicht gemacht?», fragte Izzy ungläubig.

«Na, hallo? Zwei kuppelnde Mütter, die miteinander kichern? Ich bin zwar kein Detektiv, aber ich hatte den Eindruck, dass die beiden ziemlich scharf darauf sind, dass wir etwas Zeit allein miteinander verbringen. Und das hier passt genau dazu.»

«Und was sollen wir jetzt tun?»

«Sie anrufen.» Er tippte auf seinem Display herum. «Verdammt, ich habe keinen Empfang. Du?»

Ihr Handy zeigte einen Balken, aber der reichte nicht aus, um einen Anruf zu machen. «Nein, geht nicht. Was jetzt?»

«Wir warten, bis sie sich entschließen, uns rauszulassen, nehme ich an.»

Izzy hämmerte gegen die Tür und schrie: «Hallo! Ist da jemand? Xanthe!» Sie wartete und lauschte. Nichts. Kein verräterisches Kichern, keine Schritte. Wieder schlug sie gegen die Tür und rief noch lauter.

«Du verschwendest deine Zeit», sagte Ross und stieg die Treppe wieder hinab.

«Wo willst du hin?»

«Ich hole eine Flasche Wein.»

«Was? Jetzt?»

«Ja. Ich schätze, sie werden uns zu gegebener Zeit rauslassen – hoffen wir, dass sie vor morgen früh zur Vernunft kommen, denn ich möchte wirklich nicht die ganze Nacht hier unten verbringen. Aber in der Zwischenzeit werde ich etwas trinken, und wir haben wenigstens mal Pause von ihren Kommentaren.»

«Wir haben hier unten aber keine Gläser.»

Er blickte zu ihr auf. «Dann eben direkt aus der Flasche.»

Izzy zuckte mit den Schultern. «Gott, was ist bloß los mit denen?» Sie stapfte hinter Ross die Treppe hinunter. Heute konnte eventuell der Tag sein, an dem sie ihre Mutter doch erwürgte. Das hier war eindeutig eine von Xanthes verrücktesten Ideen.

Ross wartete nicht auf sie, sondern ging durch die Kellerräume zurück zum Weinregal, wo er mit der Taschenlampe seines Handys eine Flasche auswählte und dazu den Korkenzieher nahm, der an einem Haken an der Wand hing. Dann ging er zurück in den Flur und leuchtete in jeden Raum. Plötzlich hielt er inne. «Hier!»

Sie folgte ihm und erblickte in einer Ecke des Raums ein paar alte Chesterfield-Sessel. Seufzend sank sie in den Sessel neben ihm, während er geschickt die Flasche öffnete und einen Schluck nahm. Er bot sie ihr nicht an, und Izzy traute sich erst nicht zu fragen. Sein versteinerter Gesichtsausdruck wirkte nicht gerade ermutigend.

«Gibst du mir nichts ab?», fragte sie schließlich doch.

Er verzog den Mund und hielt ihr die Flasche hin, aber sie winkte ab.

«Schon gut. Hoffentlich lassen sie uns bald wieder raus. Aber zumindest haben wir was zum Sitzen und Wein.» Sie schenkte ihm ein aufmunterndes Lächeln. «Es könnte schlimmer sein.»

Er starrte sie einen Moment mit zusammengezogenen Augenbrauen an.

«Könnte es?»

«Ja», sagte Izzy. «Wir wissen, dass sie uns irgendwann rauslassen. Wir werden nicht an Unterkühlung sterben oder so. Die Warmwasserleitungen verlaufen an der Decke, also alles in Ordnung.» Sie versuchte, praktisch und positiv zu denken, aber es war nicht gerade warm hier unten. Sie streckte ihre Hand nach ihm aus. «Wir können uns immer noch gegenseitig warm halten.»

Er zuckte zurück.

Gott, er war noch wütender, als sie gedacht hatte. Zugegeben, ihre Lage war ärgerlich, aber es war doch nur vorübergehend.

«Wir kommen schon klar.»

Sein Blick war fragend, und einen Moment lang schwieg er, dann schüttelte er den Kopf. «Tut mir leid, Izzy, aber das ist nicht in Ordnung. Es fühlt sich an, als ob wir manipuliert würden, als ob man uns zwingen würde. Du weißt schon: dass wir mehr aus der Sache machen, bevor wir selbst wissen, was es eigentlich ist. So gut kennen wir uns noch nicht, und die da reden schon von Heirat. Du hast doch gesehen, wie sie sind.»

«Ich weiß, dass das nicht in Ordnung ist, aber wir kommen bald raus, und dann geigen wir ihnen die Meinung.»

Er hob eine Augenbraue. «Wir geigen ihnen die Meinung, ja? Deiner Mutter und meiner Mutter?» Er nahm einen Schluck vom Wein. «Ich denke, vielleicht sollten wir rechtzeitig Schluss machen, solange wir noch Freunde sein können. Bevor die beiden anfangen, unsere Hochzeit zu planen und ihren eigenen Fantasien zu glauben. Ich bin erwachsen, es ist nicht so, dass ich nicht ein Machtwort sprechen kann, aber ich bin nicht bereit, dieses Drama zu ertragen. Sie mischen sich zu sehr ein, weil sie meinen, sie wüssten alles besser. Im Moment denke ich, wir sollten einfach etwas Abstand halten. Vielleicht können wir später weiter überlegen …»

357

«*Freunde* ...» Izzy nickte und spürte das schrecklich vertraute Gefühl, als hätte man ihr den Boden unter den Füßen weggezogen. *Sie könnten Freunde bleiben.* Wo hatte sie das schon einmal gehört? Izzy schluckte und wünschte, sie hätte sich auch eine Flasche Wein geholt. Eine extra süffige. Denn sie hatte genau das schon einmal erlebt, und sie hatte viel zu viel Zeit damit verschwendet, sich zu wünschen, es wäre anders.

Mit einem Finger strich sie über den Stoff ihres Kleides, das über ihren Knien spannte, denn sie traute ihren Stimmbändern nicht, die sich verknotet anfühlten, wie Efeuranken um einen Baum.

Dann zuckte sie mit den Schultern. «Wenn es das ist, was du willst ...», sagte sie dumpf.

«In Anbetracht der Situation halte ich es für das Beste.»

Sie nickte, übermannt von der Enttäuschung – und gefolgt von einem kurzen Anflug von Wut. Zumindest hatte er den Anstand, schon nach ein paar Wochen auf die Idee mit den ‹Freunden› zu kommen, anstatt sie drei Jahre lang an der Nase herumzuführen.

«Ich verstehe», sagte sie steif und erhob sich vom Sessel.

«Wirklich?» Er klang erleichtert.

«Ja. Du bist ein Feigling.»

«Wie bitte?»

Sie schenkte ihm ein hämisches Lächeln. «Benutz nicht meine oder deine Mutter als Ausrede. Du willst einfach keine Beziehung mit mir. Das verstehe ich, aber gib nicht ihnen die Schuld.»

«Ich gebe ihnen keine Schuld.»

«Nein, das tust du nicht, aber du benutzt sie als Ausrede für deine Entscheidung. Gesteh es dir doch einfach selbst ein: Du hast zu viel Angst vor einer Beziehung mit mir.»

«Das ist doch Blödsinn. Natürlich habe ich keine Angst.»

«Und ob du das hast. Du hast es selbst gesagt. Als wir uns das erste Mal geküsst haben, hast du gesagt, du hättest Panik bekommen.»

Sein Mund war nur mehr eine schmale Linie.

«Du hast Angst vor zu viel Gefühl, Ross. Auch das hast du schon gesagt.»

«Ich habe keine Angst vor Gefühlen. Ich habe nur zu viel davon bei meiner Mutter erlebt, ohne dass es irgendetwas bedeutete. Da ist alles nur Lärm und Tamtam, aber nichts hat Substanz. Auf diese Gefühle kann man sich nicht verlassen, sie ändern sich ständig. Sie sind nicht verlässlich. Ich mag einfach keine Dramen.»

«Ich werde mich nicht mit dir streiten», sagte Izzy. Sie hatte sich mehr als ein Mal vor Philip gedemütigt. Wenn Ross nur mit ihr befreundet sein wollte, war das seine Sache, aber er hatte schon mal einen Rückzieher gemacht, und sie hatte ihm trotzdem noch eine Chance gegeben. Diesmal würde sie es nicht tun.

Hocherhobenen Hauptes ging sie aus dem Raum und ließ ihn zurück. Als sie oben an der Treppe ankam, hatte sich die Tür zu ihrer Erleichterung auf mysteriöse Weise wieder geöffnet.

Sie fand die Küche leer, aber aufgeräumt vor. Aus dem

Salon kam das schallende Gelächter ihrer Mutter. Izzy presste den Mund zusammen. Heute Abend fühlte sie sich zu niedergeschlagen, um Xanthe zu konfrontieren. Stattdessen durchquerte sie die Halle und eilte zu ihrem Schlafzimmer, schloss die Tür hinter sich und verriegelte sie.

KAPITEL 25

23. Dezember

Izzy weigerte sich, sich wegen Ross aufzuregen. Freundschaft war *völlig* in Ordnung für sie.

Geschickt schlug sie ein Ei am Rand der Schüssel auf und trennte Eiweiß und Eigelb in zwei verschiedenen Schüsseln.

Sie hatte überhaupt kein Problem mit *Freundschaft*.

Krack. Sie schlug ein zweites Ei auf.

Sie hatte drei verdammte Jahre lang *Freundschaft* erlebt.

Das zweite Eigelb rutschte neben das erste.

Krack. Die Schale des dritten Eis ging zu Bruch.

Sie war verdammt großartig in Sachen *Freundschaft*.

So großartig, dass Ross sich verflucht noch mal anschnallen konnte. Sie würde ihm schon zeigen, was *Freundschaft* hieß.

Sie schlug das vierte Ei auf. Mist. Sie hatte es komplett zerschlagen, sodass orangefarbene Tropfen vom Eigelb in die Schüssel mit dem Eiweiß fielen und es damit unbrauchbar für die Baisers machten, die sie gerade vorbereiten wollte.

Sie starrte auf das Desaster.

Sie war ja so dumm. Hatte sie denn gar nichts dazugelernt? Sie hätte auf ihr Bauchgefühl hören sollen und sich von Ross fernhalten müssen. Diese dämliche körperliche Anziehung hatte sie fehlgeleitet. Sex war wirklich für eine Menge Probleme verantwortlich auf dieser Welt.

«Ärgern Sie sich über das Ei?»

Izzy drehte sich zur Tür um, in der Hattie sich herumdrückte, und lachte ein wenig, denn sie merkte, dass sie wie eine Verrückte in die Schüssel gestarrt haben musste.

«Nein, ich habe es nur kaputt gemacht und mich über mich selbst geärgert. Wie geht es Ihnen? Gut geschlafen?»

«Ja, habe ich. So gut wie seit ...» Ihre Stimme erstarb, dann fügte sie leise hinzu: «... wie seit Langem nicht mehr.» Sie schaute hinaus aus dem Fenster. «Kaum zu glauben, dass gestern ein Schneesturm getobt hat. Heute sieht es draußen wunderschön aus.»

Izzy folgte ihrem Blick hinaus zu dem blauen Himmel und dem strahlenden Sonnenschein, der vom reinen Weiß gespiegelt wurde und die Landschaft erhellte. Ein neuer Tag. So ganz anders als der gestrige. Sie schenkte sich selbst ein ironisches Lächeln. Ein Tag für einen Neuanfang.

«Möchten Sie Rühreier zum Frühstück?»

Hattie lachte. «Hätte nichts dagegen. Aber Sie sehen beschäftigt aus, also kann ich sie mir gern selbst machen.»

«Nun, ich habe hier gerade Eiweiß und Eigelb vermischt. Sie könnten also übernehmen, während ich mit dem Dessert weitermache.» Sie zeigte Hattie, wo alles stand, und war dankbar, dass die junge Frau so unkompliziert war. «Machen Sie sich gerne auch einen Kaffee.»

«Ja, gerne. Was bereiten Sie denn da vor?»

«Ich mache einen Weihnachtskranz aus Baiser für den ersten Weihnachtstag, den ich mit Loganbeeren, Heidelbeeren, Himbeeren und Granatapfelkernen verzieren möchte. Das ist für alle, die keinen Weihnachtspudding mit Brandybutter mögen.»

Hattie seufzte begeistert. «Das klingt göttlich.» Grinsend fügte sie hinzu: «Dürfen wir denn auch von beidem etwas haben?»

Izzy lachte. «Es ist Weihnachten. Sie können essen, was immer Sie wollen.» Sie betrachtete Hatties etwas zu schlanken Körper mit kritischem Blick. «Sie können die Kalorien gebrauchen.»

«Ja, na ja, sagen wir mal, Unglück ist die beste Diät der Welt», sagte Hattie mit bedauerndem Zug um die Lippen. «Aber machen Sie sich keine Sorgen um mich. Mir geht's gut. Will nur nicht darüber reden, wenn das okay ist.»

«Das ist vollkommen in Ordnung», erklärte Izzy. «Ich verstehe das gut.» Und das tat sie. Aber das Letzte, was sie wollte, war, mit irgendjemandem über Ross zu sprechen. Sie wollte noch nicht mal mit *ihm* sprechen.

Während Hattie sich um ihr Frühstück kümmerte, griff Izzy nach einer Flasche Whisky und goss einen großzügigen Schuss über die gefrorenen Himbeeren im Topf, während sie in einem anderen Topf Honig erwärmte. Dann trennte sie schnell noch weitere Eier nach Eigelb und Eiweiß.

Hattie schaute von ihrer Seite des Herdes herüber. «Das sieht interessant aus. Was machen Sie damit?»

«Ich nehme die Eigelbe, um Cranachan-Eiscreme zuzubereiten. Die Himbeeren koche ich in einem Schlückchen Whisky, sodass der Alkohol verkocht, aber der Geschmack erhalten bleibt.»

«Ein *Schlückchen*?» Hattie grinste. «Oder ein ordentlicher Schluck? Und was ist Cranachan? Vergessen Sie nicht, dass ich keine Schottin bin.»

«Da haben Sie wohl recht», sagte Izzy mit extra breitem schottischem Akzent und lachte. «Cranachan ist ein traditionelles schottisches Dessert aus Hafer, Himbeeren, Honig und Sahne, und das hier ist eine Variation. Ich habe Eigelb aufgeschlagen und rühre gleich den Honig darunter, dann mische ich alles mit Schlagsahne und noch mal ein bisschen Whisky. Die Haferflocken habe ich bereits im Ofen geröstet – nachdem das erste Blech verbrannt ist, gebe ich zu. Die kommen zuunterst, dann schichte ich abwechselnd die Sahne-Ei-Mischung und die Himbeeren übereinander und stelle das Ganze in einer Backform in die Kühltruhe. Es ist ein schönes, leichtes Dessert, und ich dachte, wir essen es am Boxing Day nach einem leckeren, würzigen Truthahn-Curry.»

«Sie haben ja alles durchgeplant.» Hattie machte sich an der Kaffeemaschine zu schaffen.

«Bis ins kleinste Detail.» Und da sie das ganze Essen eingekauft hatte, gab es auch keinen Grund, davon abzuweichen. Izzy grinste. «Ein wenig Hilfe von meinen Freunden hatte ich aber schon. Fliss und Jason haben mir schon vor Wochen Rezeptideen zugeschickt. Ich bin so dankbar, dass sie hergekommen sind, um mir zu helfen, auch wenn Ihre Verwandten jetzt doch nicht kommen. Aber es ist eine gute Übung für mich. Denn wenn wir erst richtig eröffnen, muss alles sitzen.»

Hattie verzog das Gesicht. «Gott, das mit meiner Familie tut mir so leid. Eigentlich sind sie ganz reizend. Ich weiß, dass Tante Jessie sich total darauf gefreut hat hierherzukommen, aber der Schnee hat sie wohl verschreckt. Sie kann ziemlich ängstlich sein. Andererseits ist es ganz untypisch für sie, dass sie -»

«Seht mal, was wir auf dem Dachboden gefunden haben.» Xanthe und Alicia stürmten, beide in Overalls und mit Tropenhelmen auf dem Kopf, in die Küche. Auch wenn Izzy gerade nicht besonders wohlwollend ihnen gegenüber gestimmt war, konnte sie sich bei ihrem Anblick das Lachen nicht verkneifen.

«Sind die nicht toll?», kreischte Xanthe und wackelte mit dem Kopf. «Ich erinnere mich, dass Bill mal erwähnt hat, einer seiner Vorfahren sei ein Freund von Dr. Livingstone gewesen. Stell dir mal vor, vielleicht hat er sogar einen von denen getragen.»

«Wer, Bill?», fragte Izzy.

«Nein, Dr. Livingstone, der Afrikaforscher.» Xanthe schüttelte ungeduldig den Kopf, wobei ihr fast der Helm verrutschte.

Izzy starrte die zwei Frauen in ihren kakifarbenen Overalls an. Abgesehen von Wimperntusche und Lippenstift, sahen sie aus, als würden sie gleich auf eine Expedition zu den Viktoriafällen aufbrechen.

Izzy verdrehte die Augen. «Was habt ihr denn vor?»

Die Frage war ihr herausgerutscht. Wollte sie es wirklich wissen?

«Wir gehen auf Jagd nach den Saphiren. Wir arbeiten uns von oben nach unten», verkündete Xanthe. «Und wir dachten, wir ziehen uns entsprechend an.»

«Natürlich», murmelte Izzy.

«Aber zuerst brauchen wir einen Kaffee.» Xanthe ging zur Kaffeemaschine und schob eine Kapsel ein, ohne darauf zu achten, dass Hattie gerade dabei war, sich einen Kaffee zu machen. «Das wird ein langer Tag, und wir müssen unbedingt methodisch vorgehen und jedes einzelne Zimmer durchsuchen. Eins nach dem anderen.»

«Ja», stimmte Alicia zu.

«Wie war es gestern Abend noch, Liebes?», fragte Xanthe mit schelmischem Lächeln. «Du warst ja auf einmal verschwunden. Bist du früh zu Bett?»

Izzy kniff die Augen zu schmalen Schlitzen zusammen und weigerte sich, irgendetwas preiszugeben. «Nicht besonders. Möchten Sie etwas zum Frühstück?», fragte sie Ross' Mutter. «Ich habe noch einen geräucherten Hinterschinken.»

«Ooooh, Graham liebt Eier mit Schinken», sagte Alicia. «Ich sage ihm Bescheid.»

«Soll ich die vielleicht machen?», schlug Hattie vor, die sich über Alicia und Xanthe zu amüsieren schien.

Alicia war bereits verschwunden, um ihren Mann zu rufen, und Xanthe folgte ihr wie ein gehorsames Hündchen.

«Sind Sie sicher?» Izzy wischte sich die Hände an

einem Geschirrhandtuch ab, während sie zum Kühl-schrank ging, um den geräucherten Hinterschinken he-rauszuholen, den sie im Hofladen erstanden hatte.

«Natürlich. Bestimmt haben Sie viel zu tun. Möchten Sie auch Eier mit Schinken?»

«Nein danke.» Izzys Appetit schien vollkommen ver-schwunden zu sein.

Alles, was sie heute Morgen runterbringen konnte, war starker schwarzer Kaffee. Selbst der Duft von ge-bratenem Schinken konnte ihre Meinung nicht ändern, doch er lockte Jim und Jeanette herbei. Dann tauchten auch Duncan und Graham zusammen mit Fliss auf, und wieder einmal war die Küche voller Menschen. Doch das, dachte Izzy mit einem plötzlichen Gefühl der Wärme in ihrer Brust, war genau so, wie sie es gern hatte. Diese Menschen bedeuteten ihr nach der kurzen Zeit bereits viel. Das war das Ergebnis davon, wenn man gemeinsam auf ein Ziel zusteuerte. Sie hatten so viel erreicht – das Schloss war startklar.

Und Izzy wusste, sie würde auch die jüngste Enttäu-schung überstehen. Es bestätigte sie nur in ihrer Ansicht, dass sie offenbar nicht die Sorte Frau war, mit der Män-ner es wirklich ernst meinten. Aber diesmal hatte sie ein Ziel vor Augen.

Um zwei Uhr war die Füllung für den Truthahn vorberei-tet, und die Kartoffeln waren geschält und vorgekocht. Ja-son hatte sich um den Weihnachtspudding gekümmert, der nun die erforderlichen acht Stunden im Wasserbad vor sich hin köchelte. In der Küche duftete es nach einer köstlichen Mischung aus Trockenfrüchten, Zucker und Muskatnuss.

«Probier das mal, Izzy.» Er hielt ihr eine Kostprobe der Brandybutter hin, die er zubereitet hatte.

«Wow, die hat's aber in sich.»

«Die geheimen Zutaten sind Orangenschale und eingelegter Ingwer.»

«Interessant, darf ich auch mal probieren?», fragte Fliss, und ohne seine Antwort abzuwarten, tauchte sie einen Teelöffel in die Schüssel. «Mmm, das ist gut. Muss ich mir merken.» Sie holte ein Notizbuch aus der Tasche ihrer Schürze und schrieb sich schnell etwas auf.

«Vergiss nicht, dass ich die Lorbeeren dafür haben will», sagte Jason.

«Ja, schon klar. Du willst immer die Lorbeeren einheimsen. Aber jetzt mach mal Platz, ich muss die hier zum Kochen bringen.» Fliss steckte ihr Büchlein weg, um Mini-Bagels zuzubereiten. Sie hatte den Teig zu kleinen Donuts geformt, die sie vor dem Backen kochen wollte. Obwohl es nicht unbedingt ein schottisches Gericht war, waren sie sich einig gewesen, dass es die perfekte Unterlage für den Räucherlachs und den Crowdie-Käse abgeben würde. Izzy wollte beides zum Frühstück servieren.

Die drei kochten gemeinsam, wechselten dabei immer wieder die Plätze und tauschten Tipps und Tricks aus, während Jason und Fliss sich außerdem gegenseitig scherzhaft beleidigten und neckten. Die beiden waren wirklich sehr ungleiche Freunde: Während Fliss mit glasklarem britischem Akzent sprach, stammte Jason eindeutig aus dem Londoner East End. Doch sie hatten sich bei dem Kochkurs in Irland über ihre gemeinsame Liebe zum Essen und Kochen angefreundet.

«Es ist so nett von euch, dass ihr beide eure Weihnachten opfert, um herzukommen», sagte Izzy. «Ich kann euch gar nicht genug danken.»

«Keine Sorge, Iz», meinte Jason. «Meine Mutter und meine jüngeren Schwestern sind bei meiner großen Schwester. Sie spielen also bei meiner Nichte Oma und Tanten.» Er schauderte. «Zu viel Östrogen für meinen Geschmack.»

«Jason, so was kannst du doch nicht sagen», protestierte Fliss.

«Habe ich aber gerade. Außerdem ... Warum bist du eigentlich hier?»

Fliss grinste ihn an. «Ich hatte keine Lust auf die Testosteron-Drillinge bei den Skiferien meiner Familie.» Sie schüttelte sich. «Skifahren macht keinen Spaß, wenn alles immer so ein elender Wettbewerb ist. Meine drei Brüder wollen sich bloß irgendwelche schwarzen Pisten hinunterstürzen, Bier trinken und sich anschließend auf die Brust klopfen. Und der vierte Bruder ist irgendwo im Amazonasgebiet unterwegs und erkundet den Regenwald. Auch nicht gerade meine Vorstellung von idyllischen Weihnachtstagen.»

«Aber für Leute kochen an den Festtagen mögt ihr schon?», neckte Izzy.

«In einem Schloss? In Schottland? Ohne Verwandte? Oh ja», sagte Jason. «Außerdem hatte ich noch gar keine Geschenke besorgt.»

«Jason!», rief Fliss entsetzt. «Du bist so was von nutz-los.»

«Was? Ich weiß einfach nicht, wie Mädels ticken. Was hast du denn deinen Brüdern gekauft?»

Fliss grinste. «Bier und Fußball-Shirts. Das war einfach.»

Izzy lächelte in sich hinein. Unter all den Sachen für die Weihnachtsstrümpfe hatte sie die perfekten Geschenke für Jason und Fliss. Sie freute sich schon darauf zuzusehen, wie alle ihre Strümpfe auspackten.

Duncan stampfte herein. «Hast du einen Teller Suppe für mich, Kleines? Diese beiden Weiber bringen mich noch um.»

Fliss war schneller. «Ich hole Ihnen etwas, Duncan», sagte sie und wischte sich die Hände an ihrer Schürze ab. «Ich habe heute Morgen welche gekocht. Französische Zwiebelsuppe.» Sie hatte eine Schwäche für den alten Mann entwickelt, und die nächsten Minuten wuselte sie um ihn herum und verwöhnte ihn mit einer Schüssel heißer Suppe sowie frisch gebackenen Körnerbrötchen.

«Wie geht's mit der Schatzsuche voran?», fragte Izzy, während sie den Blätterteig unter Jasons Aufsicht ausrollte. Sie bereiteten das Hirschfilet Wellington für den folgenden Tag vor – Jason hatte eine Pilzpaté zubereitet, die noch abkühlen musste, bevor Izzy sie zusammen mit einer Schicht Prosciutto auf dem Teig verteilen wollte. Anschließend würde sie damit dann das Fleisch umhüllen, das Jason gerade in einer großen Pfanne anbriet.

«Pah!» Duncan nahm einen Löffel Suppe. «Sie haben

in jedem Zimmer herumgepocht und geklopft. Aber sie werden nichts finden. Ich schätze, Bill hat die Steine längst verkauft. Er hat immer gesagt, er wisse, wo sie sind. Wenn er sie noch hätte, dann hätte er sie dir doch für den Unterhalt des Schlosses überlassen, Kleines. Er war ja nicht dumm.»

«Wenigstens machen die beiden so keinen Ärger», bemerkte Izzy.

«Die beiden haben den Ärger erfunden», meinte Duncan. «Übrigens, wo ist eigentlich Ross? Ich habe ihn heute noch gar nicht gesehen.»

Izzy biss die Zähne zusammen und konzentrierte sich auf ihren Blätterteig.

«Ross sieht ja sehr gut aus, finde ich.» Fliss klimperte mit den Wimpern. «Ist er schon vergeben?»

Duncan funkelte sie an. «Ich habe so 'n Gefühl, dass er sich für unsere Izzy interessiert.»

Fliss hob die Hände, als hätte sie sich verbrannt. «Alles klar.»

«Tut er nicht», fauchte Izzy.

Duncan sah sie besorgt an.

Auch Fliss machte große Augen. «Xanthe und Alicia schienen ja ganz scharf darauf zu sein, euch beide zusammenzubringen.»

«Xanthe und Alicia leben in einer Fantasiewelt», sagte Izzy. «Ross und ich sind nur Freunde.»

«Ah ja», sagte Fliss nickend. «Das berühmte Wir-sind-nur-Freunde-Spielchen.»

«Das ist kein Spielchen. So ist es einfach.» Izzy hob bockig das Kinn, als wolle sie jede weitere Bemerkung im

Keim ersticken. Zum Glück tauchten Alicia und Xanthe in diesem Moment wieder auf.

Izzys Mutter sank erschöpft auf einen Stuhl. «Ich bin völlig erledigt. Wir haben überall nachgesehen.»

«Na ja, nicht überall», sagte Alicia. Es lag noch eine Spur Kampfeswillen in ihren hellblauen Augen. «Hier und im Keller haben wir noch nicht gesucht.»

«Ich wäre an eurer Stelle vorsichtig, dass ihr euch nicht im Keller einsperrt», blaffte Izzy. «Die Tür ist unberechenbar.» Sie starrte ihre Mutter bedeutungsvoll an. «Und es wäre doch zu schade, wenn ihr da unten feststeckt und Weihnachten verpasst.»

Die beiden Frauen tauschten unsichere Blicke.

Dann straffte Alicia den Rücken durch. «Habt ihr Ross eigentlich heute schon gesehen?», fragte sie ohne die geringste Scham.

Izzy überhörte ihre Frage.

«Nein», sagte Duncan. «Der Junge arbeitet wohl. Auch wenn er gesagt hat, er wolle über Weihnachten nichts tun.»

«Mein armer Ross arbeitet so hart, ich sehe ihn kaum noch.» Alicia schaute mit traurigem Gesicht aus dem Fenster. «Ich glaube, ich überrede ihn mal zu einem Spaziergang an der frischen Luft mit seiner alten Mutter.»

«Das ist eine gute Idee», sagte Xanthe. «Izzy, du siehst auch ein bisschen käsig aus. Bist du heute schon draußen gewesen?»

«Nein, bin ich nicht. Keine Zeit.» Izzy funkelte ihre Mutter an. «Und vergiss es einfach. Ross und ich sind nicht aneinander interessiert, okay?»

Ihre Mutter sah beleidigt aus. «Ich weiß gar nicht, was du meinst.»

«Du weißt genau, was ich meine. Ich habe einfach keinen Bedarf daran, dass du dich in mein Liebesleben einmischst.»

«Aber Liebling, du *hast* gar kein Liebesleben.»

«Und Ross wäre perfekt für Sie», fügte Alicia hinzu.

Izzy stemmte die Hände in die Hüften und starrte die beiden Frauen an. Auf ihren Gesichtern lag ein solch ernster Ausdruck, dass sie schließlich laut loslachen musste, auch wenn sich ihr Herz ganz schwer anfühlte. «Ihr beide seid einfach unverbesserlich. Und ich weiß, ihr wollt nur mein Bestes. Aber lasst es gut sein. Ich will nichts mehr davon hören.»

«Ich weiß wirklich nicht, was du meinst», wiederholte Xanthe mit gekränktem Schniefen. «Denn wenn ihr beide nicht aneinander interessiert seid, was ist dann das Problem an einem Spaziergang?»

«Es ist kein Problem, aber ich habe zu tun.»

Jason trat zu ihr. «Du solltest echt mal eine Pause einlegen, Iz.» Er ignorierte Fliss' Stoß in die Rippen. «Wir sind schon ziemlich weit. Heute gibt es nicht mehr viel zu tun.»

«Ja, Kleines, draußen ist es schön.» Duncan nickte ihr aufmunternd zu. «Herrlicher Tag. Du willst doch nicht den ganzen Tag drinnen verbringen.»

«Auf wessen Seite stehst du eigentlich?»

«Auf deiner natürlich, Kleines. Aber du brauchst mal frische Luft. Das Schloss laugt dich irgendwann aus, wenn du so weitermachst. Bill hat immer gesagt, hier geht es genauso viel ums Land wie ums Schloss. Um hier zu überleben, muss man das Land lieben.»

Izzy schaute den alten Mann mit zusammengekniffenen Augen an. Seit wann war er zum Philosophen geworden?

Doch jetzt, wo er es gesagt hatte, sehnte sie sich direkt danach, draußen im Neuschnee spazieren zu gehen, solange die Sonne noch schien. «In Ordnung. Ich gehe raus, wenn ich hiermit fertig bin.» Damit wandte sie sich an ihre Mutter. «Hast du die Servierlöffel schon auf den Esszimmertisch gelegt, Xanthe?»

«Das mache ich, wenn wir von unserem Spaziergang zurückkommen.»

«Ich gehe aber nicht mit dir zusammen spazieren», warnte Izzy.

«Oh, Liebling, ich sehe dich nie. Wir könnten ein bisschen Mutter-Tochter-Zeit miteinander verbringen.»

«Ich sehe dich jeden Tag.»

«Du weißt schon, was ich meine. Außerdem möchte ich mit dir reden. Wir haben uns schon Ewigkeiten nicht mehr richtig unterhalten.» Xanthe lächelte sie unschuldig an.

Izzy seufzte. «Okay, ich gehe mit *dir* spazieren.»

Ihre Mutter strahlte. «Wundervoll. Dann hole ich mal meine Gummistiefel und meine Wandersocken.»

Ausgestattet mit mehreren Schichten Kleidung, mit Schneestiefeln und Sonnenbrille, traf Izzy ihre Mutter an der Türschwelle des Schlosses und war erleichtert, dass sie tatsächlich allein gekommen war.

Xanthe hakte sich bei Izzy unter. «Ist das nicht schön? Nur wir zwei?»

Izzy drückte den Arm ihrer Mutter. «Ja, das ist es, und ich bin dir dankbar, dass du mich zum Spaziergang überredet hast. Die Natur ist hier einfach überwältigend.»

«Ich weiß», sagte Xanthe. «Trotzdem habe ich langsam Zweifel, ob wir hier wohnen bleiben sollten.»

«Wirklich?» Izzys Stimme überschlug sich vor Überraschung.

«Nicht meinetwegen, aber deinetwegen. Du bist noch so jung. Und es ist so einsam hier. Du isolierst dich hier draußen. Wie willst du hier jemanden kennenlernen?»

«Du meinst ... einen Mann.»

«Sieh mich nicht so an. Du könntest jemanden engagieren, der das Schloss leitet, und zurück nach Edinburgh oder Glasgow gehen. Oder du könntest alles verkaufen. Es würde mir nicht so viel ausmachen, ehrlich. Ich habe gemerkt, dass es ein bisschen egoistisch von mir war, dir so viel Verantwortung aufzubürden. Ich wollte nur immer, dass du mal etwas Besseres bekommst. Ich dachte, in einem Schloss zu leben, wäre wunderbar, aber es ist vielleicht doch zu viel für eine junge Frau, gerade wenn man das Leben noch vor sich hat.» Xanthe zog ihren Mantel enger. «Und ich hätte nicht gedacht, wie teuer es ist. Duncan hat mir von den Kosten fürs Dach erzählt ... Es tut mir leid, Izzy, mein Schatz. Ich bin nicht die beste Mutter gewesen. Vor allem kann ich dir finanziell einfach nicht unter die Arme greifen. Aber ich könnte die Wohnung in Glasgow verkaufen, weißt du?»

«Nein, das kommt überhaupt nicht infrage», sagte

Izzy, gerührt von der seltenen Einsichtigkeit ihrer Mutter. «Sie gehört dir. Sie ist eine Anlage für die Zukunft. Besonders, wenn das hier alles in die Binsen geht.»

«Ja, aber Liebling, willst du wirklich hier bleiben, mitten im Nirgendwo?»

Izzy dachte einen Moment lang nach und blickte auf die schneebedeckten Hügel in der Ferne, sah einem Raubvogel nach, der seine Kreise zog, sah die Sonne auf den Schneekristallen glitzern. «Ich glaube, ich könnte jetzt nicht gehen. Ich liebe es hier. Und ich habe das Gefühl, hier meinen Platz gefunden zu haben. Ich meine ... Wenn die Küche voller Menschen ist, macht mich das glücklich. Und mit Jim, Jeanette und Duncan – das ist wie eine neue Familie. Endlich habe ich gefunden, was ich machen will.»

Sie gingen weiter, beide in Gedanken versunken, und umrundeten das Schloss in einem weiten Bogen. Die Welt lag still da, die Geräusche wurden durch die Schneedecke gedämpft. Ja, dachte Izzy. Sie hatte hier eine Aufgabe gefunden, hier konnte sie leben. Das war es, was sie wollte. Natürlich hatte sie die Zeit in Edinburgh genossen, als sie mit Ross unterwegs gewesen war, die Stadt hielt jede Menge Verlockungen bereit. Aber das hier fühlte sich an wie ein Zuhause, wie es nirgendwo sonst der Fall gewesen war.

Als sie um eine Biegung kamen, rief Xanthe: «Sieh mal! Da ist Alicia. Huhu! Alicia!» Dann fügte ihre Mutter hinzu: «Und Ross.»

Izzy warf ihrer Mutter einen vorwurfsvollen Blick zu, doch Xanthe hob abwehrend die Hände. «Ich habe nichts getan. Das ist reiner Zufall.» Mit schelmischem Grinsen fügte sie hinzu: «Vielleicht ist es auch Schicksal.»

«Vielleicht auch nicht», knurrte Izzy.

Xanthe stapfte durch den Schnee auf Alicia und Ross zu. «Ist das nicht wundervoll?» Sie und Alicia begrüßten sich, als hätten sie sich tagelang nicht gesehen – und nicht erst vor einer halben Stunde.

«Ja, es ist herrlich», sagte Alicia und hakte sich bei Xanthe unter. «Mir kommen tausend Ideen hier. Ich überlege zum Beispiel, meine neue Kollektion zu erweitern. Ich könnte sie die *Kinlochleven-Castle-Wintercollection* nennen.»

Izzy ging den beiden Frauen hinterher und spürte, wie ihre Laune sank, während sie ein resigniertes Lächeln aufsetzte.

«Hallo», sagte sie zu Ross, als sie auf gleicher Höhe mit ihm war. Er und seine Mutter würden nun den gleichen Weg wieder zurückgehen müssen, den sie gekommen waren. Alicia und Xanthe hatten sich bereits abgesetzt. Sie unterhielten sich wie ein Paar Wellensittiche, plapperten über das Licht, die Farben und wie inspirierend das alles war.

«Tut mir leid», sagte Izzy. «Ich glaube, das war nicht geplant.»

«Macht nichts», sagte er. «Wie geht es dir?»

«Mir geht's gut», sagte Izzy bemüht fröhlich. Glaubte er etwa, sie hätte Liebeskummer oder so was? Arroganter Mistkerl. «Und dir?»

«Gut. Es ist wirklich ein schöner Tag.»

«Ja. Vor allem nach dem gestrigen Wetter.»

Sie hörten das angeregte Gespräch der beiden Frauen vor ihnen, das vom stillen Wasser des Loch widerhallte.

«Ich habe noch nie erlebt, dass meine Mutter jemanden so schnell ins Herz geschlossen hat wie Xanthe», erklärte Ross.

«Das gilt genauso andersherum. Xanthe hat viele Freunde, aber niemanden, dem sie wirklich nahesteht. Sie mag deine Mutter sehr.»

«Die beiden sind allerdings ziemlich anstrengend. Vor allem als Duo.»

«Ja, aber sie schaden auch niemandem damit.»

Er zuckte mit den Schultern.

Schweigend gingen sie nebeneinanderher.

«Und, wie geht es mit dem Buch voran?»

«Der erste Durchgang ist fertig.»

«Dann reist du nach Weihnachten ab?»

Ross schob die Hände in die Taschen und verlangsamte seinen Schritt. «Ich möchte, dass wir Freunde sind, Izzy, aber ich verstehe natürlich, wenn du lieber willst, dass ich gehe.»

Izzy schluckte. Wollte sie das? Oder wollte sie vielmehr, dass er blieb? Sie wusste nicht, ob sie es ertragen konnte, wenn er abreiste. Aber der Tag würde unweigerlich kommen.

«Ich muss darüber nachdenken», sagte sie schließlich.

«Ich habe alles durcheinandergebracht. Es tut mir leid.»

Sie zuckte mit den Schultern. Es war ebenso sehr ihre wie seine Schuld. Sie war in das gleiche alte Muster verfallen, hatte sich in jemanden verliebt, ohne zu merken,

378

wie er für sie empfand, weil sie einfach nicht glauben konnte, dass es nicht dasselbe Gefühl war.

«Verbuchen wir es als Erfahrung», sagte sie ohne Bitterkeit. «Es war eine kurze Affäre.»

Er streckte die Hand aus und berührte mit kummervollem Gesichtsausdruck ihren Arm. «Es tut mir sehr leid.»

«Ja, das sagst du ständig», antwortete sie und schüttelte seine Hand ab. Warum sagte er es so, als ob er nichts dafür könnte? Dämliche Männer.

Sie stapfte voran in Richtung des Sees, dessen Ufer vom Schnee bedeckt war, ihre Sicht verschwommen durch ihre dummen, selbstmitleidigen Tränen. Einige Bereiche waren vereist, und es war schwer zu erkennen, wo das Wasser begann, aber sie musste einfach etwas Abstand zwischen sich und Ross bringen. Sie wollte nicht, dass er sehen konnte, wie verletzt sie war. Das würde zwar nichts ändern, aber es würde ihre Demütigung nur noch verstärken.

Plötzlich knackte es unter ihren Füßen, und sie blieb stehen und sah hinab.

«Izzy!», schrie Ross.

Doch schon gab die Schneedecke nach, und schwarzes Wasser drang durch die Risse. Viel zu spät merkte Izzy, dass sie auf Eis getreten war, das unter dem Schnee verborgen lag. Die nasse Kälte strömte in ihre Stiefel, aber bevor sie sich umdrehen und sich in Sicherheit bringen konnte, brach die Oberfläche unter ihren Füßen. Einen Moment lang schwankte sie. Dann fiel sie zur Seite, und ihr Körper wappnete sich vor der sicheren

Kälte. Das Wasser umschloss ihre Beine, ihre Hüfte, dann packte es mit eisernem Griff ihre Brust. Die eisige Kälte rang ihr ein panisches Keuchen ab, und sie meinte, ihre Lungen würden erstarren. Beschwert durch die vielen Kleidungsschichten, ging sie unter. Wasser stieg ihr in die Nase und in den Mund, und sie hatte einen torfigen Geschmack auf der Zunge. Ihre Zähne schmerzten vor Kälte. Es nahm ihr den Atem. Plötzlich bestand die ganze Welt aus Eis, auch ihr Gehirn schien eingefroren. Jeder Muskel war gelähmt, und sie hatte keine Kontrolle mehr über ihre Gliedmaßen. Doch irgendetwas zwang sie, sich zu bewegen. Mit einem Ausbruch von Panik drückte sie sich nach oben an die Oberfläche.

«Izzy!» Sie hörte Ross rufen, aber in ihrem Kopf herrschte Chaos. «Nimm den Ast!»

Sie war nur wenige Meter vom Ufer entfernt, und während ihr das Wasser über den Kopf lief und die eisige Kälte ihr Gesicht überzog, sah sie, dass er ihr einen großen Ast entgegenhielt. Izzy konnte ihre Hände kaum noch spüren, aber sie griff danach, und die Zweige knackten, als sie versuchte, ihn zu umgreifen. Ihre Hände wollten nicht gehorchen. Verzweifelt schlang sie ihre Arme um den Ast, wie ein Koala, der sich an einem Baum festhält.

«Izzy! Izzy! Izzy!» Die schrillen und hysterischen Schreie ihrer Mutter füllten die Luft.

«Halte durch, McBride.» Ross' Gesicht war rot vor Anspannung, während er den Ast zu sich heranzog. «Komm schon. Ich hab dich.»

Sie umklammerte den Ast fester, während er ihren durchnässten Körper in Richtung Ufer zog. Als ihre Füße endlich wieder festen Grund spürten, krabbelte sie an Land. Ross packte ihren linken Arm, zog sie aus dem Wasser und presste sie an sich.

Ihre Zähne schlugen so heftig aufeinander, dass sie fürchtete, sich auf die Zunge zu beißen. Sie spürte ihre Hände nicht mehr.

«Zieh ihr die nassen Sachen aus», befahl Alicia, die sich bereits aus ihrem eigenen Mantel schälte. «Wir müssen sie warm und trocken bekommen. Xanthe, deinen Schal.»

Izzy stand einfach nur da, sie war unfähig, irgendetwas zu tun, während Ross ihr den nassen Mantel abstreifte. Xanthe machte sich daran, ihr die Stiefel auszuziehen und den Reißverschluss ihrer Hose zu öffnen, während Alicia ihren Pullover und ihr Unterhemd in einem Rutsch auszog und dann anfing, sie mit dem Schal abzureiben. Izzy stand nackt und barfuß auf Ross' Schal, und ein Déjà-vu überkam sie beim Anblick ihrer Füße auf dem grünen Wollschal. Die beiden Frauen rubbelten sie zügig ab, bevor sie sie in Alicias dicken Daunenmantel hüllten.

«Wir müssen sie so schnell wie möglich ins Warme bringen», sagte Xanthe. «Ross, meinen Sie, Sie können sie tragen?»

Izzy schloss die Augen, doch ihr Körper verriet sie, als sie sich in seine Umarmung sinken ließ. Ross hob sie auf seine Arme, und die Wärme von Alicias Mantel war eine Wohltat auf ihrer Haut.

«Es wird alles gut, Izzy. Wir sind ja da.» Seine blauen Augen waren von Sorge gezeichnet.

Sie starrte zu ihm hoch, der Schock hatte ihren Körper noch immer fest im Griff. Dann hörte sie ein seltsames Gemurmel und merkte, dass sie selbst versuchte zu sprechen, aber sie hatte keine Ahnung, was sie sagen wollte, und ihre Lippen waren von der Kälte so taub, dass sie keine Worte formen konnten. Es war, als wäre Izzy von sich selbst getrennt. Alles, was sie fühlte, war Kälte. Eine allumfassende Kälte, die in ihren Schädel drang.

«Mütze!» Alicia riss Ross die Wollmütze vom Kopf und drückte sie Izzy über die nassen Haare, zog sie ihr fast bis zur Nase und bedeckte ihre Ohren.

Die plötzliche Wärme war eine vorübergehende Erleichterung, auf die sie sich konzentrieren konnte, aber sie vermochte den heftigen Schüttelfrost, der ihren Körper erfasste, nicht zu unterdrücken.

«Wir bringen dich jetzt zurück ins Haus und wärmen dich auf.» Xanthe schob ihre eigenen Handschuhe auf Izzys zitternde Finger. «Du wirst schon wieder.»

Die Stimme ihrer Mutter war brüchig, als wollte sie sich selbst genauso beruhigen wie Izzy.

Izzy versuchte erneut, etwas zu sagen, aber alles war wie betäubt, als ob sie sich durch Watte kämpfen müsste, um sich einen Reim auf ihre Situation zu machen. Eine urzeitliche Kraft hatte von ihr Besitz ergriffen, und sie war nur noch ein zitterndes Häufchen Elend, das zu nichts anderem fähig war, als unverständliches Kauderwelsch von sich zu geben.

KAPITEL 26

Izzy vergrub sich in die gesegnete Wärme ihres Bettes. Ihr war endlich wieder warm. Aber immer, wenn die Erinnerung an die Umklammerung des eisigen Wassers aufblitzte, kuschelte sie sich noch tiefer in die Daunen. Unzusammenhängende Erinnerungsfetzen drangen an die Oberfläche. Alicia, die ihr die Haare mit dem kräftigen Gebläse des Föhns trocknete. Xanthe, die ihre Gliedmaßen in den Schlafanzug schob. Ross, der sie ins Bett trug und sie wie eine Mumie in die Decke einwickelte ... Izzy schloss die Augen und genoss die Wärme, die eine Heizdecke unter ihrem Bettzeug verbreitete. Sie wollte einfach nur schlafen.

Als sie wieder erwachte, hatte sich ihr Geist geschärft und den Nebel abgeschüttelt. Trotzdem hielt sie die Augen noch einen Moment geschlossen, es war zu anstrengend, die Lider zu heben.

«Mum war großartig», hörte sie Ross sagen. «Sie hat komplett das Ruder übernommen und wusste genau, was zu tun ist. Während ich nicht die leiseste Ahnung hatte und nur ihren Anweisungen folgen konnte.»

«Sie ist eine kluge Frau», sagte Graham mit deutlichem Stolz in der Stimme.

«Ich weiß.» Ross seufzte. «Aber ...»

Schweigen breitete sich aus, und Izzy wartete, denn

instinktiv wusste sie, dass er etwas Wichtiges sagen wollte.

«Wie schaffst du das bloß, Dad?»

Sein Vater gab ein leises Glucksen von sich. «Ich danke Gott jeden Tag dafür, dass ich deiner Mutter begegnet bin. Ich weiß, du findest sie anstrengend. Und, als du jünger warst, war sie dir sogar peinlich. Sie ist eine Powerfrau, das muss man aushalten können. Aber weißt du was? Sie ist auch majestätisch. Eine beeindruckende, talentierte, leidenschaftliche, begeisterungsfähige Frau.»

«Aber immer dieses Drama. Das hört ja nie auf. Machst du dir keine Sorgen, dass sie wie Ikarus irgendwann der Sonne zu nahe kommt?»

Graham lachte. «Aber, mein Sohn: Sie kann doch fliegen. Und wie!»

Izzys Herz setzte einen Schlag aus. Wie wunderschön, so etwas zu sagen.

Die Männer schwiegen eine Weile, und Izzy spürte das Gewicht dieses Schweigens im Zimmer, als dächten sie beide über diesen einfachen und doch so tief empfundenen Satz nach.

Schließlich fragte Graham: «Erinnerst du dich an deine Großmutter? Sie war die Verdrießlichkeit in Person. Ich glaube, das Wort wurde überhaupt erst für sie erfunden. Das Leben war ihr eine einzige freudlose Angelegenheit. Sie sah niemals das Gute, das Positive. Sie war eine miesepetrige Frau, die meinen Vater meiner Überzeugung nach früh ins Grab gebracht hat. Als ich deine Mutter traf, war sie wie der Sonnenschein für mich. Ich beneidete sie um ihre Fähigkeit zu fliegen, so unbelastet, so frei. Um ihre Lebensfreude. Ich habe mich in ihre *joie de vivre* verliebt. Sie ist eine glückliche Seele. Sie findet immer das Gute in den Menschen, lässt sich immer von Dingen begeistern. Das Leben ist für sie ein Abenteuer.» Izzy hörte das Knarren des Stuhls, als Graham sich zurücklehnte, und das Reiben von Stoff, als er seine Beine überschlug.

«Ja, sie ist laut», fuhr er fort. «Und sie achtet manchmal nicht auf andere Leute, und sie verfolgt die merkwürdigsten Ideen, was einen manchmal wahnsinnig machen kann. Es gibt Momente, da habe ich keine Ahnung, worüber sie redet oder worauf sie hinauswill, aber sie ist niemals selbstsüchtig oder unfreundlich. Und ihre Kunst, ihre Wärme, ihre geistige Großzügigkeit machen viele Menschen glücklich. Ich habe vor langer Zeit beschlossen, dass die Leute, die sie peinlich finden, nun ... dass es deren Problem ist. Nicht ihrs. Und nicht meins.»

Was für ein wunderbarer, wunderbarer Mann, dachte Izzy. In seinen Worten lag so viel aufrichtige Liebe. Sie fragte sich, ob ihr Vater Xanthe ebenso engagiert verteidigt hätte, wenn er noch leben würde. Es machte sie traurig, dass sie das nie erfahren würde.

«Du meinst also, es ist mein Problem», sagte Ross mit gedämpfter Stimme.

Graham stieß einen Seufzer aus. «Es ist nur dann ein Problem, wenn du dich entscheidest, eines daraus zu machen. Ich weiß, dass du dich fernhältst, seit du an die Uni gegangen bist. Dass du deine Unabhängigkeit willst. Ohne den Einfluss deiner Mutter.»

«Ist das so offensichtlich?»

«Für mich auf jeden Fall. Deine Mutter vermisst dich, aber wie gesagt, sie besitzt die Fähigkeit, immer das Gute im Menschen zu sehen. Außerdem glaubt sie, dass jeder die Freiheit haben sollte, das zu tun, was er im Leben tun will. Das ist ihre große Gabe, sie lässt die Menschen sein, wie sie sind. Weil sie so ist, wie sie ist. Du bist ein erwachsener Mann, Ross, du musst dein eigenes Leben führen.» Graham schwieg einen Moment, dann sagte er mit tiefer, ernster Stimme: «Aber ich frage mich, ob du deine Mutter vielleicht immer noch durch deine Teenageraugen siehst. Ich meine damit nicht, dass du nicht erwachsen geworden bist, aber ich glaube, dass du dir dadurch, dass du den Kontakt zu ihr meidest, die Chance nimmst, sie mit erwachsenen Augen zu sehen.»

Izzy blieb ganz steif und still liegen, aber sie wünschte, sie hätte früher gezeigt, dass sie wach war. Das hier war ein gewichtiges Vater-Sohn-Gespräch, und sie fühlte sich wie ein Eindringling. Gleichzeitig wollte sie diesen wichtigen und offenbar seltenen Moment zwischen den beiden nicht stören.

«So habe ich es noch nie gesehen.» Sie hörte, wie Ross sich anders hinsetzte, denn sein Stuhl quietschte, und seine Füße scharrten auf den Holzdielen. «Aber es ist nicht so, dass ich sie nicht liebe.»

«Natürlich tust du das, sie ist deine Mutter, aber du siehst eben nicht den Menschen, nur die Mutter, die sie deiner Meinung nach hätte sein sollen. Sie mag von ihrer Kunst eingenommen gewesen sein, aber sie hat dich immer geliebt.»

«Und du», sagte Ross, als würde ihm das gerade erst klar, «hast die Lücken ausgefüllt.»

Izzy spähte durch ihre halb geöffneten Lider und sah, wie Ross seinem Vater sanft über den Arm streichelte. «Wir sind angeln gegangen. Oft. Und du hast mir immer Marmite-Sandwiches gemacht und mir ein paar Dosen Irn-Bru eingepackt, diese leckere Brause. Ich habe diese Ausflüge geliebt.»

«Deine Mutter hasst Angeln. Es war die Garantie für Ruhe und Frieden.»

«Aber machen dich der ständige Lärm und das Chaos nicht wahnsinnig?»

«Ach, ich habe so meine Taktiken entwickelt, wie ich damit umgehen kann. Warum, glaubst du, habe ich eine so gut ausgestattete Werkstatt? Und ein niedriges Golf-handicap?» Graham lachte. «Aber ich verspreche dir: Dieser Lärm und das Chaos, wie du es nennst – auch wenn ich lieber von Spontaneität und Begeisterungsfähigkeit spreche –, sind nichts gegen all das Gute, das deine Mutter in mein Leben gebracht hat. Und sie hat mir einen wunderbaren Sohn geschenkt. Sie liebt dich, Ross. Und sie ist nicht dumm, sie weiß, dass du sie nervig findest. Es macht sie traurig, aber sie kann nicht ändern, wer sie ist.»

«Sie weiß es? Mist. Das ist schrecklich.» Ross ließ seinen Kopf in die Hände sinken. «Ich bin ein Idiot. Sie und Xanthe haben so praktisch gehandelt da unten am See, als es drauf ankam, als es einen Notfall gab.»

«Ja, sie sind beide nicht dumm. Vielleicht brauchtest du mal etwas, was dir die Augen öffnet.»

«Warum hast du nicht schon früher etwas gesagt?»

«Weil ich nicht sicher war, ob du auf mich hören würdest. Aber ich glaube, jetzt haben sich die Dinge geändert.»

«Ich weiß zwar nicht, wie, aber ja, ich verstehe dich jetzt.»

«Vielleicht hat es damit zu tun, dass du dich verliebt hast. Vielleicht ist es jetzt an dir, den Sprung zu wagen, um zu fliegen, und zu schauen, wohin es dich führt.»

Izzy presste schnell die Augen zusammen. Sie wollte nichts mehr hören, darum streckte sie sich mit unverständlichem Gemurmel und blinzelte, als wäre sie eben erst aufgewacht.

«Izzy?»

«Mmmm.» Sie schlug die Augen auf. Sonnenlicht strömte ins Zimmer durch die frostbedeckten Fensterscheiben. Mühsam richtete sie sich auf. Ihr Körper fühlte sich schwer und erschöpft an.

«Wie fühlst du dich?» Ross beugte sich über sie, und seine Augen waren so voller Gefühl, dass ihr Herz einen Satz machte.

«Ich lasse euch mal allein», sagte Graham und zog sich mit einem liebevollen, väterlichen Lächeln zurück.

«Müde.» Das Wort kam mühsam über ihre Lippen, als wäre ihre Zunge zu schwer, um sie zu bewegen. Izzy mühte sich ab, um sich hinzusetzen, doch ihre Glieder wollten ihr nicht gehorchen.

«Warte, ich helfe dir.» Sanft zog Ross sie hoch und stopfte ihr die Kissen in den Rücken, sodass sie sich dagegenlehnen konnte.

Dann griff er nach einer Thermoskanne, die neben ihrem Bett stand, und goss dampfende Flüssigkeit in einen Becher. «Trink ein bisschen Tee.»

Sie nahm dankbar einen Schluck und spürte die wärmende Flüssigkeit ihre Kehle herunterrinnen. «Mmm, danke», sagte sie, als die niederdrückende Mattigkeit langsam nachließ und ihre Gedanken klarer wurden. Sie nahm noch einen tiefen Schluck. Es tat gut, wie der heiße Tee sie von innen wärmte.

«Ist dir warm genug?»

Sie nickte und dachte mit plötzlicher Beschämung daran, dass sie am Loch nackt vor ihm gestanden hatte. Jetzt trug sie ihren Flanellschlafanzug, und ihre Füße steckten in herrlich weichen Wollsocken. Sie schauderte.

«Möchtest du noch eine Decke?», fragte Ross.

Sie schüttelte den Kopf. «Nein, alles in Ordnung. Ich dachte nur gerade, wie kalt mir war.»

«Oh ja.»

«Danke, dass du mich rausgezogen hast.» Sie verzog das Gesicht bei der Erinnerung daran, wie er geschrien hatte, sie solle den Ast greifen, und an die Angst in seinen Augen. Wie er sie getragen hatte. Wie er sie zugedeckt hatte. Wie er ihr einen Kuss auf die Stirn gehaucht hatte. Nein. Sie schloss die Augen. Daran wollte sie sich nicht erinnern. Vielleicht hatte sie sich das auch nur eingebildet. Er hatte ja gar keine andere Wahl gehabt, als ihr zu helfen. Es bedeutete nichts, und vermutlich hatte er ihr gegenüber ein schlechtes Gewissen gehabt, weil er sie traurig gemacht hatte.

Er griff nach ihrer Hand. «Es tut mir sehr leid, was passiert ist, Izzy.»

«Dazu hast du keinen Grund. Es war mein Fehler. Ich habe nicht hingeschaut, wo ich gegangen bin.»

«Ich meinte, es tut mir leid, dass ich so ein Durcheinander verursacht habe.»

Sie wandte den Blick ab, schaute aus dem Fenster. Sie konnte den Loch sehen, seine glänzende Oberfläche, die so ruhig und harmlos wirkte. Schaudernd dachte sie an den eisigen Biss des Wassers und an den Kälteschock, der ihren Körper gelähmt hatte. Ihr Magen drehte sich um bei der grauenvollen Erinnerung an ihre völlige Machtlosigkeit.

«Es ist okay, Ross.» Sie wollte ihn nicht ansehen. Sie konnte es nicht. Nicht jetzt. Wenn sie ihn ansah, würden ihr die Tränen kommen, das wusste sie. Sie liebte ihn, aber sie wollte seine Entschuldigungen nicht mehr. Er sollte nichts sagen, nur damit sie sich besser fühlte, das war der falsche Grund.

«Nein, Izzy, nichts ist okay. Ich habe alles falsch gemacht. Ich habe Panik bekommen. Es lag nicht an deiner Mutter oder an meiner Mutter – sondern an mir. Du hattest recht, ich bin ein Feigling, ich habe meine Gefühle geleugnet. Aber ich ... Izzy, ich glaube, ich bin ... vielleicht ... in dich verliebt.»

Zu wenig. Zu spät. Und eine kleine Stimme in Izzys Kopf schrie: *Ich glaube ...? Vielleicht?* Nein, das war nicht gut genug. Er musste es schon sicher wissen. Aber sie konnte nicht darauf warten, bis er sich endlich entschieden hatte. Wie Graham gesagt hatte, er musste den Sprung wagen.

Ross setzte noch einmal an: «Ich konnte nicht mit der

Stärke meiner Gefühle für dich umgehen, Izzy. Sie haben mich einfach umgehauen, aber dann, als du im Eis versunken bist, wurde mir plötzlich alles klar.»

Sie drehte sich zu ihm um. Sie wünschte, sie könnte ihm glauben. Aber er würde sich niemals ganz auf seine Gefühle einlassen. Er würde immer Angst haben. Sie hatte das alles schon mit Philip durchgemacht. Jedes Mal, wenn sie sich ein wenig von ihm distanziert hatte, war er wieder angekommen. Hatte Angst gehabt, sie ganz zu verlieren. Aber er war nie verliebt genug gewesen, um den Schritt zu wagen und sich ganz auf eine Beziehung einzulassen. Ross war genauso. Und sie würde nicht mehr zulassen, dass noch einmal auf ihrem Herzen herumgetrampelt wurde.

«Ich habe einen Fehler gemacht, Izzy.»

Mit traurigem Lächeln schüttelte sie den Kopf. «Nein, hast du nicht.»

Er runzelte die Stirn. «Was meinst du?»

«Du hattest recht. Wir sollten bloß Freunde sein. Ich will niemanden, der Angst vor der Liebe hat, der immer wieder zurückweicht, wenn die Gefühle zu stark werden, oder der glaubt, dass er manipuliert wird. Ich will jemanden, der sich ganz darauf einlässt. Nicht jemanden, der *glaubt*, er ist *vielleicht* verliebt. Sondern jemanden, der bereit ist, den Sprung zu wagen. Und du bist nicht dieser Mensch, Ross.»

Sie wandte den Kopf wieder ab und vergrub sich tiefer ins Bett. «Ich möchte jetzt schlafen.»

Unschlüssig blieb Ross sitzen. Sie wagte nicht, ihn anzusehen. Stattdessen schloss sie die Augen und zog sich die Decke bis zum Kinn. Nach einer Weile hörte sie, wie er aufstand. Izzy wartete, bis die Tür ihres Zimmers zugezogen wurde. Erst dann erlaubte sie ihren Tränen, ihr die Wangen hinunterzulaufen. Sie hatte nicht gelogen, als sie sich sagte, sie würde ihre Meinung nicht ändern. Sie liebte ihn, aber sie würde nichts Halbgares akzeptieren. Diesmal hatte sie mehr verdient.

KAPITEL 27

24. Dezember

*D*as könnt ihr nicht machen», protestierte eine Stimme vor Izzys Zimmertür.

«Aber Izzy stört das gar nicht», antwortete Xanthe auf ihre typisch unbekümmerte Weise. Man konnte sie nur selten davon abhalten, das zu tun, was sie sich vorgenommen hatte.

«Siehst du, Graham», meinte Alicia. «Izzy stört es nicht.»

«Ich denke, das arme Mädchen sollte sich noch ausruhen.»

Unwillkürlich musste Izzy grinsen. ‹Unverbesserlich› war wohl der Ausdruck, der noch am besten für die beiden Mütter passte. Was hatten sie jetzt wieder vor?

«Sie liegt seit gestern Nachmittag im Bett. Aber heute ist Heiligabend. Es ist bereits Vormittag.»

Izzy legte ihr Handy weg und überlegte, ob sie weiter so tun sollte, als schliefe sie noch, nur um ihrer Mutter eine Lektion zu erteilen, aber damit hätte sie wohl sowieso keinen Erfolg.

Sekunden später segelte Xanthe auch schon ins Zimmer. «Liebling, wie fühlst du dich? Wir dachten, wir leisten dir ein bisschen Gesellschaft. Es stört dich doch

393

nicht, wenn Graham kurz die Täfelung und das Badezimmer überprüft?»

Graham lächelte Izzy entschuldigend an und sagte dann deutlich bestimmter: «Oder wir kommen später wieder, wenn Sie sich besser fühlen.»

Sie lächelte zurück. Graham war so ein netter Mann, und es war sicher nicht seine Schuld, dass sein Sohn seine Gefühle bis zum Mittelpunkt der Erde vergrub. Alicia hatte wirklich Glück, Graham an ihrer Seite zu haben, der sie offensichtlich liebte und sich nicht schämte, es zu zeigen, trotz ihrer exzentrischen Tendenzen. Es war zu schade, dass Xanthe nach Izzys Vater keinen Mann mehr getroffen hatte. Er hätte vielleicht einige ihrer Exzesse ausgleichen können.

«Nein, schon gut, machen Sie nur.» Um ehrlich zu sein, freute sie sich, andere Leute zu sehen. Das würde sie davon ablenken, über Ross nachzugrübeln. Sie hatte das Richtige getan, auch wenn es sich momentan nicht danach anfühlte.

«Ich glaube ja immer noch, dass das alles sinnlos ist», murmelte er und ging ins Bad, um den Raum zu inspizieren.

«Das habe ich gehört, Graham», meinte Alicia, bevor sie sich neben Izzy aufs Bett fallen ließ. «Wie geht es Ihnen, meine Liebe? Sie haben wieder viel mehr Farbe im Gesicht. Endlich! Sie haben uns einen ganz schönen Schrecken eingejagt. Ich glaube, mir und Ihrer Mutter hat man schon lange nicht mehr derartig die Show gestohlen.» Sie lachte. «Auch wenn Sie sich sehr gut gehalten haben. Kein Geheule oder Geschrei. Ach, Sie und

Ross passen so gut zusammen, Sie sind beide so ... beherrscht.»

Izzy runzelte die Stirn. Sie erinnerte sich daran, dass Ross sie zwar aus dem Wasser gezogen hatte, es war jedoch Alicia gewesen, die jedem Anweisungen erteilt hatte. Sie war weder hektisch noch handlungsunfähig gewesen.

«Ich weiß, Sie ärgern sich über ihn, aber in Wahrheit ist er ein guter Junge.»

Izzy riss die Augen auf.

«Oh, keine Sorge, er erzählt mir nichts.» Ihr Ausdruck wurde weich. «Aber ich kenne meinen Sohn, auch wenn er mich für verrückt hält. Es tut mir leid, dass wir Sie beide so genervt haben, aber ich habe gesehen, wie sehr er Sie mag und ... Xanthe und ich dachten dummerweise, es würde helfen, ihm einen kleinen Stups zu geben. Aber ich schätze, das Ganze ist fürchterlich nach hinten losgegangen.»

«Wie kommen Sie darauf? Ich meine ... was hat er gesagt?», fragte Izzy. Sie war ziemlich entsetzt, dass Ross seiner Mutter etwas von ihrem jüngsten Gespräch erzählt haben könnte.

Alicia lachte laut. «Liebes Kind, glauben Sie wirklich, er würde mir irgendetwas sagen? Lieber würde er sich seine Eingeweide mit einem Eislöffel rausschaufeln. Aber seit er gestern aus Ihrem Zimmer gekommen ist, hat er die schlimmste Laune. Was um alles in der Welt haben Sie zu ihm gesagt?» Sie runzelte die Stirn. «Obwohl es natürlich immer gut ist, die Männer auf Trab zu halten.»

Izzy presste die Lippen aufeinander. Auf keinen Fall würde sie Alicia irgendetwas erzählen. Das würde Ross ihr niemals verzeihen.

«Ah, schau an. Ich bewundere Ihre Loyalität ihm gegenüber. Dann muss ich es wohl aus dem lieben Trottel rauspressen.» Alicia stand auf und strich ihre voluminöse Tunika glatt. «Wie sieht's bei dir aus, Graham? Was gefunden?»

Graham kam aus dem Badezimmer und schüttelte den Kopf.

«Hier ist auch nichts.» Xanthes Stimme unter dem Bett klang gedämpft. Izzy beugte sich runter und sah, wie ihre Mutter auf allen vieren auf dem Boden herumkrabbelte. «Was tust du da, Mum?»

«Ich dachte, die Saphire könnten vielleicht unter dem Bett sein.»

Izzy starrte ihre Mutter entgeistert an.

«Man kann nie wissen.» Sie richtete sich auf. «Vielleicht gibt es da ein Geheimfach.»

«Ganz bestimmt», stimmte Izzy mit ernster Miene zu.

«Nun denn, wir lassen Sie jetzt in Frieden», meinte Alicia. «Komm, Xanthe, ich habe da eine Idee.» Die beiden verschwanden so schnell, wie sie gekommen waren.

«Warum klingt das für mich nicht gut?», fragte Graham mit einem Lächeln, das von einer langen Leidensgeschichte erzählte, während er den beiden Frauen folgte. «Bis später.» Er winkte und war verschwunden.

Izzy stieß einen langen Seufzer aus. Auf einmal fühlte sie sich seltsam allein in ihrem Zimmer. An diesem Morgen hatte sie schon mehrfach Besuch bekommen – von

Jason und Fliss, die die göttlichsten Mince Pies brachten sowie kleine, mit Zuckerguss verzierte Lebkuchen, die als Dekoration für den Weihnachtsbaum dienen sollten. Von Jeanette und Duncan mit einem großen Becher Tee. Alle waren sehr bemüht gewesen, ihr zu versichern, dass im Schloss alles unter Kontrolle war. Und Izzy brauchte Jasons großartige Hummercremesuppe eigentlich nicht zu probieren oder Fliss' Weizenbrötchen, um das bestätigen zu können. Im Gegensatz dazu hielt sich der einzige Mensch, den sie gern gesehen hätte, von ihr fern – genau wie sie es ihm aufgetragen hatte.

Auf eine feige Art und Weise war sie froh über die Ausrede, in ihrem Zimmer bleiben und sich weiter ausruhen zu wollen, auch wenn Ross sich vermutlich ebenfalls an seinen Schreibtisch zurückgezogen hatte, um allen anderen aus dem Weg zu gehen. Aber nun war Weihnachten gekommen, und Izzy würde so tun, als wäre alles ganz normal. In gewisser Weise wünschte sie beinahe, dass Fliss und Jason nicht zum Helfen gekommen wären. Dann hätte sie sich jetzt in der Küche verstecken und Ross aus dem Weg gehen können. Stattdessen musste sie sich der Lage stellen – und das würde sie, denn sie war Izzy McBride.

Um fünf Uhr, als Izzy von ihrer eigenen Gesellschaft die Nase gestrichen voll hatte, schob Jeanette den Kopf durch die Tür. «Hey, Izzy, wie geht es dir?»

«Ich langweile mich zu Tode.»

«Gut», sagte Jeanette. «Xanthe sagt, du sollst um sechs Uhr zum Champagnercocktail runterkommen. Sie hat Jim das Versprechen abgenommen, dass er dich die Treppe runterträgt, wenn du Hilfe brauchst.»

«Der arme Jim.»

«Er hat Angst vor deiner Mutter.» Sie kicherte. «Aber ich weiß gar nicht, warum, sie ist doch süß. Aber meinst du, du kannst kommen? Ich helfe dir auch beim Anziehen und so.»

Izzy machte eine wegwerfende Handbewegung. «Danke dir, aber ich kann mich sehr gut allein anziehen. Mir geht es schon viel besser. Ich bin nur heute liegen geblieben, weil Xanthe gesagt hat, sie würde sonst den Arzt rufen.»

Und auch wenn Izzy nur ungern in ihrem Zimmer statt in der Küche geblieben war, war sie doch oft eingeschlafen. Vermutlich als Reaktion auf den Schock des gestrigen Abenteuers. Aber jetzt hatte sie keine Ausreden mehr, sich zu verstecken, und nach all den Vorbereitungen und Sorgen würde sie Weihnachten ganz sicher nicht verpassen. Und Champagnercocktails auch nicht.

Sie schwang die Beine aus dem Bett. «Ich stehe auf und gehe duschen.» Irgendwann würde sie Ross gegenübertreten müssen, und sie würde dafür sorgen, dass sie dann gut aussah. Sie würde ihm zeigen, was er verpasste. Sie würde in den Kriegerinnen-Modus gehen.

Eine halbe Stunde später hatte sie frisch gewaschene Haare, war angezogen und fühlte sich wieder wie ein neuer Mensch. Energetisiert von der Dusche, hatte sie sich hübsch zurechtgemacht. Ihre Locken fielen offen über ihren Rücken. Sie hatte sogar etwas Lipgloss aufgelegt, ihn dann aber doch wieder abgewischt, weil das zu gewollt aussah. Dann legte sie ihn wieder auf, weil Heiligabend war und sie und Xanthe sich zu Heiligabend zum Champagnercocktail immer zurechtmachten. Izzy schaute in den Spiegel und hob das Kinn. Sich hübsch zu machen, war Tradition. Es hatte überhaupt gar nichts damit zu tun, irgendjemandem zu zeigen, was er verpasste.

«Izzy! Du kommst gerade rechtzeitig», sagte Fliss, als sie die Küche betrat. Er nahm eine Schüssel aus dem Kühlschrank. «Ich habe Zuckersirup für die Ränder an den Gläsern gemacht. Xanthe hat die schönsten Champagnerflöten gefunden, sehr schlicht, aber sehr elegant. Sind die nicht ein Traum?» Sie deutete mit dem Kopf auf die langstieligen Gläser, die auf dem Küchenbord standen. «Xanthe will sie noch auf Instagram posten, bevor wir sie servieren. Sie hat schon den weihnachtlich geschmückten Tisch fotografiert mit all den Tannenzapfen und Kerzen. Ihr künstlerisches Talent hast du ja leider nicht geerbt.»

Izzy schüttelte den Kopf. «Nein, leider nicht.»

«Hast du den essbaren Glitzer? Ich kann ihn nicht finden.»

«Den habe ich nach dem letzten Mal vor Xanthe versteckt.»

«Gute Idee, sonst hätte sie ihn bestimmt für irgendwas benutzt und aufgebraucht.»

Izzy holte den goldenen Glitzer aus der hintersten Ecke des Küchenschranks und kippte eine ordentliche Menge davon in eine flache Zuckerschale.

«Dann mal los!» Fliss nahm das erste Glas, tauchte es erst in den Zuckersirup und dann in den Glitzer.

Izzy strahlte. «Sieht toll aus. Alle waren sehr beeindruckt, als ich beim Baumschmücken damit die Whisky Sours verziert habe. So was wäre mir nie eingefallen, wenn du es nicht gesagt hättest.»

«Ich bin eben ein Genie», sagte Fliss mit selbstzufriedenem Grinsen.

«Aber nur in deinem Kopf», murmelte Jason und zog ein Blech mit Sausage Pinwheels aus dem Ofen, die er auf einen flachen Teller gleiten ließ. Es waren die hübschesten kleinen Küchlein, die Izzy je gesehen hatte. Und sie sahen wirklich aus wie Pinwheels, wie Windmühlen.

«Du willst die ja wohl nicht so servieren, oder?», schimpfte Fliss.

«Ach, es sind doch bloß Sausage Pinwheels. Außerdem ist Heiligabend, die richtig feinen Sachen kommen erst morgen.»

«Nein», sagte Fliss und gab ihm einen Klaps auf die Hand. «Wir machen alles richtig. Man serviert mit Liebe, denk dran.»

«Es wird mit Liebe serviert. Ich liebe Sausage Pinwheels.»

Fliss stemmte ihre Hand in die Hüfte und schnalzte mit der Zunge.

«Ihr beide ändert euch auch nicht», sagte Izzy lachend.

Jason legte den Arm um Fliss. «Eigentlich lieben wir uns.»

«Ihh, lass mich los!», protestierte Fliss. «Du großer Esel.»

«Siehst du. Ich bin der Bruder, den sie immer haben wollte.»

«Nein, danke. Ich habe schon vier Brüder. Mehr brauche ich wirklich nicht.»

«Okay, dann bester Freund. Ich bin dein *Bestie*.»

Fliss schauderte. «Das Wort würde ich im Leben nicht benutzen. Du bist einfach ... Jason.»

Er verzog das Gesicht. «Niemand liebt mich.»

«Du würdest viel mehr geliebt, wenn du die Pinwheels auf einen schönen Servierteller legst, noch ein paar Cherrytomaten darauf dekorierst und etwas Kresse darüberstreust, damit sie richtig gut aussehen.»

«Ich bin hier der Pantoffelheld ...», murmelte Jason, aber Izzy sah, dass er alles genauso machte, wie Fliss gesagt hatte.

«Was kommt denn eigentlich in die Champagnercocktails?», fragte Fliss.

«Das ist ein Familienrezept, das noch von meiner Urgroßmutter stammt», erklärte Izzy. «Man legt einen Zuckerwürfel unten ins Glas, gibt ein paar Tropfen Angosturabitter dazu, gießt gekühlten Brandy dazu und füllt das Glas mit Champagner auf. Mein Opa musste die immer machen, als er noch lebte.» Lächelnd dachte Izzy an ihren Großvater, einen stillen Mann, der viel zu früh gestorben war. Er hatte ihr immer Geschichten vorgelesen und war mit ihr spazieren gegangen, hatte ihr alle Vogelarten gezeigt. Sonst dachte sie nicht mehr oft an ihn, aber Weihnachten brachte immer diese kostbaren, bittersüßen Erinnerungen zurück.

«Ach, wie schön. Familientraditionen sind etwas

Wunderbares. Bei mir zu Hause stellte meine Mutter immer einen Teller mit Crackern und Käse und ein Glas Portwein für den Weihnachtsmann hin. Ich habe mich als Kind gewundert, warum wir ihm keine Mince Pies angeboten haben und keine Möhre für Rudolph, so wie alle anderen. Und meine Brüder und ich haben Jahre gebraucht, um den Zusammenhang herzustellen, dass mein Großvater keine Mince Pies mochte, aber vor dem Zubettgehen sehr gern Käse und Portwein zu sich nahm.» Fliss kicherte bei der Erinnerung.

«Und meine Mum machte in der Vorweihnachtszeit immer eine Dose mit Cadbury-Schokolade auf», ergänzte Jason. «Wenn wir Glück hatten, war an den Festtagen auch außer den Coffee Creams noch welche drin, die mochte nämlich keiner von uns.»

«Oh, ich liebe die Coffee Creams», sagte Fliss.

«Na klar, du bist ja auch schickimicki.»

«So, ich glaube, wir bringen die Pinwheels und die Cocktails jetzt mal rein, oder?», sagte Izzy mit strengem Blick auf die beiden.

Sie lachten, und diesmal sagte Fliss mit einem Stoß in Jasons Rippen: «Wir lieben uns wirklich. Er ist mein *Bestie*.»

Alle waren schon im Salon versammelt, als Izzy, Jason und Fliss eintraten. Der Raum schimmerte vom Glanz der golden leuchtenden Lichterketten über dem Kaminsims und den Kerzen auf allen Fensterbrettern, deren Flackern sich in den dunklen Scheiben spiegelte. Die Vorhänge waren offen, und draußen erhellte der Schnee die abendliche Landschaft, wodurch es drinnen noch gemütlicher wirkte. Xanthe hatte alles wirklich wunderschön vorbereitet, dachte Izzy. Auch der Weihnachtsbaum war prächtig, die silbernen und goldenen Kugeln glänzten.

«Fröhliche Weihnachten, ihr alle!», rief Xanthe, sobald die Gläser verteilt waren, und hob ihres in die Höhe.

«Danke, dass wir hier sein dürfen», sagte Hattie und prostete Xanthe zu. «Besonders ich.»

«Ja.» Graham stimmte ein. «Danke an Izzy und Xanthe für die großzügige Gastfreundschaft und die Einladung, Weihnachten hier zu verbringen.»

«Es ist sehr *nett*, euch hier zu haben», sagte Xanthe mit großem Aplomb, sodass Izzy grinsen musste und sich automatisch nach Ross umsah. Er würde die Ironie verstehen. Doch von ihm war nichts zu sehen, und sie spürte einen kleinen Stich der Enttäuschung. Dabei hatte sie sich vorgenommen, ihm gegenüber ganz lässig aufzutreten. Wie wankelmütig sie war! Aber wenn er ernsthafte Gefühle für sie hegte, wenn er sie wirklich liebte – und nicht nur *glaubte*, sie zu lieben –, dann hätte er mehr gekämpft. Seine Abwesenheit zeigte sehr deutlich, was sie die ganze Zeit befürchtet hatte: dass er nicht dasselbe für sie empfand wie sie für ihn.

«Prost, Izzy», sagte Jim mit frechem Grinsen.

«Ja, Kleines», fügte Duncan hinzu. «Danke dafür, dass du das Schloss wieder zu einem Zuhause gemacht hast. Du hast mir von Anfang an das Gefühl vermittelt, ich wäre hier sehr willkommen, und das hättest du nicht tun müssen.»

Izzy errötete.

«Ich danke dir ebenfalls, mein Täubchen.» Xanthe kam zu ihr und legte ihren Arm um Izzys Schultern. «Dass du mir erlaubt hast, meinen Traum zu leben. Du bist die beste Tochter, die eine Mutter nur haben kann.»

Izzy blinzelte. Es war selten, dass Xanthe ihre Beziehung so herausstellte.

«Na klar bin ich die beste Tochter, du hast ja auch nur mich», witzelte sie, um den Klumpen in ihrem Hals nicht übermächtig werden zu lassen.

Das plötzlich eintretende Schweigen und die aufmerksamen Blicke zu einem Punkt in ihrem Rücken machten Izzy klar, dass jemand hinter ihr erschienen war. Sie drehte sich um. Ross kam auf sie zu. Er trug das Claymore über seiner Schulter und hatte einen entschlossenen Ausdruck auf dem Gesicht. Er hielt die Augen streng auf sie gerichtet. Izzy sah nur noch ihn. Sein Kilt flatterte bei jedem Schritt um seine Knie, und das weiße Leinenhemd enthüllte seine glatte, breite Brust. Ihr Mund wurde trocken, und all ihre Jamie-Fraser-Fantasien zerfielen zu Staub beim Anblick von Ross' muskulösen Schultern und seinem kräftigen Nacken. Regungslos starrte sie ihn an.

Die Welt schrumpfte zusammen.

«Izzy McBride, du musst sofort mit mir mitkommen.»

Izzys Herz klopfte so stark, dass sie meinte, ihren Puls pochen zu hören. Als Ross langsam die linke Hand ausstreckte, ergriff sie sie und ließ sich im allgemeinen Schweigen von ihm aus dem Salon führen, während er das Schwert auf seiner rechten Schulter balancierte.

Die Kerzen in der großen Halle brannten, und im Kamin tanzten die Flammen und warfen einen sanften, warmen Schein auf die alten holzgetäfelten Wände. Ross schwang das Schwert von seiner Schulter, stellte die Spitze auf den Boden und trat vor Izzy.

Beeindruckt von seinem Anblick und der gesamten Atmosphäre, wartete sie darauf, dass er zu sprechen begann, wartete auf das Gewicht seiner Worte.

Mit einer Hand auf dem Schwert und der anderen locker an seiner Seite, holte er tief Luft. «Izzy McBride, ich liebe dich.» Seine heisere Stimme schickte einen weiß glühenden Blitz durch sie hindurch. Überraschung, Glück, Erstaunen und Erschrecken explodierten in ihrem Inneren.

Er wich ihrem Blick nicht aus. «Kein ‹Vielleicht› und kein ‹Ich glaube›», erklärte er. «Ich wage den Sprung. Und ich möchte ihn mit dir wagen.» Sie sah, dass seine Hand zitterte, mit der er das Claymore hielt.

Dann ließ er sich auf ein Knie sinken und deklamierte:

Wie schön du bist, geliebte Maid,
Wie wird das Herz mir schwer,
Und lieben wird's dich immerdar,
Bis trocken Strom und Meer.

Izzy schluckte verblüfft.

«Ross? W-was...?» Mehr brachte sie nicht heraus.

«Ich liebe dich.»

«Aber das ...?»

«Ich wollte einen möglichst dramatischen Auftritt

hinlegen, damit du verstehst, was ich fühle. Wie groß und mächtig meine Gefühle für dich sind. Und damit du niemals daran zweifelst.»

«Nun, das ist wirklich ein ziemlich ... dramatischer Auftritt.» Sie schenkte ihm ein verlegenes Lächeln.

«Reicht es, um dich davon überzeugen, dass ich ein Idiot war und zur Vernunft gekommen bin?»

«Ich ... Ich glaube schon.»

«Das reicht mir nicht, Izzy McBride. Ich will eine Frau, die sich ganz drauf einlässt. Keine, die nur *glaubt*, dass sie mich liebt. Sondern eine, die bereit ist, den Sprung mit mir zu wagen.» Seinen Worten folgte ein Zwinkern, in dem jedoch eine Spur Unsicherheit lag.

Sie lachte. «Okay, dann führ mich zur Klippe, Ross.»

In ihrem Rücken vernahm sie ein lautes Stöhnen. «Oh, um Himmels willen, Izzy, küss den Mann!», rief Duncan.

Sie drehte sich um. Da standen sie alle in der Tür und schauten zu ihnen herüber.

«Lass ihn nicht weiter leiden», ergänzte Duncan. «Der arme Kerl läuft doch schon seit Wochen hinter dir her. Er war bloß zu dumm, um es zu merken.»

Ross rümpfte die Nase. «Er hat leider recht.»

«Ja, Izzy, du wirst auch nicht jünger», rief Xanthe. «Und ganz ehrlich, du hast auch nicht gerade massenhaft Anwärter.»

Izzy lachte. «Danke, Mutter.»

«Und ich verhungere!», rief Jim.

«Du hast gerade ein halbes Tablett mit Pinwheels gegessen!», beschwerte sich Jeanette.

Izzy seufzte. «Ich kann mich aber noch nicht entscheiden, ob das hier wahnsinnig romantisch oder völlig kindisch ist.» Sie trat zu Ross, um ihm über die Wange zu streichen. Bei dem liebevollen Ausdruck in seinen Augen schmolz ihr Herz. «Ich hatte keine Zuschauer erwartet.»

«Ich auch nicht», sagte Ross. «Aber vielleicht könntest du mich küssen und dich danach entscheiden? Oder ich packe dich und trage dich in die Küche, denn ich möchte eigentlich auch keine Zuschauer, wenn ich gleich über dich herfalle. Ich werde nie richtig gut im Drama sein, nur wenn es sein muss.»

Sie beugte sich vor und küsste ihn. Das Schwert fiel klirrend zu Boden, als er seine Arme um sie legte und sie an seinen großen, festen Körper zog. Wer brauchte schon Jamie Fraser, dachte Izzy, wenn man seinen ganz persönlichen Ross Strathallan haben konnte?

«Also, können wir jetzt hier verschwinden?», murmelte er.

«Ja.»

«Übrigens, ich muss dir noch ein Geheimnis verraten.»

KAPITEL 28

1. Weihnachtstag

O h nein!», jammerte Izzy, fing dann aber an zu kichern. Heute würde sie nichts aus der Ruhe bringen. Sie stellte den Bräter auf der Anrichte in der Küche ab.

«Was ist passiert?», fragte eine tiefe Stimme, während sie zwei Arme von hinten umschlangen. Sie drehte sich um und gab Ross einen Kuss. Er duftete nach Kaffee.

«Er passt nicht rein.» Izzy kicherte wieder. Das Glück blubberte in ihr wie Champagnerbläschen, und sie meinte beinahe, kleine Funken auf ihrer Haut tanzen zu sehen. «Also, ich spreche vom Truthahn. Er ist zu groß für den Ofen.» Trotz dieser sich anbahnenden Katastrophe blieb sie entspannt. Es gab für alles eine Lösung.

«Ups», sagte Ross und starrte auf den zwölf Kilogramm schweren Vogel, der in einem großen Bräter lag.

Izzy stieß einen Finger in die mit Butter bestrichene Haut. «Ich kann es nicht glauben. All diese Vorbereitungen, und mir ist nie eingefallen, mal zu prüfen, ob der Ofen groß genug ist.»

«Du meinst, du hast es nicht auf die Liste gesetzt?»

Sie stieß ihm spielerisch in die Rippen. «Nein, habe ich nicht.» Sie seufzte. «Dann muss ich den Truthahn wohl zerteilen. Vermutlich wird er dann sogar schneller gar.»

«Ich sage dir was. Wir trinken noch einen Kaffee, und dann überlegen wir uns den besten Angriffsplan.»

Sie grinste ihn an. ‹Wir› hörte sich so viel besser an als ‹du›.

Izzy setzte sich an den Tisch, und Ross schob ihren Becher in die Nespresso-Maschine und legte eine neue Kapsel ein. Während sie dem vertrauten Surren lauschte, ging sie in Gedanken alle Optionen durch. Sie konnte den ganzen Vogel zerteilen, das hatte sie in Irland gelernt. Dann würde sie die Brust, die Keulen und Flügel einzeln braten, doch Adrienne hatte immer gesagt, dass das Fleisch besser schmeckte, wenn es am Knochen zubereitet wurde, und sie wollte, dass es perfekt wurde.

Als Ross den Kaffee vor sie hinstellte, nahm sie einen vorsichtigen Schluck und seufzte.

«Zum Glück habe ich das Tier noch nicht gefüllt, ich kann ihn also problemlos zerteilen.»

Er hob die Augenbrauen. «Und kannst ihn dann wieder zusammenkleben, wenn er fertig ist?»

Sie nickte. «Klingt komisch, aber das könnte funktionieren.»

«Gut. Soll ich die Axt aus Duncans Werkzeugschuppen holen?»

«Axt?» Izzy richtete sich auf. «Ich dachte an eine Küchensäge, aber vielleicht ist eine Axt tatsächlich besser.»

Ross starrte sie an, dann räusperte er sich. «Das war ein Witz.»

«Oh. Eine Axt wäre auch total albern, oder? Könnte

direkt aus einer Comedy stammen.» Sie fing an zu lachen.

«Nur ein bisschen.»

«Also, wenn ich ihn einmal längs teile, kann ich ihn vielleicht wieder zusammensetzen und die Naht mit Schinkenstreifen überdecken. Dann sieht man es nicht sofort, wenn ich ihn reintrage.»

«Und das würde gehen?»

«Keine Ahnung, aber was ist das Schlimmste, was passieren kann?»

«Du könntest dir die Hand abhacken.»

«Tja, du hast ja schon gezeigt, dass du gut mit der Axt umgehen kannst», meinte Izzy mit funkelnden Augen. «Also machst du es.»

Er beugte sich vor und küsste sie, dann sagte er: «Du willst also wirklich, dass ich die Axt an den Truthahn lege?»

«Was schlägst du sonst vor? Ich sollte ihn jetzt langsam mal in den Ofen schieben, außerdem muss ich anfangen, das Frühstück vorzubereiten. Ich habe allen gesagt, sie sollen um neun Uhr unten sein, und ich bin nicht mal richtig angezogen.»

Es klopfte an der Tür. «Du machst einen Krach, als wolltest du Tote aufwecken», sagte Jason, der mit trübem Blick, die Hand an die Schläfe gedrückt, in die Küche kam. «Frohe Weihnachten.»

Izzy lächelte ihn an. «Frohe Weihnachten.»

«Ooooh, dieses Whiskyzeug hat's in sich», stöhnte er.

«Nur, wenn man gleich eine halbe Flasche leert», meinte Ross und warf Izzy einen schnellen Blick zu. Sie hatten Graham, Fliss, Jason und Jim gestern den Whisky überlassen, bevor sie schlafen gegangen waren.

«Das war ich nicht», beschwerte er sich. «Das war Fliss. Ich hab ihr nur geholfen.»

«Ja, ihr habt euch darüber gestritten, wer von euch mehr vertragen kann», sagte Ross. «Ehrlich, ihr beiden ...»

«Die sind immer so», sagte Izzy amüsiert. «Lass mich raten, Jason, Fliss hat dich wieder unter den Tisch getrunken.»

«Verdammt richtig. Für 'ne Schickimicki-Else kann sie ganz schön was ab.» Er beäugte den Truthahn. «Sollte der nicht schon im Ofen sein?»

«Ja, aber es gibt ein kleines Problem. Er ist zu groß für den Ofen.»

Jason kicherte. «Schöner Mist.»

«Schon okay, Ross wird ihn mit der Axt in zwei Teile hacken.»

«Nicht euer Ernst!» Jason schüttelte den Kopf. «Ehrlich?»

«Na ja, was schlägst du sonst vor?», fragte Izzy mit leichter Ungeduld, denn sie hätte eigentlich schon vor einer halben Stunde eine Lösung finden müssen.

«Einen Schmetterlingsschnitt natürlich.»

«Natürlich», wiederholte Izzy und verdrehte die Augen. «*Schmetterlingsschnitt* ... Was soll das überhaupt heißen?»

Jason fing an, in den Schubladen zu kramen, dann hielt er mit einem Triumphschrei eine lange Schere mit gebogenen Scherenblättern hoch. «Eine Geflügelschere! Die ist perfekt. Meine Damen und Herren, ich werde

Ihnen jetzt demonstrieren, wie man einen Truthahn mit einem Schmetterlingsschnitt zerteilt.»

Er wirbelte mit der Schere herum und erteilte ihnen eine kurze Masterclass im Schlachterhandwerk, indem er das Rückgrat aus dem Truthahn entfernte und das Fleisch anschließend flach auf einem großen Backblech ausbreitete. «Die Füllung servieren wir dann extra.»

«Ich danke dir tausendmal», sagte Izzy, die froh dafür war, dass er hier war und nicht die Carter-Jones.

«War mir ein Vergnügen. Also, hast du zufällig Kopfschmerztabletten? Mir dröhnt der Kopf. Wer auch immer behauptet hat, Whisky sei das Wasser des Lebens, hat verdammt noch mal gelogen.»

«Frohe Weihnachten, Izzy», sagte Jeanette und hüpfte die letzten Stufen der Treppe in die Halle hinab. Jim folgte ihr auf den Fersen. «Schau mal, was Jim mir geschenkt hat.» Sie streckte die Hand aus und zeigte Izzy ein hübsches Silberarmband. «Und meine Mum hat uns nachträglich zur Hochzeit Geld für unsere Flitterwochen geschenkt. Ich bin so froh, dass sie mir verziehen hat.» Jeanettes Gesicht strahlte vor Glück.

«Oh, das ist wundervoll, Jeanette.» Izzy umarmte sie. «Frohe Weihnachten. Kommt und trinkt ein Glas Buck's Fizz.»

Ross und Jason hatten darauf bestanden, dass sie sich alle vor dem Frühstück zum Anstoßen in der Halle versammelten. Trotz seines Katers schenkte Jason jedem, der ankam, fröhlich Champagner und Orangensaft ein. Auch Hattie und Graham gesellten sich dazu.

«Frohe Weihnachten!», dröhnte Alicias Stimme von der oberen Galerie. Dann glitt sie in einem bodenlangen rot karierten Taftkleid mit schwarzem Mieder die Treppe herunter. Sie umarmte Xanthe, und die beiden Frauen bestaunten gegenseitig lautstark ihre Outfits, bevor Alicia sich Izzy zuwandte. «Frohe Weihnachten, meine Liebe! Sie sehen strahlend aus. Ganz offensichtlich hatten Sie eine gute Nacht.»

«Mutter!», protestierte Ross und verdrehte die Augen, auch wenn er sich ein Lachen nicht verkneifen konnte.

«Wo ist Fliss?», fragte Jeanette und sah sich besorgt um, wobei sie Jim und Duncan bemüht unauffällige Zeichen gab, während die beiden ebenso bemüht unauffällig ihr Unverständnis ausdrückten.

«Ich bin hier!» Fliss hatte ihre Schürze abgenommen und tauchte nun in einem wunderschönen rosafarbenen Seidenkleid auf.

«Gut, dann sind wir ja alle da.» Jeanette klopfte gegen ihr Glas. Sie erinnerte dabei an eine aufgeregte Elfe.

Als alle verstummt waren, hob sie ihr Glas. «Ich möchte auf unsere wunderbare Gastgeberin anstoßen – auf Izzy, die uns allen hier ein so schönes Zuhause bereitet hat. Sie ist großzügig und gastfreundlich, und ich kenne niemanden, der zwei Landstreicher wie uns aufgenommen und ihnen Arbeit angeboten hätte.» Sie sah Izzy fest an. «Schon bevor wir im Schloss wohnen durften, warst du sehr nett zu uns. Hast dich nicht darüber beschwert, dass wir auf deinem Land unsere Zelte aufgeschlagen hatten. Hast gesagt, wir dürften uns sogar Feuerholz aus dem Wald holen. Und das haben wir dann auch getan ...» Sie warf Jim und Duncan einen besonders offensichtlichen Jetzt-macht-endlich-Blick zu, und als die beiden aus der Haustür eilten, machte sich sekundenlanges Schweigen bemerkbar, während dessen niemand so recht wusste, was er tun sollte. Endlich kamen die beiden zur allgemeinen Erleichterung zurück. Sie trugen eine wunderschöne Sitzbank aus groben Holzstämmen herein, um deren Rückenlehne eine riesige rote Schleife gebunden war.

«Frohe Weihnachten, Izzy!», rief Jeanette. «Danke, dass du uns ein Zuhause gegeben hast und eine Chance ... Also, wir können dir gar nicht genug danken.»

Duncan und Jim stellten die Bank vor Izzy ab.

«Jim hat sie gemacht», sagte Jeanette stolz.

Izzy streckte die Hand aus und berührte die weiche, satinierte Oberfläche des Sitzpolsters, die einen schönen Gegensatz zur verwitterten Rinde der Rücken- und Armlehnen bildete. «Sie ist wunderschön», sagte sie und spürte Tränen der Rührung in sich aufsteigen. Sie zog Jeanette in ihre Arme. «Einfach wunderschön, danke. Danke, Jim, sie ist wirklich toll geworden. Und du hast alles selbst gemacht?»

«Jep.» Er trat zu ihr und umarmte sie ebenfalls.

Izzy wischte sich die Wimperntusche weg, die mit einer Träne über ihre Wange zu fließen drohte. «Gleich ist meine ganze Schminke verlaufen.»

Alle lachten. Dann probierten Jason, Fliss und Graham die Bank aus, während Ross und Duncan über das Holz strichen und Jims Handwerkskunst bewunderten.

Zum Frühstück gab es Bagels mit Räucherlachs und Frischkäse. Nur Duncan weigerte sich, auf seinen täglichen Porridge zu verzichten, selbst am Weihnachtstag. Und Jason entschied sich für einen Bagel mit Speck, der, wie er behauptete, garantiert ein Heilmittel gegen Kater war. Nach dem Essen eilte Izzy zurück in die Küche, um mit den weiteren Vorbereitungen für das Weihnachtsessen zu beginnen.

Mit Jasons und Fliss' Hilfe verlief in der Küche alles reibungslos, und um die Mittagszeit konnte Izzy sich zum ersten Mal seit Wochen endlich ein wenig entspannen.

«Ich glaube, wir haben uns noch ein Glas Schampus verdient», meinte Fliss mit einem Blick auf die Uhr. Der Truthahn war schon aus dem Ofen und ruhte unter einer Schicht Alufolie und einem Stapel Geschirrtücher. Und der Bratensaft war zu der auf dem Herd köchelnden Bratensoße gegeben worden, wohingegen die Füllung sowie das Gemüse bald fertig sein würden.

«So langsam gewöhne ich mich an das Zeug», sagte Jason, während er drei Gläser für sie einschenkte. «Trotzdem geht nichts über ein schönes Bier.»

«Du bist so ein Prolet», stichelte Fliss.

«Besser als eine hochnäsige Schnepfe», stichelte Jason zurück.

«Ich wollte gerade sagen, wie froh ich bin, dass ihr hier seid …», meinte Izzy lachend. «Mit euch ist der heutige Tag so viel einfacher. Also, auf uns drei Musketiere. Danke, dass ihr mich gerettet habt.»

«Alles nur eine Frage der Übung, nächstes Weihnachten bist du fit für einen Haufen Gäste», erwiderte Fliss mit einem beruhigenden Lächeln.

«Ja, vielleicht. Aber wenn ihr nicht gewesen wärt, hätte ich nicht einmal dieses Weihnachten überstanden», antwortete Izzy mit Nachdruck.

Izzy trug den knusprigen, goldglänzenden Truthahn auf der großen, antiken Platte ins Esszimmer, als würde sie einen Triumphzug anführen. Um das Fleisch herum lagen Kilted Soldiers – kleine, mit Speck umwickelte Würstchen – zusammen mit Bällchen ihrer hausgemachten Haggisfüllung sowie ein zweites Stück Wurstbrät, das nach Orangen und Kastanien duftete. Hinter ihr kam Fliss mit zwei Terrinen bernsteinfarbener Bratkartoffeln, die noch gehörig dampften. Jeanette trug ein Tablett mit drei großen Krügen Bratensoße. Das Schlusslicht bildete Jason mit den in Honig gerösteten Pastinaken mit Chiliflocken, in Butter und Sternanis geschwenkten Karotten sowie Erbsen und Spargel mit Kräutern.

Xanthe hatte alle Kerzen im Raum angezündet, und das Feuer tauchte den Saal in warmes, orangefarbenes Licht. Der Tisch glich einer Tafel aus Downton Abbey: Der Schein der Kerzen spiegelte sich in dem polierten Silberbesteck. Weißweinflaschen warteten in großen, glänzenden Kübeln voller Eis, und an jedem Platz standen Kristallgläser für Wasser, Rot- und Weißwein. Ross kam, wie versprochen, eifrig seiner Aufgabe als Sommelier nach und hatte die Gäste bereits nach ihren Wünschen gefragt und die Gläser gefüllt.

Izzy nahm ihren Platz am Kopf des Tisches ein, Ross

saß zu ihrer Linken und Jeanette zu ihrer Rechten, daneben waren Fliss und Jason. Vom anderen Ende des Tisches winkte Xanthe ihr zu und hob beide Daumen.

Jason begann, den Truthahn anzuschneiden, und Fliss verteilte die Fleischstücke auf den Tellern, während Izzy alle aufforderte, sich an den Beilagen zu bedienen. «Es gibt Bratensoße, Preiselbeersoße, Füllung, Salbei und Zwiebeln, Haggis und Bratwurst.»

«Mmmh, lecker», sagte Jeanette und schaute ihren Mann an. «Wenn du jemals wieder ein ordentliches Weihnachtsessen haben willst, müssen wir wohl für immer hier bleiben.»

Er lachte.

Als alle Teller gefüllt waren, sprang Xanthe auf und hob ihr Weinglas.

«Einen Toast auf Izzy, meine geliebte Tochter. Danke dafür, dass du meine Träume wahr gemacht hast. Dies ist jetzt offiziell *Das Beste Weihnachten Aller Zeiten*. Frohe Weihnachten, Izzy.» Alle am Tisch erhoben sich, griffen nach ihren Gläsern und riefen: «Frohe Weihnachten!»

Duncans Stimme war am lautesten, dann wischte er sich über die Augen. Graham nahm die Hand seiner Frau, und sie tauschten einen rührenden Blick. Jeanette gab Jim einen lauten Schmatzer auf die Wange, und Jason und Fliss grinsten sich an. Hattie schaute sich mit frohem Ausdruck um und erklärte: «Es könnte wirklich das beste Weihnachten aller Zeiten sein.»

Izzy strahlte, wobei ihr selbst die Tränen in die Augen stiegen. Das war es, was Weihnachten ausmachte: die Gesellschaft von guten Freunden und Familie, das gemeinsame Essen und die Liebe der Gäste. Ross legte seine Hand auf ihre und drückte sie. Ein warmes Gefühl erblühte in ihrer Brust. Dies war ihr Zuhause, und diese Menschen waren Familie.

«Du bist unglaublich, weißt du das?», raunte er ihr mit leiser Stimme zu.

«Ich hatte Hilfe von meinen Freunden», antwortete sie und grinste.

«Ja, jeder hat die Freunde, die er oder sie verdient.»

Fliss, die mithörte, lächelte ihn an. «Das ist ein sehr weiser Spruch, und sehr treffend.»

Izzy wedelte mit der Hand vor ihrem Gesicht herum. «Hört auf, ich werde noch ganz emotional.»

«Daran ist ja nichts verkehrt», sagte Ross und zwinkerte ihr zu.

Sie nickte, aber bevor sie etwas erwidern konnte, sprang Xanthe auf.

«Knallbonbons!», rief sie. «Alle müssen eins aufreißen und ihre Papierhüte aufsetzen!»

Duncan stöhnte und brummelte etwas vor sich hin, doch wie Izzy feststellte, setzte er sich wie alle anderen gehorsam seine rote Papierkrone auf den Kopf.

Nach zwei fröhlichen Stunden, in denen sie miteinander plauderten, aßen, lachten und mit gutem Essen, gutem Wein und guter Gesellschaft feierten, bestand Alicia zu Izzys Überraschung darauf, dass sie mit Xanthe und Graham den Tisch abräumen würde, während die anderen sitzen bleiben und ein Glas Portwein genießen sollten.

«Deine Mutter ist eigentlich ziemlich praktisch veranlagt, weißt du», sagte Izzy zu Ross, als sie Alicia dabei zusah, wie sie gekonnt mehrere Teller auf einmal davontrug.

«Das wird mir auch allmählich klar. Ich hatte ein langes Gespräch mit ihr, während du heute Morgen gekocht hast. Dad hatte mir neulich ein paar Sachen erzählt, und ich denke, dass ich ihr gegenüber vielleicht nicht immer sehr fair gewesen bin.» Er beugte sich vor und küsste sie, bevor er sagte: «Aber wenn man verliebt ist, ändert sich die Sichtweise auf Dinge.»

Izzy lächelte nur und beschloss, ihm nicht zu sagen, dass sie sein Gespräch mit seinem Vater mitgehört hatte.

«Darf ich den Weihnachtsmann spielen?», fragte Xanthe, und die indigoblaue Feder ihres heutigen Kopfschmuckes wackelte aufgeregt. Izzys Mutter trug ein farblich passendes, figurbetontes Samtkleid und sah einfach bombastisch aus. Ja, dachte Izzy, bombastisch war das passende Wort.

Nachdem sie den Abwasch erledigt hatte, war Xanthe mit flamingopinken, federbesetzten Handschuhen ins Esszimmer marschiert, um alle in den Salon zu bitten. Und nun saßen sie auf Sofas und Stühlen, während im Kamin ein großes Feuer brannte und die Lichterketten am Weihnachtsbaum blinkten und funkelten.

Über Nacht hatte sich eine ganze Reihe hübsch eingepackter Päckchen unter dem Baum eingefunden, und auch die Weihnachtsstrümpfe hingen am Kaminsims.

«Das hier ist für dich, Izzy», sagte Xanthe mit funkelnden Augen. «Los, mach es auf. Ich kann es gar nicht erwarten, deine Reaktion zu sehen.»

Izzy fühlte sich ein wenig unbehaglich, weil alle Augen auf sie gerichtet waren, doch sie nahm das Geschenk dankend an. «Dann lass mich dir auch eins geben.»

«Ich habe es schon entdeckt», sagte Xanthe und griff nach Izzys Päckchen.

«Ich hoffe nur, du hast nicht schon reingeschaut», sagte Izzy, die das Geschenk in letzter Minute unter den Baum gelegt hatte, weil ihrer Mutter bei Überraschungen nicht zu trauen war.

«Wer, ich?» Xanthe grinste, während sie in übertriebener Empörung eine Hand auf ihr Herz legte. Dann wandte sie sich an Jeanette. «Sie können Geschenk-Elfe spielen und das hier Alicia geben.» Jeanette nickte und verteilte eifrig alle Geschenke, die Xanthe unter dem Baum hervorholte. «Das ist für Ross. Das hier ist für Graham.» Sie hatte für jeden eine kleine Überraschung gekauft, die zusammen mit dem Scottish Tablet, überreicht werden sollte, das Izzy zubereitet hatte. Die karamellige Süßigkeit war wunderschön in Zellophan eingewickelt und mit goldenen, silbernen und grünen Bändern geschmückt.

Sobald jeder ein Geschenk in der Hand hielt, verkündete Xanthe, dass alle es öffnen durften. Mit großer Begeisterung riss sie selbst das hübsche quadratische Päckchen von Izzy auf. «Oooh!», quietschte sie. «Eine Hutschachtel!» Sie hob den Deckel und holte einen himbeerfarbenen Filzhut mit asymmetrischer Krempe und Feder auf der Vorderseite heraus. «Izzy!» Sie schluckte. «Der ist ... wunderschön. Ich liebe ihn!» Sie setzte ihn auf und zeigte sich ihrem Publikum. «Seht mal, ist der nicht fantastisch?» Sie eilte zu Izzy und umarmte sie fest. «Danke, Schätzchen.»

«Gern geschehen, Mum.»

«Du kennst mich so gut.» Xanthe wackelte mit dem Hintern und drängte sich wie eine brütende Henne in den schmalen Spalt zwischen Izzy und Duncan, legte ihren Arm um Izzys Schulter und sagte ergriffen: «Danke, dass du es mit mir aushältst. Ich habe dich lieb.»

«Ich hab dich auch lieb, Mum», sagte Izzy und fügte grinsend hinzu: «Ich wusste, dass er dir gefallen würde.»

Xanthe nickte. «Aber jetzt mach deins auf. Du wirst es lieben.»

Daran hatte Izzy keinen Zweifel. Xanthe besaß einen tadellosen Geschmack und schaffte es immer, genau das zu finden, von dem man nie dachte, dass man es brauchte.

Sie hob das schwere Geschenk auf ihr Knie und löste langsam das Papier, während Xanthe sich die ganze Zeit darüber beschwerte, *wie* langsam Izzy war. In dem Päckchen befand sich eine leinengebundene Sammelausgabe von Diana Gabaldons kompletter *Outlander*-Serie.

«Mum, die sind ja superschön.» Sie strich mit der Hand über die Buchdeckel und blätterte in den einzelnen, hübsch illustrierten Bänden. «Wo hast du die überhaupt gefunden? Ich danke dir.»

«Gern geschehen, mein Schatz. Ich habe sie aus den USA bestellt. Ich weiß ja, wie sehr du Jamie Fraser liebst.»

Izzy lächelte und warf einen kurzen Blick auf Ross, der sie angrinste. Vielleicht hatte sie ihm in der Nacht zuvor von ihren Jamie-Fraser-Fantasien erzählt?

«So, Graham», sagte Xanthe bestimmt wie immer. «Dann zeigen Sie uns doch mal, was Sie bekommen haben.»

«Erst ich!», platzte Jeanette dazwischen. Sie riss ihr Geschenk auf – und hielt mit einem etwas gequälten Lächeln einen riesigen Weihnachtspulli in die Höhe. Darauf prangte der Kopf eines Rentiers mit pelzigem Geweih und blinkender roter Nase.

«Oh, verdammt!», rief Xanthe. «Der ist doch für Jim. Dann muss er deinen haben.»

«Meint ihr?», fragte Jim, der sich soeben in einen viel zu kleinen Pullover gezwängt hatte und ihn in klassischer Modelhaltung präsentierte. Alle brachen in Gelächter aus.

«Ich habe noch mehr Geschenke», sagte Xanthe stolz und verteilte weitere Päckchen, die alle die Form eines Buchs hatten. «Hier, bitte sehr. Das ist für dich, Jim, und für Jeanette, das hier ist für Sie, Hattie, und dann noch eins für Alicia und Graham und eins für Duncan. Entschuldige, Izzy, du bekommst keines, du kennst sie ja sowieso alle.»

Als sie ihre Pakete ausgepackt hatten, starrte Izzy ungläubig zu Ross hinüber. Xanthe hatte allen ein Buch von Ross Adair geschenkt.

«Danke, ich habe noch keins von dem Autor gelesen», sagte Duncan. «Aber ich liebe einen guten Krimi.»

Jeannette legte Jim den Arm um den Hals. «Du darfst es zuerst lesen, Liebster», sagte sie, «dann kannst du mir sagen, ob es irgendwelche gruseligen Stellen gibt.»

«Wie aufmerksam, Xanthe», sagte Alicia. «Graham und ich lieben Bücher.»

«Gern geschehen.» Mit selbstgefälligem, katzenhaftem Lächeln lehnte sich Xanthe zurück, bevor sie hinzufügte: «Und Ross kann sie alle signieren.»

Izzys halb gehustetes, halb ersticktes Schluckauf-Keuchen zog alle Augen auf sich.

«Was denn, Liebling? Wusstest du es nicht?», fragte Xanthe.

«Wusste sie was nicht?», fragte Alicia.

«Ach, Sie wussten es auch nicht?», fragte Xanthe, und ihre Augen suchten Ross, der eingehend den Kaminsims betrachtete. Izzys Hand schob sich in seine und drückte sie.

«Ich verstehe nicht recht», sagte Alicia zunehmend irritiert.

Graham begann zu lachen. «Ist das wahr, mein Sohn?»

Ross nickte verstohlen.

«Ich wünschte, ihr würdet mir endlich sagen, was los ist», maulte Alicia. «Warum sollte Ross diese Bücher signieren?»

«Ross Adair ist Ross Strathallan», erklärte Graham sanft. «Unser Sohn.»

«Wie bitte?» Alicias Gesicht war wie erstarrt. «Du bist das?» Sie wandte sich zu Ross. «Du bist Ross Adair? Der Bestsellerautor?»

Er nickte.

Da begann sie zu strahlen. «Gott sei Dank. Das ändert natürlich alles.» Sie sah in die Runde. «Ich meine, stellen Sie sich vor, wie peinlich es immer war, sagen zu müssen, dass mein Sohn ein verstaubter, alleinstehender Geschichtsprofessor ist.» Sie wandte sich wieder an Ross.

«Ich wünschte, du hättest es mir früher gesagt. Zuletzt musste ich mir von Margaret Baxter anhören, dass ihr Sohn ein erfolgreicher Tierpräparator ist. Aber ein Thrillerautor ist ja viel aufregender! Ich kann es kaum erwarten, es ihr auf die Nase zu binden.»

«Woher wusstest *du* es denn, Xanthe?», wollte Izzy wissen.

«Mrs. McPherson hat es mir natürlich erzählt. Diese Frau weiß alles, nur nicht, wie wichtig die Vorsorgeuntersuchungen beim Zahnarzt sind. Ehrlich, Alicia, Sie sollten mal die Zähne dieser Postbotin sehen! Dafür verkauft sie unglaublich schöne Wolle im Postamt. Ich werde mich dort noch eindecken, ich habe nämlich vor zu stricken.» Und während Xanthe und Alicia sich in ein ausführliches Gespräch über Nadeln und Maschen vertieften, kehrten alle anderen zu ihren Geschenken zurück.

Izzys Strümpfe kamen bei allen gut an, besonders bei Hattie, die gar nicht mit Geschenken gerechnet hatte. Xanthe hatte ihr einen Kulturbeutel mit Kordelzug gebastelt, aus recycelten Stoffen und rostroten Quasten, die einst die alten Esszimmervorhänge geziert hatten.

«Das ist wunderbar, Xanthe. Sie sind so begabt», meinte Alicia und bewunderte den Schal, den Xanthe ebenfalls aus recycelten Stoffen gefertigt und dessen Enden sie mit einem Sammelsurium von hübschen Knöpfen verziert hatte.

Xanthe strahlte. «Ja, ich denke darüber nach, hier eine Kunsthandwerks-Kooperative in einer der Scheunen zu gründen.»

«Ach ja?» Izzy blinzelte. Ihre Mutter überraschte sie immer wieder.

«Nun, wenn das Hotel erst einmal läuft, habe ich ja nichts mehr zu tun», sagte sie und dachte wohl nicht mehr an die Arbeit, die die Betreuung der Gäste mit sich bringen würde. «Du hast ja jetzt Jeanette, Schätzchen. Deshalb könnten Jim und Duncan doch beim Einrichten der letzten Scheune helfen. Ich stelle mir vor, einheimische Künstler einzuladen, ihre Waren dort auszustellen und zu verkaufen. Ich könnte für das Projekt vielleicht Kunstfördermittel beantragen, und Jim könnte seine Bänke dort verkaufen und andere Möbel herstellen.»

«Du hast dir das alles ja schon gut überlegt», erklärte Izzy amüsiert. Aber sie bewunderte ihre Mutter auch. Xanthe ließ sich nie von einer guten Idee abbringen, und das hier war definitiv eine gute Idee. «Ross und ich haben auch noch ein Geschenk.» Izzy stand auf. «Oder besser gesagt, eine Ankündigung.»

«Oh mein Gott, Alicia. Wir werden Großeltern!», rief Xanthe.

Izzy stöhnte, und Ross hielt sich die Hand über die Augen und senkte den Kopf.

«Nein, Mutter. Ganz anders.» Sie schaute Ross an, dann ließ sie die Bombe platzen: «Wir wissen, wo die Saphire sind.»

Xanthe schrie auf, und auf einmal redeten alle durcheinander.

«Ihr habt sie gefunden?»

«Wo?»

«Wie habt ihr sie gefunden?»

425

«Wann habt ihr sie gefunden?»

Ross hob eine Hand und bat um Ruhe. «Warum kommt ihr nicht einfach alle mit in die Halle?»

Mit verwirrtem Blick standen die anderen auf und folgten Izzy und Ross in die Eingangshalle. Die beiden blieben vor dem Kamin unter dem Claymore stehen.

«Also, Kleines, wo sind sie?», fragte Duncan herausfordernd, als ob er ihr nicht glaubte.

Izzy unterdrückte ein Grinsen. «Vor euren Augen.»

«Was meinst du?», fragte Xanthe mit schriller Stimme.

«Na, wo ist wohl der beste Ort, um hier etwas zu verstecken?»

«Wo alle es sehen können?», vermutete Graham und begann, die Wände der Halle abzutasten.

Izzy nickte, und alle sahen sich im Raum um, während sie und Ross ein heimliches Lächeln tauschten.

«Also, wo sind sie?!», rief Xanthe, die ihre Ungeduld nicht mehr bremsen konnte. «Erlöst uns von unserem Elend.»

Ross drehte sich um und hob das Claymore von der Wand. «Ich habe mich gefragt, was dieser Idiot Godfrey da von sich gegeben hat, als er von den Verzierungen am Griff sprach. Ich nahm erst an, dass er nur seinen üblichen Blödsinn plapperte.» Er legte das Schwert auf die Eichenanrichte, winkte alle heran und deutete auf die kleinen ovalen Klumpen, die am Griff klebten.

«Das sind die Saphire?» Xanthe rümpfte die Nase.

«So wurden sie versteckt», erklärte Ross. «Jemand hat sie aufgeklebt und übermalt.»

«Bill – dieser gerissene Mistkerl», sagte Duncan. «Er

hat ja immer gesagt, er wisse, wo sie sind. Und ich dachte, es wäre nur Angeberei.»

«Das erklärt auch, warum er nicht wollte, dass das Claymore je aus der Familie gegeben würde», sagte Izzy.

«Nun, sie sind nicht so schön wie Isabellas Halskette», sagte Xanthe, und es klang beinahe schmollend. «Tut mir leid, Izzy. Ich dachte, sie würden fabelhaft aussehen. Ich bin ziemlich enttäuscht.»

«Na, ich aber nicht. Ich sehe nämlich bereits ein neues Dach.»

«Tss, tss.» Xanthes Hutschmuck wippte missbilligend. «Ich weiß nicht, woher du das hast. Immer so praktisch.»

Ross legte einen Arm um Izzys Taille und flüsterte ihr «Zum Glück» ins Ohr, bevor er sie sanft auf den Hals küsste. «Bei unserem Genpool werden wir jede Hilfe brauchen, die wir bekommen können. Ich bin mir nicht sicher, ob wir jemals ein ruhiges Leben haben werden, aber irgendwie glaube ich, dass ich das schaffe. Dass *wir* das schaffen.»

«Oh, das ist doch wieder typisch», ertönte da plötzlich Hatties Stimme. Sie wedelte mit ihrem Handy. «Ihr werdet es nicht glauben: Meine Tante und mein Onkel wollen wissen, ob sie übermorgen zum Hogmanay kommen können.»

Izzy fing an zu lachen. «Natürlich können sie. Je mehr, desto besser.»

Sie war sicher, dass sie ihnen die allerbeste schottische Gastfreundschaft würde bieten können. Was sollte schon schiefgehen? Sie hatte schließlich ihre Familie und die besten Freunde an ihrer Seite.

DANKSAGUNG

Dieses Buch wurde inspiriert durch die wunderschöne Hochzeit meiner sehr lieben Freunde Lesley und Richard. Danke, dass ihr mich zu der fröhlichsten und romantischsten Trauzeremonie eingeladen habt, die ich je erleben durfte. Bei strahlendem Frühlingssonnenschein erlebten wir ein *Handfasting* am Strand von Crear in Argyll, gegenüber der Insel Jura. Die Fahrt nach Argyll entlang des Loch Lomond, vorbei am Loch Fynenach durch herrlichste Landschaften bleibt eine meiner schönsten Reisen. Danach wusste ich einfach, dass ich einen Roman in Schottland spielen lassen musste.

Dies ist mein zwanzigstes Buch, und ich habe schon einige dieser Danksagungen geschrieben, also entschuldigt, wenn ihr die Namen bereits kennt. Doch jede und jeder einzelne von ihnen spielt eine sehr wichtige Rolle in meinem Leben als Autorin.

Ein großes Dankeschön geht an meine liebe Autorenfreundin Donna Ashcroft – wir reden ständig miteinander und kennen die Figuren der anderen fast so gut wie unsere eigenen.

Ich bin außerdem sehr dankbar für meine Party People: Bella Osborne, Philippa Ashley, Darcie Boleyn und Sarah Bennet, die mich bei Verstand halten und mir Unterstützung und brillante Ratschläge geben.

Besonderer Dank geht an meine Familie, an Nick, Ellie und Matt, die absolut kein Mitleid haben, wenn ich ihnen sage, dass das neueste Manuskript einfach furchtbar ist – sie haben das schon oft gehört.

Dank an Broo Doherty, meine fantastische Super-Agentin – ich könnte mir keinen besseren Menschen an meiner Seite wünschen (obwohl auch sie kein Mitleid hat, wenn ich ihr sage, dass mein Manuskript furchtbar ist).

Gleicher Dank gilt Charlotte Ledger, meiner Lektorin, offiziell dem nettesten Menschen auf diesem Planeten (denn sie *hat* Mitleid, wenn ich ihr sage, dass mein Buch furchtbar ist, und macht es dann mit ihren brillanten redaktionellen Fähigkeiten so viel besser).

Dem fantastischen Rechte-Team bei HarperCollins – Zoe, Agnes, Aisling, Sarah, Sam und Rachel – bin ich unglaublich dankbar dafür, dass sie meine Bücher in die ganze Welt verkaufen und sich für jedes einzelne von ihnen begeistern. Ebenso dem fabelhaften Team von One More Chapter – Emma, Sara, Jennie und Bethan.

Ein riesiges Dankeschön geht an jede einzelne Leserin und jeden einzelnen Leser. Ohne euch hätte ich nicht den besten Job der Welt. Danke, dass ihr meine Bücher kauft, sie rezensiert und mir schreibt.

Weitere Titel

Romantic Escapes

Das kleine Café in Kopenhagen

Die kleine Bäckerei in Brooklyn

Die kleine Patisserie in Paris

Das kleine Hotel auf Island

Der kleine Teeladen in Tokio

Das kleine Chalet in der Schweiz

Das kleine Cottage in Irland

Die kleine Bucht in Kroatien

Das kleine Schloss in Schottland